Donald Morrison (Hrsg.)
Michail Gorbatschow

Michail Gorbatschow

Herausgegeben von
Donald Morrison

Aktualisierte Neuausgabe

MOEWIG

Die Originalausgabe erschien 1988 unter dem Titel
Mikhail S. Gorbachev. An Intimate Biography
By the Editors of TIME Magazine
bei NAL PENGUIN INC., New York, New York

1. Auflage September 1988
2. Auflage November 1988
3., überarb. und erweit. Auflage Mai 1989

Aus dem Amerikanischen von Anton Manzella

Textbearbeitung: Joachim Peters
Umschlagentwurf und -gestaltung: Werbeagentur Zeuner, Ettlingen
Umschlagfoto: dpa
Verkaufspreis inkl. gesetzl. Mehrwertsteuer
Gesetzt aus der Aldus-Buchschrift
bei Utesch Satztechnik GmbH, Hamburg
Druck und Bindung: Ebner Ulm
Printed in Germany 1989
ISBN 3-8118-1116-9

Inhalt

Vorwort zur Neuausgabe
7

Einführung
9

Erstes Kapitel
Kindheit und Jugend
33

Zweites Kapitel
Universitätsjahre
62

Drittes Kapitel
In Stawropol
98

Viertes Kapitel
Ruf nach Moskau
129

Fünftes Kapitel
Der Reformer
158

SECHSTES KAPITEL
Ein Tag im Leben des Michail Sergejewitsch
205

SIEBTES KAPITEL
Raissa
230

ACHTES KAPITEL
Gipfel in Washington
256

NEUNTES KAPITEL
Stabilisierung des Reformkurses
276

ANHANG

Worte des M. S. Gorbatschow
299

Chronologie
317

Ausgewählte Literatur
327

Namenregister
331

Die Autoren
335

Vorwort zur Neuausgabe

Im September 1988 erschien die erste Auflage dieses Buches. Wie in vielen anderen Ländern, so wurde auch bei uns die von dem amerikanischen Nachrichtenmagazin *Time* herausgegebene Gorbatschow-Biographie in kürzester Zeit zu einer der wichtigsten und erfolgreichsten Veröffentlichungen über den ersten Mann der Sowjetunion.

So zeitbeständig die im Kernteil dieses Buches zusammengetragenen Informationen über den Werdegang Gorbatschows auch sind – die Verve, mit der der sowjetische Partei- und Staatschef seine Reformpolitik vorantreibt, hat dazu geführt, daß bereits heute, ein gutes halbes Jahr nach Erscheinen der ersten Auflage, eine Vielzahl neuer Fakten vorliegt. Aus diesem Grunde haben wir uns entschlossen, Gorbatschows Besuch in der Bundesrepublik Deutschland im Juni 1989 zum Anlaß zu nehmen, eine aktualisierte und erweiterte Fassung der *Time*-Biographie herauszubringen.

Erweitert wurde das Buch vor allem um das Kapitel „Stabilisierung des Reformkurses", das alle wesentlichen Ereignisse und Entwicklungen seit Anfang 1988 schildert und in einen Zusammenhang stellt. Wir danken Herrn Thomas A. Sancton aus der New Yorker *Time*-Redaktion, der diesen Teil speziell für die deutsche Ausgabe verfaßte. Das Kapitel „Gipfel in Washington" (zuvor „Mr. Gorbatschow geht nach Washington") über das Gipfeltreffen im Dezember 1987 wurde, da es damals den aktuellen Stand markierte und deshalb besonders ausführlich ausfiel, erheblich gestrafft. Alle anderen Kapitel wurden, soweit nötig und sinnvoll, um neue Fakten ergänzt. Auf den neuesten Stand gebracht wurden auch die im Anhang zu findende Sammlung der Gorbatschow-Zitate, die Chronologie und das Literaturverzeichnis. Außerdem wurde der Bildteil um aktuelles Material erweitert.

Der Verlag *Im April 1989*

Einführung

Am frühen Nachmittag des 8. Dezember 1987 stand Ronald Wilson Reagan an einem Pult vor einem knisternden Feuer im Staatsbankettsaal des Weißen Hauses, um Michail Sergejewitsch Gorbatschow in Washington willkommen zu heißen. Fernsehkameras übermittelten dieses Ereignis live an die Nation und die Welt.

In Moskau war es bereits Abend. Auf dem Kalinin-Prospekt, der von Hochhäusern umsäumten Vorzeigestraße der sowjetischen Hauptstadt, hatten sich die für die Feiertage einkaufenden Moskauer dick vermummt, um sich vor dem Frost und dem fallenden Schnee zu schützen. In der Nähe der U-Bahn-Station Arbat blieben viele von ihnen stehen und starrten nach oben, gebannt von der flimmernden Erscheinung zweier vertrauter Gestalten auf einem Bildschirm, der gewöhnlich der Reklame für sowjetische Filme vorbehalten war. Aus Lautsprechern ertönte die simultane Übersetzung, als der Präsident der Vereinigten Staaten begann: „Ralph Waldo Emerson schrieb einmal, daß es ‚eigentlich keine Geschichte, sondern nur Biographien gibt'. Damit meinte er, daß es falsch wäre, die Geschichte einfach auf Kräfte und Faktoren reduzieren zu wollen."

Zufällig hatten Gorbatschows Redenschreiber zu diesem Anlaß ebenfalls ein Emerson-Zitat gefunden: „Der Lohn einer vollbrachten Leistung besteht darin, sie vollbracht zu haben." Die gemeinsame Berufung auf einen Transzendentalphilosophen des neunzehnten Jahrhunderts in der Absicht, eine geeignete Atmosphäre für den Staatsbesuch eines Marxisten des zwanzigsten – vielleicht auch des einundzwanzigsten – Jahrhunderts in Washington zu schaffen, war nur eine von vielen Ungereimtheiten dieses Tages.

Es handelte sich um eines der seltsamsten Paare aller Zeiten. Der amerikanische Gastgeber war ein mehr als siebzigjähriger ehemaliger Filmschauspieler, ein altmodischer Antikommunist, der berühmt dafür war, daß er die Sowjetunion als ein „Reich des Bösen" verurteilt hatte; sie werde von Männern beherrscht, die „sich das Recht nehmen, jedes Verbrechen zu begehen, zu lügen und zu betrügen". Doch nun flatterte die Hammer-und-Sichel-Fahne der UdSSR neben dem Sternenbanner an der Pennsylvania Avenue. Neben Reagan stand, Selbstbewußtsein und jugendliche Energie ausstrahlend, ein Kind der Stalin-Ära, ein zum Reformer gewordener Apparatschik. (Und ganz in der Nähe hielt sich Raissa Gorbatschowa auf, die für die Frau eines sowjetischen Parteichefs ungewöhnlich attraktiv und informiert war.)

Gorbatschow war gekommen, um mit Reagan über die Rüstungskontrolle zu sprechen, aber am Ende machte er dem Präsidenten den Weltmeistertitel als „Großer Kommunikator" streitig. Die beiden Männer einigten sich bei dieser – ihrer dritten – Begegnung nicht nur, zwei ganze Klassen von Kernwaffen zu beseitigen, sondern auch darauf, einander „Ron" und „Michail" zu nennen. Diese vertrauliche Note war gewiß nicht die Hauptsache, aber sie war auch nicht nebensächlich: Was sich ereignete, war nur deshalb möglich, weil sie es möglich gemacht hatten.

Mit dem Emerson-Aphorismus über die biographischen Grundlagen der Geschichte hatte Reagan mithin ein geeignetes Motto gefunden für sein Treffen mit Gorbatschow an jenem Tag und für ihre gesamte Beziehung – von ihrer ersten Begegnung zwei Jahre zuvor auf neutralem Boden in Genf über ihre zweite im isländischen

Reykjavik ein Jahr danach und das Moskauer Gipfeltreffen im Sommer 1988 bis hin zu ihrer letzten Begegnung im Dezember desselben Jahres anläßlich Gorbatschows Rede vor den Vereinten Nationen in New York. Emersons Worte könnten auch als Motto für dieses Buch dienen. Über Gorbatschow ist bisher nur relativ wenig bekannt geworden. Ungeachtet des russischen Wortes *glasnost* (Offenheit), das er im Westen zu einem gängigen Begriff gemacht hat, ist sein eigenes Leben ein Buch mit sieben Siegeln. Versuche, es zu öffnen, haben zwangsläufig nur Teilerfolge gezeitigt. In letzter Zeit erschienene Werke über Gorbatschow sind zwar häufig interessant und gewähren eine gewisse Einsicht in seine persönliche Entwicklung, bieten jedoch im Kern eher Untersuchungen des politischen und gesellschaftlichen Systems der Sowjetunion als umfassende Darstellungen von Gorbatschows Leben.

Ein Hauptgrund für dieses Defizit im biographischen Bereich besteht darin, daß Michail Gorbatschow relativ unvermittelt von einem völlig Unbekannten zu einem mächtigen und prominenten Mann wurde und dadurch kaum Spuren für Kreml-Forscher hinterließ. In der Sowjetunion ist kaum etwas über seine Herkunft, die Anfänge seiner Karriere und sein Privatleben veröffentlicht worden, und er selbst scheut in seinen Interviews und Schriften vor persönlichen Enthüllungen zurück. Er will es vermeiden, abermals einen „Personenkult" zu schaffen, wie die Verherrlichung eines allmächtigen Führers in der Sowjetunion euphemistisch genannt wird. In seiner Jugend erlebte Gorbatschow, wie der Kult, der um Stalin getrieben wurde, groteske Ausmaße erreichte. Nikita Chruschtschow warf man ein Übermaß an Unbescheidenheit vor, als man ihn im Jahre 1964 stürzte, und ähnliche Anklagen wurden – vermutlich auf Gorbatschows Geheiß – auch gegen den verstorbenen Leonid Breschnew vorgebracht. Wohl deshalb reagierte Gorbatschow auf die in der sowjetischen Presse beginnende Stilisierung zum Nationalhelden damit, daß er sein Privatleben abschottete. Seine Untergebenen folgten seinem Beispiel. Ein hoher Amtsträger erwähnte kürzlich einigen meiner Kollegen gegenüber, er habe den Generalsekretär als Universitätsstudenten gekannt. „Was für ein Mensch war Gorbatschow damals?“ wurde der Mann gefragt. Er überlegte ein Weilchen, lächelte dann und sagte: „Ich erinnere mich nicht.“

Gorbatschows offizielle Biographie ist kaum mehr als eine Aufzählung seiner früheren Ämter und Auszeichnungen und enthält nicht einmal die elementarsten persönlichen Informationen. Zum Beispiel weiß man nicht genau, ob er Geschwister hat. Manche Sowjetbürger behaupten, er habe einen Bruder, der in der Landwirtschaft arbeite, aber niemand scheint den Namen oder das Alter des Mannes zu kennen. Meldungen, daß er eine Schwester habe, lassen sich ebenfalls nicht verifizieren.

Time ist es jedoch gelungen, die Leerstellen in Gorbatschows Geschichte mit Hilfe einer Vielzahl von Quellen aufzufüllen. Die Korrespondenten der Zeitschrift in der Sowjetunion und anderswo interviewten Dutzende von Mitarbeitern des Generalsekretärs, einstige Schulkameraden, die wenigen Ausländer, mit denen er Bekanntschaft schloß, und andere, die dem ehemaligen Dorfjungen aus Stawropol auf seinem Weg in den Kreml begegneten. Meine Kollegen und ich hatten zwar seit Jahren Informationen über Gorbatschow gesammelt, aber das Projekt lief im Grunde erst im Herbst 1987 an, als wir Kandidaten für den „Mann des Jahres“ von *Time* ins Auge faßten. Seit 1927 wird dieser Titel alljährlich derjenigen Gestalt des öffentlichen Lebens verliehen, welche die Ereignisse des Jahres am stärksten beeinflußt hat. Angesichts der beträchtlichen Leistungen, die Gorbatschow in jenem Jahr auf innen- und außenpolitischem Gebiet vorzuweisen hatte, fiel die Entscheidung diesmal nicht schwer. Zu dem wahrlich interessantesten Mann des Jahres wurde er dadurch, daß trotz seiner Position als führender Politiker einer der beiden Supermächte so wenig über ihn bekannt war. Wir ließen uns nicht abschrekken, warfen überall unsere Netze aus und brachten eine gewaltige Menge von unveröffentlichten Informationen ein sowie die umfassendste bisher veröffentlichte Sammlung von Fotos, die Gorbatschow bei offiziellen Anlässen und im Familienkreis zeigen. Nachdem unsere „Mann des Jahres"-Ausgabe von 1987 erschienen war, wollten wir – und viele Leser – trotzdem noch mehr über ihn wissen. Deshalb warfen wir unsere Netze noch weiter aus, kehrten zu unseren Quellen zurück und förderten zusätzliche Tatsachen und Fotos zutage. Das Ergebnis ist das vorliegende Buch, das unserer Meinung nach bisher ausführlichste Werk über diesen ungewöhnlichen sowjetischen Staatsmann.

Gorbatschow wurde 1979 zum erstenmal von *Time* in einem kurzen Artikel mit der Aussage erwähnt, daß dieser „relativ junge, unbekannte" Sekretär des Zentralkomitees, damals achtundvierzig Jahre alt, aufgrund einer Mischung aus Glück, politischer Gewandtheit und Protektion von höchster Seite nicht für die katastrophal schlechte Ernte des Jahres verantwortlich gemacht worden sei. Als KGB-Chef Juri Andropow im November 1982 die Nachfolge von Leonid Breschnew im Amt des Generalsekretärs antrat, wurde Gorbatschow von *Time* als ein Mann eingeschätzt, der beim nächstenmal „im Auge zu behalten" sei.

1983, als Gorbatschow außerhalb seines Landes noch kaum bekannt war, näherten sich die amerikanisch-sowjetischen Beziehungen dem absoluten Tiefpunkt seit zwanzig Jahren. Im selben Jahr wurde der Titel eines Science-fiction-Films von George Lucas – *Star Wars* – zum Aushängeschild der amerikanischen Außenpolitik. Im März 1983 hielt Reagan seine Rede vom „Reich des

Bösen" vor einem Publikum von evangelischen Christen in Florida, und zwei Wochen später enthüllte er seine Pläne von *Star Wars* oder SDI (*Strategic Defense Initiative:* Strategische Verteidigungsinitiative). SDI werde Kernwaffen „nutzlos und veraltet" machen, sagte der Präsident. Niemand zweifelte daran, wessen Waffen er meinte.

Im September desselben Jahres wurde die Welt daran erinnert, daß die Sowjetunion ebenfalls eine gut entwikkelte, wenn auch weniger ausgefallene strategische Verteidigung besaß – und daß sie sich in einem gefährlichen Zustand der Reizbarkeit befand. Ein Düsenjäger vom Typ Suchoi-15, der dem Fernöstlichen Luftverteidigungskommando zugeordnet war, schoß ein vom Kurs abgeratenes koreanisches Passagierflugzeug ab, das 269 Menschen an Bord hatte. Im selben Monat gab das Politbüro in Andropows Namen eine Erklärung heraus, die jede Möglichkeit weiterer Kontakte mit der Reagan-Administration auszuschließen schien. Gleichzeitig fand eine gefährliche Kraftprobe in Hinblick auf die vorgesehene Stationierung von amerikanischen Mittelstreckenraketen in Europa statt. Ende November waren die Waffen plangemäß eingetroffen, und nach wenigen Tagen zogen sich die sowjetischen Teilnehmer demonstrativ von den Rüstungskontrollverhandlungen in Genf zurück. Aber die beiden Supermächte waren zu dem verurteilt, was Chruschtschow als friedliche Koexistenz bezeichnet hatte und was Richard Nixon und Henry Kissinger Détente nannten. Ein Zustand des permanenten kalten Krieges war in politischer Hinsicht nicht aufrechtzuerhalten, und ein heißer Krieg gar wäre selbstmörderisch gewesen.

Um ein gewisses Maß an Entgegenkommen und konstruktivem Miteinander wiederherzustellen, waren in Politik und Diplomatie energische Akteure erforderlich. Diese wesentliche Voraussetzung fehlte auf sowjetischer Seite in den Jahren 1983 und 1984. Die Kreml-Führung mußte, im buchstäblichen wie im übertragenen Sinne, künstlich am Leben gehalten werden. Offiziell wurde mitgeteilt, Andropow leide an einer „Erkältung“ und dann an einer „schweren Erkältung“. In Wirklichkeit war er das Opfer einer Nierenkrankheit und lag im Sterben. Aber die politische Elite der Sowjetunion ist nie in der Lage gewesen, administrativ mit dem Eingreifen des Genossen Tod fertig zu werden. Wenn das Unvermeidliche eintritt und die dahinsiechende Person das höchste Staatsamt innehat, sind alle Vorbereitungen und Pläne für den Ernstfall umsonst. Dies zeigte sich am Beispiel von Lenin, Stalin und Breschnew. In der Sowjetunion sind Führungswechsel immer auch Führungskrisen. Obwohl diese Gesellschaft und ihr politisches System so gründlich durchorganisiert sind, haben sie nie einen Führungswechsel bewerkstelligen können, ohne dabei dem Sowjetvolk und der Welt das Gefühl zu vermitteln, ein tiefgreifender Umbruch stehe bevor. Parteichefs ziehen sich nie in einen ehrenhaften Ruhestand zurück. Sie sterben entweder im Amt (wie Lenin, Stalin und Breschnew) oder werden gestürzt und beenden ihr Leben als Pensionäre und Unpersonen (wie Chruschtschow und sein Vorgänger Georgi Malenkow). Sowjetische Führer sind den politischen Folgen ihres Alterns und ihrer Sterblichkeit nicht gewachsen – und dies aus einem ganz einfachen Grund: Seit der Revolution von 1917 beruht ihr System auf der Übernahme, Anhäufung und Konsolidierung von Macht; der sowjetische Staat hat keinen Mechanismus dafür, Autorität über den inneren Zirkel hinaus zu delegieren.

Für die konservativen alten Männer, welche die Sowjetunion regierten, galten zwei Arten von Regeln: solche, die sie selbst und für sich selbst erstellt hatten, und solche, die durch die Tatsache der menschlichen Sterblichkeit geschaffen wurden. Als Andropow Ende 1983 auf dem Sterbebett lag, sahen seine Genossen, die zumeist alte und in vielen Fällen gebrechliche Männer waren, sich in einem Dilemma, das die Behauptung widerlegte, die Sowjetunion sei ein jugendlicher Staat und repräsentiere die Zukunft. Es war für die alte Garde am sichersten, als Nachfolger jemanden aus ihren eigenen Reihen zu wählen, die Gerontokratie fortzusetzen und ihre Macht zu verteidigen, selbst auf die Gefahr hin, das gleiche Trauma sehr bald von neuem erleben zu müssen. Die Wahl eines jüngeren Nachfolgers hätte ein höheres Maß an Ungewißheit und Unberechenbarkeit mit sich gebracht. Die sowjetischen Führer, die sich als Wahrer einer revolutionären Tradition geben, sind in Wirklichkeit vielleicht die konservativsten Politiker der Welt. Sie hassen Ungewißheit und Unberechenbarkeit. Eine Übergabe der Macht an die nächste Generation würde zwar die Führung des Landes stärken, aber gleichzeitig ihren eigenen politischen Abgang beschleunigen.

Als Andropow im Februar 1984 gestorben war, übernahm Konstantin Tschernenko das Amt, aber die alten Männer im Kreml hatten gegen die Statistik gewettet und wieder einmal verloren. Tschernenko, der schon unter Breschnew ein Jasager gewesen und bereits von Altersschwäche gezeichnet war, starb im März 1985 an einem Herzinfarkt. Andropow hatte fünfzehn, Tschernenko nur dreizehn Monate lang sein Amt innegehabt.

Das Politbüro sah sich nun einer ausgesprochen peinlichen Situation gegenüber. Der Rote Platz verwandelte sich in ein gigantisches Bestattungsinstitut, und Radio Moskau konnte keine langsame Musik von Tschaikowski mehr spielen, ohne das Gerücht auszulösen, daß eine weitere traurige Mitteilung bevorstehe. Wenn es etwas gibt, das die Herrscher der Sowjetunion noch mehr hassen als Unberechenbarkeit und Ungewißheit, dann ist es das Wissen, daß man sie verachtet und für matt und schwach hält. Also überwanden sich die alten Männer diesmal und wandten sich ihrem jüngsten Mitglied zu.

Sie setzten nun auf Gorbatschow, von dem sie sich erhofften, daß er im eigenen Land Stolz und Energie wekken und auf internationalem Parkett erfolgreich mit Ronald Reagan um die öffentliche Meinung wetteifern könne.

Während Andrej Gromyko, der notorisch verdrießliche Außenminister, Gorbatschow in einer Rede vor dem Zentralkomitee nominierte, sprach er eine ungewöhnliche, doch sehr bezeichnende Empfehlung aus: „Dieser Mann hat ein angenehmes Lächeln, aber er hat eiserne Zähne." Gorbatschow war vierundfünfzig Jahre alt. Endlich besaß die Sowjetunion einen Führer, der jünger war als sie selbst. Wenn er so lange leben würde wie Breschnew, wäre er im Jahre 2006 immer noch im Amt. Aber würde man sich seines Lächelns oder seiner Zähne wegen an ihn erinnern?

In der Woche darauf löste Gorbatschows Bild auf den Titelseiten der Weltpresse in Moskau folgenden Witz aus: Michail Sergejewitsch habe, bevor er sein Bild in einer ausländischen Zeitschrift sah, nichts von dem portweinfarbenen Muttermal auf seiner Stirn gewußt. Warum nicht? Weil es auf all seinen Fotos in der sowjetischen Presse wegretuschiert worden sei.

Schon bald entwickelte der neue Parteichef einen in der Sowjetunion bis dahin ungekannten Aktivismus. Er sagte dem Alkoholismus den Kampf an. Als wolle er den Kontrast zu seinen bejahrten Vorgängern unterstreichen, die sich selten in der Öffentlichkeit gezeigt hatten, unternahm er zahlreiche Reisen, tauschte seinen Filzhut gegen einen Schutzhelm aus, um Fabriken zu inspizieren, und zeigte seine elegante und freimütige Frau Raissa im Ausland vor. Er verstand es, seine persönliche Macht rasch zu festigen. Sein Hauptrivale um das höchste Amt, der Leningrader Parteichef Grigori Romanow, mußte die doppelte Schmach plötzlicher Pensionierung und, wie man weithin munkelte, der Einweisung in ein Behandlungszentrum für Alkoholiker hinnehmen. Gromyko, der Gorbatschow nominiert hatte, wurde ein weniger hartes Schicksal zuteil: Nachdem er achtundzwanzig Jahre lang der Chefdiplomat der UdSSR gewesen war, wurde er in das Amt des Präsidenten abgeschoben, das fast ausschließlich mit repräsentativen Aufgaben ausgestattet ist. Erstaunlich schnell sprach man von einer Gorbatschow-Ära. Solche Äußerungen waren zwar noch übereilt, aber sie vermittelten doch das Gefühl vieler Bürger und Beobachter der Sowjetunion, daß Gorbatschow mehr als nur das Oberhaupt eines riesigen, schwerbewaffneten Landes sei. Er repräsentierte für sie gleichzeitig das Potential für tiefgreifende Veränderungen.

In der Innenpolitik unternahm Gorbatschow erste Schritte, um die aufgeblähte Bürokratie zu verkleinern und die Korruption auszumerzen. Einige seiner Berater berichteten, er sei von der Trägheit und der Frustration, auf die er allenthalben stieß, „radikalisiert" worden. Er wollte das Land aus einem kräftestrotzenden, doch rückständigen Imperium in einen modernen Staat verwandeln, der fähig ist, sich auf dem Weltmarkt der Güter und Ideen durchzusetzen. Die UdSSR, sagte Gorbatschow, müsse eine „wirkliche Supermacht" werden. In dieser Formulierung schwang ein verblüffendes Eingeständnis mit: Würde man der Sowjetunion ihre 3,7 Millionen Soldaten und ihre rund fünfundzwanzigtausend Kernwaffen abnehmen, dann wäre sie ein Land der dritten Welt. Eine gewisse Besorgnis, wenn nicht gar Scham, und wachsende Unruhe ließen sich in der Art und Weise entdecken, wie er über die von ihm geleitete Gesellschaft und Wirtschaft sprach. Ein neues Gespenst ging im Lande von Marx und Lenin um: das Gespenst einer von oben auferlegten Abkehr von der herrschenden politischen Praxis. Gorbatschow begann, nicht bloß von Reform, sondern von Revolution zu sprechen; er zitierte Lenin, der eine revolutionäre Situation als den Zustand beschrieben hatte, in dem es den Menschen an der Spitze an der Fähigkeit – und den Menschen in den unteren Schichten an dem Willen – mangele, die alten Verhältnisse fortzusetzen. Dies waren harte Worte – anregend für alle, die Gorbatschows Hoffnungen und Ungeduld teilten, erschreckend für jene Millionen, die ein persönliches Interesse am Status quo hatten. Vor seinem zweiten Gipfeltreffen mit Reagan im Oktober 1986 in Reykjavik hielten mehrere erfahrene Sprecher des Zentralkomitees und Intellektuelle des inneren Zirkels eine Pressekonferenz ab, auf der sie betonten, daß Gorbatschows Reformen „Widerstand auf allen Ebenen" hervorriefen – also auch auf der höchsten Ebene, jener des Politbüros. Dieser Auftritt wurde als ein verschleierter, doch verblüffender Appell an liberale westliche Meinungsmacher verstanden, Gorbatschow und seine Verbündeten in der Sowjetunion gegen ihre konservativen Gegner zu unterstützen.

Gorbatschow wußte, daß die Sowjetunion in der Außenpolitik eine *peredyschka* (Atempause) im rückhaltlosen Wettbewerb mit dem Westen benötigte. Er strebte eine Entspannung, eine Détente an, um seinen innenpolitischen Reformen Energie und Ressourcen zukommen zu lassen. Deshalb war er auch so entschlossen, Ronald Reagan, den antisowjetischsten amerikanischen Präsidenten aller Zeiten, in seine persönliche Diplomatie einzubeziehen. Gorbatschow mußte die internationale öffentliche Meinung davon überzeugen, daß er eine der positiven Gestalten der Geschichte ist.

Dies gelang ihm zum Teil dadurch, daß er seine Aufmerksamkeit dem kritischen Bereich der sowjetisch-amerikanischen Rüstungskontrolle zuwandte, die seit dem Abbruch der Gespräche Ende 1983 stagniert hatte. Die Sowjetunion besaß weder die diplomatischen noch die militärischen Mittel, um den fortdauernden amerikanischen Raketenstationierungen in Westeuropa wirksam zu begegnen. Sofort nach seiner Machtübernahme verlangte Gorbatschow vom Außen- und Verteidigungsministerium sowie dem Generalstab der Streitkräfte, ihm eine Erklärung für die festgefahrene Verhandlungslage zu geben. Diese Forderung enthielt deutliche Kritik an seinen Vorgängern und an vielen seiner Untergebenen. Gorbatschow war entschlossen, sowohl im militärischen Wettbewerb mit seinen Gegnern als auch in den Verhandlungen mit ihnen verstärkt auf Erfindungsgabe und Beweglichkeit zu setzen. Die Sowjetunion hatte sich den Ruf erworben, automatisch *njet* zu sagen. Die Amerikaner waren an einen sowjetischen Gesprächspartner gewöhnt, der sich auf einem Eisblock am wohlsten zu fühlen schien, wobei er eine finstere Miene machte und auf US-Initiativen hin den Kopf schüttelte. Gorbatschow begann mit der Diplomatie des *da* (Ja).

Amerikanische Experten hatten oft erklärt, ihre Unterhändler betrachteten die Rüstungskontrollverhandlungen wie ein Pokerspiel, bei dem die USA die Karten verteilten; die Sowjetunion dagegen sehe die Verhandlungen als ein mühsames Schachspiel an, das sie mit den schwarzen Figuren aus der Verteidigung heraus führe. Gorbatschow änderte dies alles. Er zeigte eine Fähigkeit, die taktischen Grundideen der beiden Spiele auf eine Weise zu kombinieren, die bald meisterhaft, bald aufreizend und manchmal beides zugleich war. Der Kreml machte in den Bereichen von Diplomatie und Rüstungskontrolle die Vorschläge bald schneller, als die Reagan-Administration sie ablehnen konnte.

Auf dem Gebiet der nuklearen Mittelstreckenraketen zog Gorbatschow alle Register, bis die sogenannte Nulllösung akzeptiert wurde: die Beseitigung einer ganzen Klasse sowjetischer Raketen, verbunden mit dem Rückzug und der Vernichtung der seit 1982 in Europa stationierten amerikanischen Flugkörper. Reagan hatte die Nullösung erstmals im Jahre 1981 vorgeschlagen, und er gratulierte sich selbst, als sie im Dezember 1987 zum

Kernstück des Washingtoner Gipfels wurde. Aber auch Gorbatschow konnte sich gerechtfertigt sehen. Es war ein langjähriges Prinzip der sowjetischen Außen- und Verteidigungspolitik gewesen, zu verhindern, daß die NATO landgestützte Raketen an der Peripherie der UdSSR stationierte. Seine Vorgänger hatten zugelassen, daß US-Mittelstreckenraketen in Europa eintrafen; Gorbatschow sorgte dafür, daß sie wieder verschwanden.

Ähnliches Geschick und ähnliche Beharrlichkeit zeigte er im Bereich der strategischen Rüstungskontrolle. Die Sowjetunion beabsichtigte, mit der Aussicht auf einen deutlichen Abbau ihrer Offensivwaffen den USA Einschränkungen von SDI schmackhaft zu machen. Als Gorbatschow sein Amt übernahm, erbte er damit auch die Forderung, die Vereinigten Staaten sollten das *Star-Wars*-Projekt mitsamt der einschlägigen Forschung völlig aufgeben. Diese Position war unvernünftig und nicht verhandlungsfähig – ein klassisches Beispiel für die alte Einstellung und die alten Methoden. Viele amerikanische Wissenschaftler und Militärexperten waren skeptisch, was die technische Realisierbarkeit von Reagans Traum einer umfassenden, undurchdringlichen weltraumgestützten Raketenabwehr betraf. Doch die meisten meinten auch, die USA müßten, solange eine Chance besteht, daß SDI einmal funktionieren und entscheidend zur Verminderung oder gar völligen Beseitigung des auf beiden Seiten vorhandenen Vernichtungspotentials als Basis der Abschreckung beitragen könnte, weiterhin mit dieser defensiven Technologie experimentieren. Gorbatschow nahm bei einem *Time*-Interview im August 1985 – seinem ersten, das er einem westlichen Medium gab – die Gelegenheit wahr, eine wichtige Verschiebung in der sowjetischen Position zu *Star Wars* anzudeuten: „Forschungen zur elementaren Weltraumwissenschaft finden statt und werden weitergehen." Es war ein stillschweigendes Eingeständnis, daß ein eventuelles Rüstungskontrollabkommen für strategische Waffen ein gewisses Maß an Forschung und Entwicklung zu SDI gestatten müsse und daß es ein ähnliches Programm auf sowjetischer Seite gebe.

Die fünf *Time*-Redakteure und -Korrespondenten, die das zweistündige Gespräch mit dem Generalsekretär führten, waren beeindruckt von seinem Charisma und seiner Fähigkeit, sowohl Härte wie Liebenswürdigkeit, sowohl Autorität wie Wachsamkeit auszustrahlen. Zudem überraschte er sie durch einen Hang zu religiösen Formulierungen wie: „Bestimmt hat Gott im Himmel uns nicht die Weisheit vorenthalten, Wege zu einer Verbesserung [der Beziehungen] zu finden." Dieser Hinweis verblüffte anscheinend auch sowjetische Redakteure. Beim Nachdruck des Interviews nahmen sie dem Satz den religiösen Beiklang, indem sie „Gott im Himmel" durch „die Geschichte" ersetzten. Weniger als ein Jahr später, im Juli 1986, beeindruckte Gorbatschow einen anderen amerikanischen Besucher: Richard Nixon. In einer vertraulichen Mitteilung an Reagan, die später in *Time* erschien, äußerte der frühere Präsident folgende Einschätzung Gorbatschows: „Im Gegensatz zu Chruschtschow hat er keinen Minderwertigkeitskomplex. Er ist äußerst selbstbewußt, gelassen und beherrscht die Situation. Gorbatschow ist so zäh wie Breschnew, aber gebildeter, geschickter, subtiler. Breschnew benutzte bei seinen Verhandlungen ein Hackbeil, Gorbatschow benutzte ein Stilett. Aber unter seinem Samthandschuh verbirgt sich stets eine stählerne Faust."

All diese Eigenschaften wurden drei Monate später, im Oktober 1986, sehr augenfällig, als der sowjetische Generalsekretär in Reykjavik mit Reagan zusammentraf. Gorbatschow zeigte eine Kühnheit und Gewandtheit, die alles von ihm bereits Gewohnte zu übertreffen schienen, und überraschte die amerikanische Delegation, indem er den sogenannten großen Kompromiß in der Rüstungskontrolle vorschlug: die Nullösung für strategische Offensivwaffen und die Beschränkung von *Star Wars* auf Laborforschungen. An einem Wochenende intensivster Verhandlungen machte man erhebliche Fortschritte, was offensive Waffen betraf, aber letztlich scheiterte ein Abkommen laut Reagan an Gorbatschows Versuch, SDI „umzubringen".

Unmittelbar danach begann Gorbatschow, seine Position zu SDI weiter zu modifizieren. Man hatte ihn darüber informiert, daß die sowjetische Seite ihre Forderungen herunterschrauben könne, ohne ihre Ziele und Interessen zu gefährden. Dieser Hinweis kam von sowjetischen Wissenschaftlern, die Gorbatschow mehr als jeder seiner Vorgänger in seinen inneren Zirkel einbezog, und von erfahrenen politischen Experten wie Anatoli Dobrynin, dem langjährigen Botschafter in Washington, dem Gorbatschow im Zentralkomitee die Verantwortung für die Außenpolitik übertragen hat. Diese Experten waren sich gewiß, daß ein skeptischer, kostenbewußter US-Kongreß SDI wahrscheinlich genug Einschränkungen auferlegen und so den sowjetischen Wünschen entgegenkommen würde.

Mittlerweile hat Gorbatschow sich als ein Meister risikoloser, aber höchst wirkungsvoller Gesten erwiesen, und zwar durch Aktionen, die in westlichen Demokratien nur als normal gelten würden. Er ließ den Physiker und Friedensnobelpreisträger Andrej Sacharow aus der Verbannung nach Moskau zurückkehren und sicherte sich damit die vorsichtig-abwartende Unterstützung vieler intellektueller Dissidenten, darunter auch die von Sacharow selbst. Gorbatschow sprach über die Gefahren des nuklearen und weltpolitischen Wettbewerbs, darüber, daß „Angemessenheit" anstelle von Überlegenheit erforderlich sei und was „gegenseitige Abhängigkeit" und „gegenseitige Sicherheit" bedeute. Vor allem letztere Formulierung klang angenehm für westliche Ohren. Die

Sowjetunion hatte vorher ihre Sicherheit im Grunde immer auf Kosten anderer Nationen angestrebt. Die Sowjetführung hatte durch ihre Aktionen und häufig auch durch ihre Aussagen deutlich gemacht, daß sie sich erst dann völlig sicher fühlen würde, wenn jeder andere auf der Erde sich völlig unsicher fühlte. Ob die Männer im Kreml Paranoiker oder Anhänger der Expansionspolitik waren, ob ihre Außenpolitik von Furcht bestimmt war oder von einem Modell zur Welteroberung, spielt kaum eine Rolle, denn die Wirkung war die gleiche. Es gab nichts Offensiveres als einen russischen Bären in der Defensive. Dann kam Gorbatschow und schlug ganz andere Töne an. Im Einklang mit seinem Beharren darauf, daß ein „neues Denken" die sowjetische Politik beleben solle, stellte er die traditionelle Sicherheitsdefinition des Landes auf den Kopf. Er sagte, die Sowjetunion könne sich nur dann wahrhaft sicher fühlen, wenn andere Nationen, besonders die USA, sich ebenfalls sicher fühlten. In einer Zeit des nuklearen Overkill, da der Frieden von einem stabilen Gleichgewicht des Schreckens abhänge, sei es von entscheidender Wichtigkeit für beide Supermächte, militärische Stationierungen zu vermeiden, welche die Abschreckungsmittel des Gegners verwundbar gegenüber einem Erstschlag machen würden.

Diese beruhigende Rhetorik hatte verblüffende – Skeptiker würden sagen: verdächtige – Ähnlichkeit mit dem, was liberale westliche Strategen seit Jahrzehnten für vernünftig gehalten hatten. Zum Teil aus diesem Grunde war Gorbatschows „neues Denken" ein ungeheuer erfolgreiches Public-Relations-Thema. Im Frühjahr 1987 besaß der Mann im Kreml laut Umfragen einiger europäischer Meinungsforscher erstmals eine größere Popularität als der Mann im Weißen Haus.

Gorbatschow schaffte es sogar, eine Rolle im amerikanischen Präsidentschaftswahlkampf von 1988 zu spielen – nicht als der Herr des Reichs des Bösen, sondern als eine

Art kommunistischer Kennedy, dem die Amerikaner eine ebenbürtige Person gegenüberstellen müßten. Alle demokratischen Bewerber versuchten auf diese oder jene Weise, die von Gorbatschow ausgehende Herausforderung in ihren Wahlkampf einzubeziehen. Nicht zuletzt Michael Dukakis, der letztlich zum demokratischen Herausforderer des Präsidenten gewählt wurde, war stark beeindruckt vom Gorbatschow-Phänomen. Während des Wahlkampfes sagte er in Iowa: „Dort [in der Sowjetunion] geschieht etwas Neues und Wichtiges. Es ist eine große Herausforderung und eine einmalige Gelegenheit für eine neue Führung in diesem Land."

Im Spätsommer und Herbst 1987 löste Gorbatschow Mutmaßungen und Besorgnis aus. Der Widerstand innerhalb der UdSSR, von dem er und seine Anhänger oft gesprochen hatten, schien plötzlich Gestalt anzunehmen. Im August verschob er aus Gründen, die nie richtig geklärt wurden, seine Urlaubsreise nach Südrußland und kehrte danach nicht wie geplant nach Moskau zurück. Es gab Gerüchte und Prophezeiungen von Sowjetexperten, daß seine Gegner auf dem Vormarsch seien. Mitglieder des Politbüros, die Gorbatschows Reformen skeptisch gegenüberstanden, wirkten plötzlich ermutigt. Zeitungen und Zeitschriften, die Verbindungen zu Gorbatschows Rivalen hatten, interpretierten *glasnost* mit einemmal auf ihre Weise: Sie brachten murrende Kritik vor, die sich offensichtlich gegen Gorbatschows Politik und Parolen, darunter *glasnost* selbst, richtete. In Moskau und dann auch im Westen gingen Geschichten um, daß der Generalsekretär vor einem entscheidenden Rückschlag stehe. Die Gerüchte ließen sich nicht bestätigen, wurden teilweise aber auch nicht überzeugend dementiert. Gorbatschow hielt sich zweiundfünfzig Tage lang von Moskau fern. Offiziell verlautete, er nehme sich etwas mehr Zeit, um sein Buch *Perestroika* zu beenden.

Aber die Unruhe legte sich nicht, als er nach Moskau zurückgekehrt war.

Anfang November 1987 näherte sich der siebzigste Jahrestag der bolschewistischen Revolution. Gorbatschow und seine Anhänger wollten die Feier nutzen, um die Reformen zu beschleunigen, ehrgeizige Ziele für die Zukunft zu stecken und sich einigen besonders unangenehmen Wahrheiten der stalinistischen Vergangenheit zu stellen.

Aber Gorbatschow erlitt offenbar eine empfindliche Schlappe auf einer ZK-Sitzung im Oktober. Wider Willen beschleunigte einer der entschiedensten Verbündeten Gorbatschows, nämlich Boris Jelzin, der Moskauer Parteichef, die Ereignisse. Er war es zum Beispiel gewesen, der – ungeachtet der Einwände orthodoxerer Kulturaufseher – inoffiziellen, systemkritischen und sogar religiösen Künstlern gestattete, ihre Werke an jedem Wochenende auf einem Freiluftmarkt in Moskau auszustellen und zu verkaufen. Auf der ZK-Sitzung im Oktober führte Jelzin eine leidenschaftliche Attacke gegen die Reformgegner, darunter Ligatschow, der als zweiter Mann in der Führung galt und gegenüber dem Tempo der Gorbatschowschen Reform ausgesprochen skeptisch war.

Der Ausbruch Jelzins kam Gorbatschow höchst ungelegen. Anläßlich des Revolutionsjubiläums hielt er schließlich eine Festrede, in welcher er die Vergangenheit weniger scharf verurteilte und sich weniger visionär über die Zukunft äußerte, als viele erwartet hatten. Gorbatschow demonstrierte sehr schnell seine politische Wendigkeit – und seine Härte. Er opferte Jelzin praktisch auf der Stelle, indem er ihn als Heißsporn abstempelte, der die „Normen" des Parteiverhaltens gebrochen habe. Nach diesen Ereignissen gelang es Gorbatschow, sich selbst zumindest vorläufig als einen Gemäßigten zu präsentieren, der dem Druck aus zwei Lagern widerstand: dem der „Konservativen", die gegen seine Reformen waren, und dem der „Abenteurer“ wie Jelzin, die zu rasch zu weit gehen wollten. Jelzin wurde kurzfristig in ein Krankenhaus eingeliefert und dann degradiert – ohne allerdings, was vielleicht bedeutsam ist, ganz von der Bildfläche zu verschwinden. (Jelzins Popularität ist seit diesen Vorgängen noch erheblich gestiegen. Sein spektakulärer Erfolg bei den Wahlen zum Kongreß der Volksdeputierten im März 1989 macht dies deutlich.)

Inmitten dieser Krise, am 23. Oktober 1987, traf George Shultz in Moskau ein, um einen Termin für Gorbatschows Besuch in Washington festzulegen. Der Generalsekretär war mit seinen Problemen im Politbüro beschäftigt und machte sich vermutlich Sorgen über die nächsten Schritte seiner Gegner. Zudem litten die Vereinigten Staaten immer noch unter den Nachwirkungen des *Black Monday*, der Verkaufspanik, welche die Börsen der Welt nur vier Tage zuvor heimgesucht hatte. Beides mag dazu beigetragen haben, daß Gorbatschows außenpolitische Berater ihm vermutlich empfahlen, seinen Einsatz für ein Gipfeltreffen zu erhöhen und Reagans vermeintliche politische Schwäche nach dem Börsenkrach auszunutzen. Gorbatschow verlangte von Shultz weitere amerikanische Zugeständnisse zu SDI, bevor er bereit sei, nach Washington zu reisen. Die amerikanische Regierung aber blieb unnachgiebig, worauf Gorbatschow rasch seine Taktik änderte und dem Gipfeltreffen zustimmte.

Eine Meinungsumfrage nach dem Washingtoner Gipfel im Dezember 1987 zeigte, daß die befragten Amerikaner ihrem Präsidenten immer noch größeres „Engagement für die Freiheit“ zuschrieben, daß sie den sowjetischen Generalsekretär jedoch für intelligenter hielten. In ganz Westeuropa festigte der Gipfel Gorbatschows Ansehen. In Großbritannien wurde er bei Umfragen des *Sunday Telegraph* und von Gallup zu derjenigen Persönlichkeit erklärt, die man am stärksten bewunderte. Präsident Reagan war auf der Liste nicht einmal vertreten.

Time machte Gorbatschow zum „Mann des Jahres" 1987, weil er in diesem Jahr ins Zentrum des öffentlichen Interesses in Ost und West rückte – und zwar als ein sowjetischer Führer, der sich deutlich abhebt von seinen Vorgängern. Stalin, Chruschtschow und Andropow waren als „Männer des Jahres" ausgewählt worden, weil sie die Sowjetunion in einer bestimmten Epoche repräsentierten: als unerwarteten Verbündeten Deutschlands im Jahre 1939, als kampfbereiten Verbündeten der USA im Jahre 1942, als plötzlichen Bahnbrecher im Weltraum im Jahre 1957 und als feindseligen, mürrischen, häufig brutalen Rivalen der USA im Jahre 1983. Unsere Entscheidung für Gorbatschow war vorausschauender, weil *er* vorausschauender zu sein schien. Er personifizierte nicht nur einen neuen Typus des sowjetischen Politikers, sondern er schien auch eine neue Sowjetunion regieren zu wollen. Daran gab es kaum einen Zweifel. Große Zweifel aber gab es daran, a) was er genau beabsichtigte, b) ob er Erfolg haben würde und c) ob liberal denkende Menschen sowohl innerhalb der UdSSR als auch im Ausland ihm Erfolg wünschen sollten. Beabsichtigte er einfach nur, die Sowjetunion als einen totalitären Staat leistungsfähiger und dadurch zu einem stärkeren Gegner demokratischer Werte und westlicher Interessen zu machen? Oder wollte er eine humanere Beziehung zwischen dem Regime und dem Individuum herstellen und so die Entwicklung der Sowjetunion zu einem Staat vorbereiten, mit dem andere Länder leichter zu einer Partnerschaft auf diesem Planeten finden könnten?

Es gab Gründe, ihm Erfolg zu wünschen. Der Kern von Gorbatschows Wirtschaftsreformen heißt Dezentralisierung: weniger Planung und Leitung von der Spitze her, mehr Verantwortung für örtliche Behörden und Betriebsleiter. Karl Marx selbst lehrte, daß wirtschaftliche Beziehungen die Basis politischer Beziehungen seien. Eine wirtschaftliche Dezentralisierung würde höchstwahrscheinlich von einem gewissen Maß an politischer Dezentralisierung begleitet, und dies wiederum könnte eine Lockerung des totalitären Drucks bewirken, den der Staat auf das Leben des einzelnen ausübt. Amerikaner haben die beklemmende, oft auf Unterdrückung basierende Beziehung zwischen Staat und Individuum in der UdSSR stets abgelehnt. Jenseits der Weltpolitik und der rivalisierenden Großmachtinteressen ist die amerikanisch-sowjetische Gegnerschaft letztlich ideologischer Art. Doch mit Gorbatschow besaß die Sowjetunion plötzlich einen Staatsmann, der darauf abzuzielen schien, in bezug auf die Ideologie und ihre Umsetzung ins reale Leben zumindest den Versuch einer Änderung zu wagen und so den schärfsten Gegensatz, der zwischen den beiden Supermächten besteht, im Laufe der Zeit zu mildern.

Selbst Ronald Reagan, der die Sowjetunion einst als ein „Reich des Bösen" charakterisiert hatte, wurde zunehmend angesteckt von der positiven Atmosphäre des Wandels, die Gorbatschow erzeugte. Während seines ersten Besuches in der Sowjetunion Mitte 1988 machte er seinem Gastgeber wiederholt Komplimente zu der bereits erzielten Liberalisierung. In einem Gespräch mit Dissidenten verkündete er, seine frühere Kennzeichnung der UdSSR gelte nicht mehr, sie habe in „eine andere Ära" gehört.

Aber es gab immer auch Gründe zu Sorge und Skepsis, insbesondere was Gorbatschows eigene Absichten betraf sowie die Bereitschaft seiner Genossen, ihn gewähren zu lassen, und was die allgemeine Empfänglichkeit des Systems für Reformen anging, insbesondere für eine paradoxerweise von den Zentralbehörden angeordnete Dezentralisierung.

Gorbatschows im Fernsehen übertragene Abschieds-Pressekonferenz in Washington nach dem Gipfel vom Dezember 1987 vermittelte einen ernüchternden Einblick in seinen Führungsstil in der Heimat. Für Millionen von Amerikanern war es wie ein Besuch bei einer Moskauer Parteiversammlung – und ihnen bot sich ein abschreckendes Bild. Gorbatschow hielt bombastische Reden vor seinem Journalistenpublikum, wobei er Selbstgefälligkeit und Arroganz ausstrahlte. Es war eine Erinnerung daran, daß er – ungeachtet der neuen Erscheinung und der neuen Aussagen und sogar des neuen Denkens – immer noch ein typischer sowjetischer Politiker ist und nicht ein westlicher Demokrat. Er verwahrte sich zu sehr gegen kritische Fragen, die er als krankhaftes und boshaftes Interesse westlicher Journalisten an Verschwörungen im Kreml abzutun versuchte. Je mehr er leugnete, mit einer nennenswerten Opposition kämpfen zu müssen, desto deutlicher wurde, daß dies der Fall war.

Auf der außerordentlichen Parteikonferenz im Juni 1988 nahm Gorbatschow diese innerparteiliche Opposition frontal an und versuchte, einige seiner Strukturreformen durchzusetzen. Doch obwohl sie seinem Programm Lippendienste leisteten, erzwangen die Konservativen eine Reihe von Kompromissen, die darauf abzielten, die Oberherrschaft der Partei zu schützen, die Abkehr von der zentralisierten Kontrolle zu verlangsamen oder gar zu verhindern.

Aber innenpolitische Opposition ist wohl tatsächlich unvermeidlich. Russische und sowjetische Reformer haben meist ein reaktionäres Vermächtnis hinterlassen, Tauwetter haben sich in Frostperioden verwandelt. Der Inhalt von Gorbatschows Rhetorik muß noch geprüft werden. Seine aufgeklärten (doch durchaus nicht originellen) Gedanken zu Angemessenheit und gegenseitiger Sicherheit müssen erst noch in Rüstungskontrollabkommen umgesetzt werden, die den nuklearen Frieden stärken. Gromyko pflegte zu sagen, es gebe einen großen Unterschied zwischen Worten und Taten. Aber in einem Land, wo man immer noch für ein falsches Wort in den GULag geschickt werden kann, sind Worte und Taten gleichzusetzen. In einem abgeschlossenen, jegliche Kritik verbietenden Staat wie der UdSSR sind Gorbatschows Parolen der Offenheit, der Umgestaltung, der Demokratisierung, des neuen Denkens und der gegenseitigen Sicherheit entweder überaus zynisch oder von ungeheurer Bedeutsamkeit.

Sie wirken auch in der näheren Umgebung der Sowjetunion aufrührerisch. Gorbatschows Popularität in Osteuropa scheint bereits einen negativen Effekt auf die Satellitenstaaten auszuüben und dadurch auf die sowjetische Kontrolle über diese. Im Jahre 1987 wurde Gorbatschow zu einem Volkshelden in der Tschechoslowakei. Die Bürger dieses düster und bedrückt wirkenden Landes schwenkten sein Porträt, um ihren Groll gegen ihr Regime auszudrücken, das die Sowjetunion selbst im Jahre 1968 mit Hilfe von Panzern bei ihnen etabliert hatte.

Eine der außergewöhnlichsten Szenen des Jahres 1987 spielte sich im Juni an der Berliner Mauer ab. Eine Gruppe von DDR-Jugendlichen hatte sich dort versammelt, um ein Rock-Konzert auf der anderen Seite zu hören. Als bewaffnete Polizisten gegen sie vorrückten, skandierten die Jugendlichen: „Gorbatschow! Gorbatschow!" Damit appellierten sie an sein neues Denken, um die Brutalität der alten Ordnung zu mildern. Die Taktik verfing nicht, die Polizisten schlugen trotzdem auf die Jugendlichen ein und zerstreuten die Menge. Der Moment verhieß nichts Gutes für die mehr Freiheit anstrebenden Bürger des Ostblocks oder für Gorbatschow selbst. Er demonstrierte, daß die Sowjetmacht immer noch allzuhäufig aus einem Pistolenlauf oder einem Gummiknüppel erwächst.

Ähnlich ambivalente Gefühle hinterließ Gorbatschows Polen-Besuch im Juli 1988. Auch hier wurde er von vielen Bürgern wohlwollend begrüßt, die auf eine Verbesserung ihrer Lebensverhältnisse hofften. Polnische Dissidenten und Gewerkschaftsführer sagten voraus, daß Gorbatschow weniger geneigt sein werde als seine Vorgänger, neue Gewaltmaßnahmen anzuordnen. Aber Gorbatschows eigene Äußerungen waren sehr zurückhaltend, so vermied er jede Erwähnung der verbotenen Gewerkschaft „Solidarität".

Marxisten ergötzen sich seit langem daran, die „Widersprüche" in anderen politischen Systemen hervorzuheben. Nun zwang Gorbatschow sie, sich einigen qualvollen Widersprüchen in ihrem eigenen System zu stellen. Ob und wie er sie lösen kann, ist eine der wichtigsten Fragen dieser Jahre, vielleicht sogar dieser Ära, die für die Sowjetunion in der Tat zur Gorbatschow-Ära werden könnte.

Natürlich können wir jetzt noch nicht mit Antworten rechnen, aber während wir warten und beobachten und unser eigenes neues Denken für den Umgang mit diesem neuen Mann im Kreml festzulegen versuchen, stellen sich andere Fragen, die bei hartnäckiger Nachforschung zu rascheren Antworten führen könnten: Wer ist er? Woher kam er? Wo liegen die biographischen Wurzeln seiner Entschlossenheit, die Geschichte zu gestalten? Diesem Thema widmeten wir uns in der Titelgeschichte unserer „Mann des Jahres"-Ausgabe, und diese Fragen versuchen wir auch im vorliegenden Buch zu beantworten – ausführlicher, fundierter und, wie wir hoffen, mit noch größerem Erfolg.

Strobe Talbott

ERSTES KAPITEL

Kindheit und Jugend

Das Dorf Priwolnoje breitet sich in der sanft wogenden Steppe der Region Stawropol im südlichen Rußland aus. Heute ist es eine von der Landwirtschaft geprägte Ortschaft mit rund dreitausend arbeitsamen Bewohnern; es bildet das Zentrum der Swerdlow-Kolchose im Kreis Krasnaja Gwardija. Die Gehöfte sind über üppiges Ackerland verstreut, das so weit reicht, wie das Auge sehen kann. In diesem stillen ländlichen Flecken wurde Michail Gorbatschow am 2. März 1931 geboren.

Nach sowjetischen Maßstäben ist das heutige Priwolnoje „modern". Es gibt keine malerischen Straßen mit Lebkuchenhäusern, keine Kirchen mit Zwiebelturm, in dessen Goldlackierung sich die Sonne widerspiegelt. Eine Reihe von Läden, ein neuer Supermarkt und ein mit Säulen versehener Kulturpalast umgeben jenes typisch sowjetische Emblem der Heldenverehrung: ein Kriegerdenkmal mit ewiger Flamme und beschrifteten Steinplatten. Unter den eingemeißelten Namen befinden sich auch die von sieben Gorbatschows, Verwandten des sowjetischen Staatsoberhaupts. Das Haus der Gorbatschows liegt in einer Seitenstraße, unweit der Dorfmitte. Bis jetzt hat man Ausländer und Reporter sorgfältig von dem Gebäude ferngehalten – vielleicht, um einen Gorbatschow-Personenkult zu verhindern, wohl aber auch, um die sowjetische Tradition zwanghafter Geheimhaltung zu wahren, was die private Herkunft eines führenden Politikers betrifft. Das Haus, das sich nicht abhebt von den benachbarten, ist ein einstöckiges Ziegelgebäude mit drei Zimmern und einer kleinen Küche. Umzäunt und ein wenig von der Straße abgesetzt, liegt es inmitten eines gepflegten Gartengrundstücks. Gorbatschows Mutter Maria Pantelejewna lebte im Jahre 1988 immer noch dort. Die knapp Achtzigjährige bezog eine Rente von sechsunddreißig Rubel (etwa 125 Mark) im Monat, kümmerte sich um ihr Privatgrundstück, hielt Hühner und eine Kuh.

Der Eindruck langjährigen Friedens in diesem Teil der sowjetischen Kornkammer ist trügerisch. Das Dorf wurde erst im späten achtzehnten Jahrhundert gegründet, als das wachsende russische Reich sich allmählich nach Süden in den Kaukasus ausweitete. Fast die gesamte russische Geschichte hindurch wurde das Gebiet zwischen dem Schwarzen und dem Kaspischen Meer von unterschiedlichen und einander oft bekriegenden ethnischen Gruppen bewohnt, von denen keine dem Zaren in St. Petersburg untertan war. Unter Katharina der Großen (1762–1796) richtete sich die wachsende Militärmacht Rußlands sowohl gegen die osmanischen Türken auf der Krim wie gegen die kriegerischen moslemischen Stämme im Kaukasusgebiet. Die Stadt Stawropol, die der Region Stawropol den Namen gab, wurde im Jahre 1777 von Grigori Potjomkin (auch: Potemkin), dem Günstling Katharinas der Großen, gegründet.

Stawropol (griechisch; Stadt des Kreuzes) war von Katharina als Festung gegen die Osmanen und Vorposten des christlichen Glaubens geplant, da die Stadt in einem zuvor vom Islam beherrschten Gebiet errichtet wurde. Heute wird die Region von rund drei Millionen Menschen bewohnt – ein Sammelsurium aus Dutzenden ethnischer und nationaler Gruppen, von den zahlenmäßig dominierenden Russen bis hin zu Ukrainern, Juden, Weißrussen und Vertretern zäher Gebirgsstämme wie den Osseten und Kabardinern. Obwohl Stawropol im südlichsten Teil der Russischen Sozialistischen Föderativen Sowjetrepublik, einer der fünfzehn Unionsrepubliken der Sowjetunion, liegt, erhielt es nicht die gebräuchliche Verwaltungsbezeichnung *oblast* (Gebiet), sondern hat den Status eines *krai* (Region), weil das autonome Gebiet der Karatschaier und Tscherkessen in seine Grenzen einbezogen ist. Darauf bedacht, die Ansprüche ethnischer Minderheiten zumindst nach außen zu erfüllen, haben die Sowjets eine im allgemeinen konsequente Politik durchgeführt und, wo immer möglich, den einzelnen ethnischen Gruppen ihre eigenen Verwaltungseinheiten gegeben. Trotzdem sind nationale und ethnische Spannungen im Kaukasus stets latent vorhanden gewesen, und sie kamen während der kurzen nationalsozialistischen Besetzung dieses Landesteils im Zweiten Weltkrieg verstärkt zum Ausbruch.

Den eigentlichen Russen erschien die Region früher als eine Art Siedlungsgrenze, wie man sie sich vorstellt, wenn man an den amerikanischen Westen denkt. Der Kaukasus spielte eine bedeutende Rolle in den Werken russischer romantischer Schriftsteller des neunzehnten Jahrhunderts. Wichtiger freilich war, daß die ungeheuren Reichtümer des ebenholzschwarzen Bodens Welle um Welle russischer Einwanderer aus den Don- und Wolgagebieten und den stärker bevölkerten Gebieten im europäischen und zentralen Rußland anzogen. Die russischen Bauern, die sich dort vom späten achtzehnten Jahrhundert an niederließen, unterschieden sich von der Bevölkerung der anderen Landesteile dadurch, daß sie keine Leibeigenen waren. Den nach Süden ziehenden frühen Kosakengruppen schloß sich in der zweiten Hälfte des neunzehnten Jahrhunderts eine neue Welle von Einwanderern an: russische Bauern, die 1861 durch das Gesetz zur Aufhebung der Leibeigenschaft von den Adelsgütern befreit worden waren (ein bemerkenswertes historisches Zusammentreffen: Nur zwei Jahre später fand die Sklavenbefreiung in den Vereinigten Staaten statt). Priwolnoje bedeutet „frei“, so daß schon der Ortsname den Unterschied zwischen Gorbatschows Vorfahren und den an ihre Scholle gebundenen Leibeigenen kennzeichnet, welche auf den großen Gütern in den anderen Teilen des Landes lebten.

Gorbatschows Ahnen gehörten zu den risikofreudigen russischen Freisassen, die bereit waren, ihr Glück auf dem fruchtbaren, jedoch stets von einer Dürre bedrohten Boden zu suchen. Priwolnoje liegt etwa 160 Kilometer von der an der nordwestlichen Grenze der Region liegenden Stadt Stawropol und fast 1600 Kilometer von Moskau entfernt. Gorbatschows Großeltern, die während des Zweiten Weltkriegs maßgeblich an seiner Erziehung beteiligt waren, wurden im letzten Viertel des neunzehnten Jahrhunderts geboren – nach der Aufhebung der Leibeigenschaft, doch vor den dramatischen Agrarreformen der zaristischen Ära, die Ministerpräsident Stolypin im Jahre 1906 einleitete. Diese Reformen bedeuteten für die russische Landwirtschaft einen stärkeren Umbruch als die Aufhebung der Leibeigenschaft im Jahre 1861, denn sie legalisierten das Grundeigentum der Bauern innerhalb der Dorfgemeinschaften. Dies führte zur Schaffung einer unabhängigen Bauernschicht, und einige ihrer Angehörigen brachten es durch Fleiß und Begabung zu Erfolg und Wohlstand.

Bevor 1914 der Erste Weltkrieg den wirtschaftlichen und gesellschaftlichen Fortschritt der letzten Jahre des Zarismus für immer beendete, war die russische Getreideproduktion so reichlich, daß das Land große Weizenmengen nach Westeuropa exportierte. Aber die Förderung unternehmerischer Initiative in der Landwirtschaft hatte eine unvermeidliche ökonomische Umwälzung zur Folge. Manche Bauern verarmten, während andere sich durchsetzten. Die erfolgreichen, die vielleicht fünf Prozent jener sechsundneunzig Prozent unabhängiger

Kleinbauern ausmachten, wurden später von Stalin als Kulaken (reiche Bauern) gebrandmarkt und in den dreißiger Jahren am schlimmsten getroffen von den Bemühungen Stalins, seine revolutionäre Sozialwirtschaft durchzusetzen.

Der Kreis Krasnaja Gwardija der Region Stawropol, in dem Priwolnoje liegt, hatte im ersten Viertel des zwanzigsten Jahrhunderts eine besonders stürmische Geschichte aufzuweisen. Der Name (Rote Garde) weist auf die brutalen Kämpfe während des russischen Bürgerkriegs von 1918 bis 1921 hin, die über das Gebiet hinwegfegten. Die „roten", das heißt kommunistischen Armeen und ihre „weißen", antibolschewistischen Gegner kämpften schonungslos um die Kontrolle des Territoriums, das eine Gesamtfläche von ungefähr achtzigtausend Quadratkilometern umfaßt. Im Februar 1920 hatten die roten Streitkräfte schließlich das gesamte Gebiet zurückerobert.

Über die Rolle von Gorbatschows Großeltern bei diesen einschneidenden Ereignissen ist so gut wie nichts bekannt. Allerdings dürfte sicher sein, daß sie die Bolschewiki unterstützten. Gorbatschows Großvater Andrej war nicht nur Parteimitglied, sondern er war auch auf seiten der Regierung entscheidend an der Kollektivierung der sowjetischen Landwirtschaft in den späten zwanziger und frühen dreißiger Jahren beteiligt. Kurz vor Gorbatschows Geburt wurde er zum Vorsitzenden der Kolchose Chleborob (Broterzeuger) gewählt. Gorbatschows Vater Sergej Andrejewitsch, geboren 1909, war zu jung, als daß er die Wirren des Bürgerkriegs hätte durchschauen können. Aber er war ein Befürworter der neuen Ordnung, als Stalin zwischen 1929 und 1931 seinen furchtbaren Angriff gegen die russischen Landgebiete richtete.

Einer der bemerkenswertesten Aspekte von Gorbatschows Aufstieg zur Macht ist die simple Tatsache, daß er als erster sowjetischer Führer innerhalb der sieben

Jahrzehnte kommunistischer Herrschaft erst nach der bolschewistischen Revolution von 1917 geboren wurde. Diese demographische Eigenheit teilt er mit vierzehn von fünfzehn heute lebenden Sowjetbürgern. Zudem war die Zeit von Gorbatschows Geburt die brutalste und gewalttätigste Periode der gesamten sowjetischen Geschichte. Bis Ende der zwanziger Jahre schien die Entwicklung der Sowjetunion sich in der Schwebe zu befinden, so daß sie sich in verschiedene mögliche Richtungen hätte bewegen können. Sie hätte die relativ gemäßigten wirtschaftlichen und sozialen Reformen der Neuen Ökonomischen Politik (NÖP) fortsetzen können, die Lenin im Jahre 1921 hauptsächlich deshalb eingeleitet hatte, um das Land vor dem totalen Zusammenbruch zu retten. Ebensogut hätte die Sowjetunion einen Kompromiß zwischen dem Wunsch der Kommunistischen Partei nach sozialen Experimenten in allen Bereichen der Gesellschaft – darunter auch in dem geschlossen konservativen Bauerntum – und der Abneigung des Landes als Ganzem gegen futuristische Neuerungen dieser Art finden können. Es ist denkbar, daß sich die sowjetische Kommunistische Partei, wenn die totale Machtübernahme durch angemessene Kontrollen ausgeschlossen worden wäre, zu einer weit weniger einschüchternden Organisation entwickelt hätte.

Diese Entscheidungsfreiheit war Anfang der dreißiger Jahre bereits nicht mehr gegeben. Nachdem Stalin sein Land auf den Kurs der Kollektivierung und des zu ihrer Durchsetzung nötigen Parteidespotismus gebracht hatte, wurde die Entwicklung jahrzehntelang von den Möglichkeiten und den Grenzen staatlicher Gewalt bestimmt. Gorbatschow wurde zu einem Zeitpunkt geboren, da der stalinistische Terror unaufhaltbar schien. Die Entscheidung, die Landwirtschaft des gesamten Staates zu kollektivieren, die im Jahre 1929 getroffen und bis in die frühen dreißiger Jahre verwirklicht wurde, zwang die Sowjetgesellschaft, sich im wesentlichen als abhängig von der politischen Phantasie eines allmächtigen Einzelwesens, Josef Stalins, zu betrachten. Als Stalin starb, übernahm kein direkter Nachfolger seine Position. Vielmehr versuchte die Partei, sich die Kennzeichen von Stalins Herrschaftsstil anzueignen: die Aura der Unfehlbarkeit, der Allwissenheit und der unversöhnlichen Ablehnung von Kritik oder Opposition. In mancher Hinsicht ist die Sowjetunion heute eher die Erbin jenes historischen Dramas, das sich zur Zeit von Gorbatschows Geburt abspielte, als das Produkt der ursprünglichen Machtübernahme durch die Bolschewiki im Jahre 1917.

Die Umwälzung der Jahre 1929 bis 1931 veränderte auch den internationalen Stellenwert der Sowjetunion. Durch den beispiellosen Nachdruck, den Stalin auf Investitionen in der Schwerindustrie legte, war das Land Ende der dreißiger Jahre zur größten Industriemacht in Europa und zur zweitgrößten in der Welt nach den USA geworden. Die industrielle Produktion im Jahre 1931 war um einundzwanzig Prozent höher als die des Vorjahres – ein wirtschaftlicher Sprung, der wahrscheinlich von keinem Land seit der industriellen Revolution im England des späten achtzehnten Jahrhunderts vollzogen wurde. Wie Gorbatschow selbst erklärt hat, war die sowjetische Wirtschaftsmacht im Jahre 1941 lebenswichtig, als Hitlers gut ausgebildete Armeen über die schlecht gesicherten Grenzen des Landes hinwegmarschierten. Trotz des schlagkräftigen nationalsozialistischen Militärapparats überstieg die sowjetische Panzerproduktion im Jahre 1941 bereits jene Deutschlands. Es ist zweifelhaft, ob die Sowjets dem Ansturm der „Operation Barbarossa“ (Hitlers Codebezeichnung für den Einmarsch in die Sowjetunion) hätten standhalten können, wenn sie nicht im vorangegangenen Jahrzehnt – wenn auch unter traumatischen Erfahrungen – eine solche industrielle Stärke aufgebaut hätten.

Die Kollektivierungsaktion war von einer allmählichen

Vergrößerung des Stalinschen Einflusses auf den Parteiapparat begleitet. Bereits zwei Jahre vor Gorbatschows Geburt hatten die ersten sowjetischen „Schauprozesse" in Moskau begonnen. Stalin, der schon nach Lenins Tod im Jahre 1924 den Plan hegte, die Macht in seinen Händen zu festigen, hatte bis 1927 als Mitglied eines instabilen und unsicher agierenden Triumvirats regiert, dem neben ihm Leo Trotzki und Nikolai Bucharin angehörten. Scheinbar unentschlossen, was seine eigenen politischen Pläne für die nationale Entwicklung betraf, spielte er die Linke der Partei, die eine rasche Zwangskollektivierung wünschte, erfolgreich gegen die Rechte aus, die für eine Fortsetzung der meisten Ansätze von Lenins NÖP eintrat. Aber im Jahre 1927 fand eine entscheidende politische Verschiebung in der Sowjetunion statt. Stalin manövrierte seinen brillanten, aber ihm gefährlichen Rivalen Trotzki aus, der ins ständige Exil gezwungen wurde. Zwei Jahre später änderte er die Richtung und bewog die Linke der Partei, sich Bucharins zu entledigen, der zwar ein ebenso engagierter Marxist-Leninist wie Stalin war, doch einen eher schrittweisen ökonomischen Wandel befürwortete.

Stalins politische Winkelzüge wurden in der Atmosphäre einer zunehmenden innenpolitischen Hexenjagd zu Ende geführt. Gemeint sind damit die Vorläufer der furchterregenden Tribunale, welche die Sowjetunion während der großen Säuberungen von 1936 bis 1938 beherrschten. Am Tage von Gorbatschows Geburt erörterte die *Prawda* die neuesten Entwicklungen in einer Reihe von Verhandlungen gegen menschewistische Kommunisten, die vor und während der Oktoberrevolution für eine andere revolutionäre Taktik als Lenin eingetreten waren und die nun wegen „Zersetzung und Sabotage" verurteilt wurden. Wie in fast jedem Schauprozeß der dreißiger Jahre wurde das Beweismaterial entweder fingiert oder den Angeklagten durch Folterungen abgepreßt (in manchen Fällen geschah beides). Im April 1929, auf dem XVI. Kongreß der Kommunistischen Partei, war eine Resolution verabschiedet worden, die eine allgemeine Säuberung der Partei forderte. Im selben Monat kam es zu einer neuen Offensive gegen die russisch-orthodoxe Kirche: Man zerstörte Hunderte von Kirchen und entfernte die Glocken der übrigen, damit ihr Läuten „die Arbeiter nicht stört". Am 21. September, Stalins fünfzigstem Geburtstag, erschienen devote Leitartikel in der sowjetischen Presse, in denen es unter anderem hieß, Stalin sei von 1917 an der „große Führer" des gesamten Sowjetvolks gewesen.

Im November kündigte Stalin eine „zweite Revolution" an; sie solle die großen Aufgaben vollenden, die durch die Revolution von 1917 noch nicht bewältigt worden seien. Er gab seine frühere Opposition gegen durchgreifende wirtschaftliche Änderungen auf dem Lande auf und erklärte, die Sowjetunion habe sich nun von den Verwüstungen des Bürgerkriegs und der ihm folgenden Hungersnot erholt und müsse den Sozialismus mit neuem Schwung ansteuern. Auf einer Konferenz über landwirtschaftliche Angelegenheiten gab Stalin im Dezember bekannt, daß die von Lenin im Jahre 1921 eingeführte NÖP nun vorbei sei. „Was bedeutet dies?" lautete seine rhetorische Frage. Er antwortete: „Es bedeutet, daß wir nach einer Politik, welche die ausbeuterischen Tendenzen der Kulaken einschränkte, zu einer Politik übergegangen sind, welche die Kulaken als Klasse vernichten soll."

Stalins „neue Revolution" lief auf einen ehrgeizigen Fünfjahresplan zur Industrialisierung hinaus, der durch die totale Kollektivierung des sowjetischen Bauerntums finanziert werden sollte. Diese Gruppe, verstockt und im allgemeinen antibolschewistisch eingestellt, hatte sich der Stalinschen Vision einer egalitären, stark industrialisierten Gesellschaft bis dahin verschlossen. Die heftigste Opposition gegen jeden Vorschlag, die ländlichen Eigentumsverhältnisse zu ändern, ging von den Kulaken aus, die nach den Reformen Stolypins vor dem Ersten Weltkrieg zu Reichtum gelangt waren. Die Kulaken stellten ein bedeutendes politisches Hindernis für die umfassende Festigung der Sowjetmacht im Lande dar.

Um die Kollektivierung in der ganzen Sowjetunion zu erzwingen, trieben Abteilungen der Roten Armee und der Grenztruppen des NKWD (der Vorläuferorganisation des KGB) zwischen 1929 und 1931 die Bauern zusammen, enteigneten ihren Viehbestand und zwangen sie in die gerade gebildeten Kolchosen. Millionen von Bauern wurden verhaftet und in Lager geschickt, und Millionen weitere wurden erschossen oder dem Hungertod ausgeliefert. In zahllosen Fällen wurde zwischen Kulaken und gewöhnlichen Bauern, die zufällig Vieh besaßen, nicht unterschieden: Jeder, dem zwei Kühe oder ein schönes Haus gehörten, galt als Kulak. Viele andere Bauern, die dieser willkürlichen Definition nicht entsprachen, wurden trotzdem zusammengetrieben, weil man ihnen vorwarf, daß sie nicht mit dem System konform gingen. Ganze Gemeinden wurden zur Enteignung und Verhaftung vorgesehen. 1933 wurden bereits achthunderttausend Bauern in „Arreststätten", das heißt in Durchgangsgefängnissen, festgehalten, bevor man sie in die Lager des GULag weiterbeförderte oder hinrichtete. Schon vorher hatte der GULag mehrere Millionen Insassen gehabt.

Viele Bauern kamen bei den aussichtslosen Versuchen um, den gut ausgerüsteten Einheiten des NKWD oder der Roten Armee Widerstand zu leisten. Millionen andere verweigerten sich der Enteignung ihres Besitzes dadurch, daß sie ihr Vieh lieber schlachteten, als es den Kommunisten in die Hände fallen zu lassen. Infolgedessen sank die Lebensmittelproduktion der Sowjetunion in den frühen dreißiger Jahren drastisch. Im Jahre 1928 gab es 33,5 Millionen Pferde in der UdSSR; 1932 war ihre Zahl auf

19,6 Millionen gefallen. Im selben Zeitraum ging die Zahl der Schweine von 26 auf 11,6 Millionen, die der Schafe und Ziegen von 146 auf 52,1 Millionen und die der Rinder von 40,7 auf 7,5 Millionen zurück. Stalin soll im Jahre 1945 zugegeben haben, daß fast zehn Millionen Kulaken „ausgelöscht" worden seien, wobei allerdings nicht klar ist, was genau er damit meinte. Einige westliche Wissenschaftler glauben, daß die Gesamtzahl der getöteten Kulaken viel geringer war. Jedenfalls dürften fünf bis sieben Millionen Menschen bei der Hungersnot in Südrußland, die durch die Kollektivierung hervorgerufen wurde, umgekommen sein. Der Lebensstandard in der gesamten Sowjetunion fiel zwischen 1928 und 1933 um ein Drittel.

Im nördlichen Kaukasus waren die Verluste unter der Bevölkerung im Jahre 1931 besonders drastisch. Insgesamt 86,4 Prozent der ländlichen Haushalte in dem Gebiet – es hieß bis in die frühen dreißiger Jahre Nordkaukasus, bevor es in Region Stawropol umbenannt wurde – waren kollektiviert worden. Man hatte bereits Tausende von Kulaken und anderen Bauern ermordet, die sich der Enteignung ihres Besitzes, ihres Viehs und ihres Ernteertrags widersetzten. Prominente Schriftsteller wie Maxim Gorki, die Stalin unterstützten, paßten sich dem Zeitgeist an. „Wir lehnen alles ab, was die ihm von der Geschichte zugemessene Spanne überlebt hat", schrieb Gorki im November 1930 in der Regierungszeitung *Iswestija*, „und dies verleiht uns das Recht, wiederum einen Zustand des Bürgerkriegs für uns in Anspruch zu nehmen. Daraus leitet sich die natürliche Folgerung ab, daß der Feind, falls er nicht kapituliert, vernichtet werden muß."

Aber der „Feind" – in der Praxis jeder Bauer, der sich gegen die Kollektivierung wehrte – erhielt gewöhnlich nicht einmal die Möglichkeit zur Kapitulation. Stalin hatte sich den Kulaken gegenüber zu einer Politik der Liquidierung, nicht der Nötigung entschieden – also wurden sie „vernichtet". Einige Bauern wehrten sich, indem sie, wann immer sie konnten, kleine Gruppen von Parteimitgliedern und Sympathisanten ermordeten. Aber solche verzweifelten Widerstandsakte verstärkten nur Stalins Gelüste nach Strafmaßnahmen. Bei einer Sitzung des Politbüros in Moskau im Jahre 1930 berichtete General Frinowski, Kommandeur der NKWD-Grenztruppen, daß die Flüsse des nördlichen Kaukasus Tausende von Leichen ins Meer trugen.

Vielleicht aufgrund der langen Tradition bäuerlicher Freiheit waren der allgemeine Widerstand und das sich anschließende Massaker in Gorbatschows Heimat besonders ausgeprägt. Im Oktober 1932 schuf Stalin eine Sonderkommission unter dem Vorsitz eines seiner höchsten Mitarbeiter, des Politbüromitglieds Lasar Kaganowitsch, um die Unruhen im nördlichen Kaukasus niederzuschlagen. Der Kommission gehörten auch der politische Überlebenskünstler Anastas Mikojan, der zum besten Außenhandelsfunktionär Moskaus werden sollte, Genrich Jagoda, der später das NKWD leitete, und Michail Suslow an, der sich zum Chefideologen des Kreml und schließlich zu einem Mentor Gorbatschows entwickelte.

Die Kaganowitsch-Kommission hatte außergewöhnliche Vollmachten für die Ermittlungen gegen Bauern und für ihre Verhaftung, und sie zeigte kein Erbarmen denen gegenüber, die sie des Widerstandes gegen die Kollektivierung verdächtigte. Gorbatschow-Biograph Zhores Medwedjew – ein ehemaliger Sowjetbürger mit langjährigen Familienbeziehungen zur Region Stawropol – schreibt: „Das Leben war von Terror und Rechtlosigkeit geprägt. Wie überall wird es wohl auch in Priwolnoje kaum eine Familie gegeben haben, die nicht den Verlust von Verwandten, Freunden und Nachbarn zu beklagen hatte . . ."

Nordkaukasischer Parteichef zur Zeit von Gorbatschows Geburt war Boris Scheboldajew. Im November

1932 verlangte er die Verhaftung und Deportation ganzer Dörfer, weil einige der Bewohner Widerstand geleistet hätten. Scheboldajew erklärte: „Jeder wirklich gewissenhafte Bauer ist für die Einstellung seines Nachbarn verantwortlich." Er selbst wurde im Jahre 1937 von einer neuen Säuberungswelle erfaßt und erschossen. Doch dies dürfte kaum ein Trost für Abertausende schwergeprüfter Familien in dem Gebiet gewesen sein.

In manchen Dörfern starben alle Kinder unter zwei Jahren an Unterernährung oder durch Überfälle der Regierungstruppen. A. B. Kosterin, ein von Medwedjew zitierter sowjetischer Schriftsteller, besuchte die Umgebung von Priwolnoje in den Jahren 1933 und 1934, als Gorbatschow noch ein Kleinkind war. Wohin Kosterin auch reiste, sah er Häuser, deren Fenster mit Brettern vernagelt waren, leere Scheunen und zurückgelassenes landwirtschaftliches Gerät auf den Feldern. Die Kindersterblichkeit schien besonders hoch zu sein. Kosterin schrieb: „Auf der verlassenen Straße nach Stawropol traf ich einen Bauern mit einem Bündel. Wir begrüßten einander, rauchten. Ich fragte: ‚Wohin, Genosse?' – ‚Ins Gefängnis.'" Der Mann erklärte, daß der Dorfpolizist ihn nicht begleiten könne, weshalb er sich allein ins Gefängnis begebe. In Anbetracht der Hungersnot und der Unterdrückung war dies vielleicht gar keine so schlechte Alternative.

Zweifellos sah und hörte Gorbatschow viele der schrecklichen Dinge, die sich in seiner Umgebung abspielten. Wenn er damals auch noch zu jung war, die Ereignisse völlig zu begreifen, so müssen sie ihm doch durch die Geschichten deutlich geworden sein, die ihm später in aller Stille unter engen Freunden oder Familienangehörigen erzählt wurden. Tatsächlich vertraute Gorbatschow kurz nach Stalins Tod im Jahre 1953 Freunden an der Moskauer Staatsuniversität an, daß ein enger Verwandter seiner Familie, ein „Mittelbauer", während der Kollektivierung zu Unrecht verhaftet und vermutlich getötet worden sei. Mittelbauern waren jene, die ihr eigenes Land bestellten und vielleicht ein oder zwei Kühe besaßen, aber nicht genug Land hatten, um andere Bauern anzuwerben. Millionen von ihnen wurden zusammen mit den Kulaken, von denen sie nur schwer zu unterscheiden waren, in Gewahrsam genommen.

Gorbatschow hat sich nicht ausführlich über diesen unglücklichen Verwandten geäußert, aber offensichtlich beschäftigt ihn die vor mehr als fünfzig Jahren begangene Ungerechtigkeit immer noch. In der Rede des Generalsekretärs zum siebzigsten Jahrestag der Oktoberrevolution im November 1987 sprach er mit besonderer Anteilnahme von den Leiden der Mittelbauern. Bevor die Kollektivierung begann, seien die Mittelbauern zu „standhaften und zuverlässigen Verbündeten der Arbeiterklasse geworden, zu Verbündeten auf einer neuen Grundlage; im alltäglichen Leben hatten sie erfahren, daß die Verhältnisse sich zunehmend zum Besseren wendeten". Wenn man dieser Gruppe mehr Beachtung geschenkt hätte, „wären all jene Exzesse vermieden worden, die sich bei der Kollektivierung ereigneten".

Aber zu der viel grundsätzlicheren Frage, ob Stalin moralisch berechtigt war, Millionen von Kulaken um der raschen Zwangsindustrialisierung willen zu liquidieren, äußerte Gorbatschow sich in derselben Rede genauso unbeirrt wie jeder frühere Führer der Sowjetunion. Die Politik des Kampfes gegen die Kulaken sei „im wesentlichen richtig" gewesen, selbst wenn dieser Kampf häufig so ausgeweitet wurde, „daß er sich auch gegen einen erheblichen Teil des Mittelbauerntums richtete". Gorbatschow fügte düster hinzu: „Dies ist die geschichtliche Wahrheit." Was die allgemeine Rolle der Kollektivierung bei der „Festigung des Sozialismus auf dem Lande" angehe, so „war sie letzten Endes eine Umwandlung von grundlegender Wichtigkeit". Diese Position wird in seinem 1987 erschienenen Buch *Perestroika* noch untermauert: „Die Kollektivierung war ein bedeutender historischer Akt, die wichtigste gesellschaftliche Veränderung seit 1917. Gewiß, der Weg war dornenreich, es kam zu schweren Exzessen und groben methodischen Fehlern, manches war überhastet. Aber ohne sie wären unserem Land weitere Fortschritte verbaut gewesen." Einige westliche Wissenschaftler widersprachen dieser Behauptung, so zum Beispiel die UdSSR-Historiker Michail Heller und Alexander Nekritsch in ihrem 1986 veröffentlichten Buch *Utopia in Power:* „Die gesamte sich anschließende Geschichte der Sowjetunion zeigt, daß die Kollektivierung eine klaffende, nie ausgeheilte Wunde in der Wirtschaft hinterlassen hat."

Weder Gorbatschow noch irgendein anderer sowjetischer Parteichef der nahen Zukunft dürfte Stalins Kollektivierung je völlig zurückweisen. Die Kommunistische Partei ist einfach zu stark in diese Ereignisse verwikkelt, als daß sie fähig sein könnte, sie vorbehaltlos zu kritisieren. Es gibt andere, persönlichere Gründe dafür, weshalb es für Gorbatschow schwierig wäre, sich von der Kollektivierung zu distanzieren. Sowohl sein Großvater Andrej wie auch sein Vater Sergej waren überzeugte Anhänger dieser Politik und hatten entscheidenden Anteil an der Gründung der Kolchose bei Priwolnoje. Die Tatsache, daß Gorbatschow als kleiner Junge eine entsetzliche Hungersnot physisch überlebte, gründete sich wahrscheinlich auch auf die Loyalität seiner Familie mit der Regierung. Sergej war Mähdrescherfahrer auf einer der Maschinen-Stationen, die Stalin einrichtete, um präzisere Angaben für landwirtschaftliche Statistiken zu erhalten und zusätzliche politische Kontrolle über die Bauern auszuüben. Sowohl Andrej als auch Sergej gehörten der Partei an und waren damit eindeutige Befürworter der Parteipolitik, während die Kollektivierung die Landgebiete überrollte. In einer Zeit des Lebensmittelmangels überall im Staat dürften die Behörden dafür gesorgt haben, daß regimetreue Bauern zumindest ihre Grundbedürfnisse stillen konnten.

Gorbatschow begann seine Grundschulausbildung in der Dorfschule von Priwolnoje und gehörte damit zu der ersten Generation junger Bauern, die geregelten Unterricht erhielt. Man dürfte ihm die gleichen literarischen und mathematischen Grundkenntnisse vermittelt haben wie Millionen anderen sowjetischen Kindern in den dreißiger Jahren, dazu Lobhudeleien über Josef Stalin und die allwissende Kommunistische Partei, welche der „große Führer" wohlwollend leite. Während das Land im Laufe der großen Säuberungen von 1936 bis 1938 der Paranoia von Spionage, „Zersetzung", „Sabotage" und anderen angeblichen „konterrevolutionären" Tätigkeiten zum Opfer fiel, können auch Schulkinder sich vermutlich der nationalen Zwangsvorstellung nicht entzogen haben, daß es gelte, Volksfeinde in ihrer Mitte aufzuspüren. Als Jugendlicher, welcher der bitteren Realität des Landlebens ausgesetzt war, mag Gorbatschow die krassen Widersprüche zwischen Stalins Reden und dem Alltagsleben freilich früher bemerkt haben als ein Stadtkind.

Gorbatschow verbrachte nicht seine ganze Schulzeit in Priwolnoje. Seine weiterführende Ausbildung erhielt er in einer Schule in einer Kleinstadt, die rund fünfzehn Kilometer von seinem Heimatdorf entfernt lag; täglich legte er zumindest einen Teil des Weges zu Fuß zurück. Aus Gründen, die in der Sowjetunion nicht näher erläutert werden, aber wahrscheinlich mit der kurzen Besetzung der Region Stawropol durch die Nationalsozialisten zu tun haben, mußte Gorbatschow zu Beginn seines fünften Schuljahres drei Monate lang zu Hause bleiben, weil seine Mutter zu arm war, ihm Schuhe zu kaufen. Sein Vater schickte Maria Pantelejewna, Gorbatschows Mutter, von der Front einen drängenden Brief, sie solle unbedingt alles Nötige verkaufen, um Schuhe zu erstehen.

„Mischa muß zur Schule gehen", schrieb er angeblich. Laut dieser etwas hagiographischen Anekdote holte der junge Gorbatschow seine Kameraden dann rasch ein und errang schließlich einen Preis für schulische Leistungen.

Bezüglich einer kurzen Phase in Gorbatschows Kindheit, die ihn stark beeinflußt haben muß, halten sich sowjetische Stellen begreiflicherweise zurück. Es waren dies die fünf Monate zwischen dem 5. August 1942 und dem 21. Januar 1943, in denen die deutsche Armee die Stadt Stawropol und den größten Teil des Nordkaukasus besetzt hielt. Der Vorstoß in den Kaukasus gehörte zu einer Zangenbewegung unter dem Befehl von Feldmarschall Siegmund Wilhelm List, die den Durchbruch über Stalingrad hin zum Kaspischen Meer und zu den Ölfeldern von Baku schaffen sollte. Nach einem ungehinderten Vormarsch rollten die deutschen Kolonnen so rasch in Stawropol ein, daß sie beinahe die NKWD-Konvois einholten, die unter Suslows Kommando hastig mit allen Dokumenten und Maschinen, welche die kommunistischen Behörden so kurzfristig mitnehmen konnten, die Stadt verließen. Ein paar Tage später standen die Menschen Schlange vor den Kiosken der Stadt, um sich die *Stawropolskije wedomosti* (Stawropoler Nachrichten) zu kaufen, die russischsprachige Besatzungszeitung, mit deren Herausgabe die Deutschen sofort nach ihrem Eintreffen in der Stadt begonnen hatten.

Eine der ersten Schlagzeilen der Zeitung lautete: „Christus ist auferstanden." Dieser Satz sollte der russischen Zivilbevölkerung signalisieren, daß die Nationalsozialisten im Gegensatz zu den sowjetischen Behörden in den von ihnen kontrollierten Bereichen die uneingeschränkte Ausübung der christlichen Religion fördern würden. Man öffnete die Kirchen wieder, gestattete den Priestern, in ihr Amt zurückzukehren, und setzte sich offen für christliche Feiern ein. Unter der deutschen Herrschaft kam es sogar zu einer Art Wiederbelebung des orthodoxen Glaubens und der orthodoxen Praxis. Um sich die allgemeine Abneigung gegen die atheistischen Kampagnen der Sowjets noch stärker zunutze zu machen, ersetzten die Deutschen die marxistisch-leninistischen Teile der Schullehrpläne durch Religionsunterricht.

Die deutsche Besatzung in Stawropol – wie überall in der Sowjetunion – zeitigte freilich nur am Rande positive Ergebnisse. Eine der ersten brutalen Maßnahmen bestand darin, daß SS-Einheiten etwa 660 Geisteskranke in den Stadtkrankenhäusern zusammentrieben und hinrichteten. Sowjetischen Angaben zufolge hatte der nationalsozialistische Terror bereits zehntausend Opfer unter den Zivilisten in Priwolnoje und Umgebung gefordert, als die deutsche Wehrmacht im Januar 1943 durch einen heftigen Wintersturm zum Verlassen der Stadt gezwungen wurde.

Auf der anderen Seite erzielten die Deutschen offenbar erhebliche politische und propagandistische Erfolge bei einigen Volksgruppen des Nordkaukasus, die sich von der doppelten Last erzwungener Russifizierung und erzwungener Sowjetherrschaft befreit sahen. Zwar ließ die nationalsozialistische Rassenideologie allen „nichtarischen" Völkern Verachtung zuteil werden, doch für die militärische und politische Taktik der Deutschen war es von beträchtlichem Vorteil, die ethnischen Spannungen innerhalb der Sowjetunion auszunutzen. Kurz bevor die Kaukasusoffensive von 1942 begann, gab Feldmarschall List seinen Truppen Anweisung, örtliche Bräuche zu respektieren. Ethnische Minderheiten im Nordkaukasus durften ihre Kolchosen auflösen, während man in anderen Besatzungsgebieten die Kolchosen einfach als Nachschubbasen für die Wehrmacht benutzte. Hitler war – auf welche Weise auch immer – davon überzeugt worden, daß die Kuban-Kosaken des Nordkaukasus von den teutonischen Ostgoten abstammten. Deshalb erlaubte er ihnen im Oktober 1942 nicht nur, ihre eigenen Verwaltungskreise mit 160 000 Einwohnern zu bilden, sondern auch, zum privaten Landbesitz zurückzukehren. Viele Kosaken der Gegend, deren Reihen während der dreißiger Jahre dezimiert worden waren, schlossen sich der deutschen Armee in Form von unabhängigen Einheiten an und wichen dann gemeinsam mit den nationalsozialistischen Streitkräften zurück, als der sowjetische Gegenstoß die Deutschen wieder aus dem Kaukasus drängte.

Die deutsche Politik der Respektierung von Minderheiten, obwohl langfristig von der Grausamkeit der nationalsozialistischen Besatzer beeinträchtigt, sowie die Erinnerung der Minderheiten an die noch nicht lange zurückliegenden Brutalitäten Moskaus erschwerten einen allgemeinen sowjetischen Widerstand. Nur sechs Partisanengruppen konnten während der deutschen Herrschaft in dem gesamten Gebiet operieren, weil große Teile der Bevölkerung keine starken prosowjetischen Gefühle hegten.

Die Unzuverlässigkeit der ethnischen Minderheiten erzürnte Stalin. Kurz nachdem die Deutschen endgültig aus dem Kaukasus zurückgedrängt worden waren, ordnete er Vergeltungsmaßnahmen gegen Volksgemeinschaften an, die, wie er meinte, den Deutschen Zugeständnisse gemacht oder ihnen sogar aktiv geholfen hatten. Gegen Ende 1943 befahl Stalin – mit starker Unterstützung durch Suslow, der mit den sowjetischen Truppen nach Stawropol zurückgekehrt war – die Deportation ganzer Volksgruppen in verschiedene Teile der Sowjetunion. Ungefähr eine Million Menschen wurden in ungeheizte Viehwaggons gepfercht und in die Lager des kalten Nordens und Sibiriens geschickt. Von solchen Massendeportationen waren Kalmücken, Tschetschenen und Inguschen, Kabardiner, Balkaren, Krimtataren und Wolgadeutsche betroffen. Erst 1956 – nach Chruschtschows Geheimrede, in der er Stalin verurteilte – durften sie allmählich wieder in ihre Heimatorte zurückkehren. Noch heute sind Krimtataren und Wolgadeutsche die Opfer einer vor fünfundvierzig Jahren eingeleiteten Politik: Ihre Heimatgebiete bleiben ihnen weiterhin verschlossen.

Gorbatschow kann bis zur Besatzungszeit höchstens vier Grundschulklassen absolviert haben. (In den dreißiger Jahren hatte die Sowjetunion das System der zehnjährigen Schulausbildung eingeführt.) Es ist unwahrscheinlich, daß deutsche Truppen in ein so kleines Dorf wie Priwolnoje vorgedrungen sind, und man nimmt auch nicht an, daß Gorbatschow – wie viele andere sowjetische Kinder während des Krieges – in eine andere Gegend evakuiert wurde. Jedenfalls muß er von den Aktivitäten der deutschen Einheiten gehört und von Zeit zu Zeit sogar im abgelegenen Priwolnoje deutsche Soldaten zu Gesicht bekommen haben. Sowjetische Quellen geben merkwürdigerweise keinen Aufschluß darüber, wo Gorbatschow sich während der fünfmonatigen deutschen Herrschaft aufhielt; dies scheint eine Bestätigung dafür zu sein, daß der Junge in der Besatzungszone blieb.

Der Krieg dürfte ihn auch aus anderen Gründen bedrückt haben. Sein Vater war, wie alle anderen gesunden Männer, bei Ausbruch der Kämpfe sofort einberufen worden und verbrachte vier Jahre an der Front. Unter anderem kämpfte Sergej, wie Gorbatschow berichtet, in den Karpaten. Auch Gorbatschows Mutter könnte zeitweilig fort gewesen sein, denn der Junge hielt sich offenbar lange bei seinen Großeltern auf. Ungeachtet der Parteimitgliedschaft von Großvater Andrej scheinen die beiden älteren Gorbatschows sich ihren starken christlichen Glauben bewahrt zu haben. Michail erzählte 1984 Schülerinnen in England, seine Großeltern hätten sogar Ikonen in ihrem Haus gehabt, seien aber durch die allgemeine Furcht vor der Obrigkeit gezwungen gewesen, sie hinter Porträts von Lenin und Stalin zu verstecken. Die

Großeltern nahmen den Jungen auch mit in die Kirche, aber Gorbatschow äußerte, er habe nach dem ersten Besuch nicht den Wunsch verspürt wiederzukommen. Über die Einstellung Sergejs – er starb 1976 in Priwolnoje – zur Religion ist nichts bekannt. Dagegen soll Gorbatschows Mutter, Maria Pantelejewna, bis heute dem orthodoxen Glauben anhängen und eine Kirche in der Nähe ihres Hauses in Priwolnoje besuchen.

Hat Gorbatschow Sympathien für das Christentum? Seit er Generalsekretär der Kommunistischen Partei wurde, hat er gewiß weder die christlich-orthodoxen Gläubigen noch die Katholiken oder die Protestanten Rußlands in irgendeiner Weise ermutigt. Im Gegenteil hat er sich mindestens einmal über die Notwendigkeit geäußert, die Erscheinungsformen der Religiosität zu bekämpfen. Aber Gorbatschow hat darauf verzichtet, die gehässige antireligiöse Rhetorik an den Tag zu legen, die einige seiner Vorgänger, vornehmlich Chruschtschow, hin und wieder benutzten.

Wie Gorbatschows eigene Ansichten zur Religion auch sein mögen, die von den Deutschen erteilte Lektion in Sachen religiöser Toleranz entging, als der hartnäckige Kampf gegen die nationalsozialistische Besatzung ins dritte Jahr eintrat, nicht einmal Stalin. Doch trotz anfänglicher deutscher Versuche, die Zivilbevölkerung für sich zu gewinnen, ließ sich die zutiefst menschenverachtende Ideologie der Nationalsozialisten, die ja für den Krieg verantwortlich war, auf Dauer nicht verbergen. Der Charakter des Dritten Reiches wurde rasch deutlich, als SS-Einsatzgruppen im Hinterland des besetzten Gebietes wüteten, um Juden, Kommunisten und alle anderen ausfindig zu machen, die als gefährliche Feinde des Hitlerschen Wahnsinns galten. In der Region Stawropol scheint der gute Wille den Deutschen gegenüber allerdings länger angehalten zu haben als in anderen Gebieten. Doch letztlich führte auch hier die unmißverständliche Verachtung, welche die Nazis allen slawischen Völkern gegenüber empfanden, zwangsläufig zu einem Wiederaufleben des traditionellen russischen Patriotismus. Zu diesem Zeitpunkt kam sogar der Kommunistischen Partei als wichtigster Trägerin des Widerstandes gegen die Eroberer ein Gefühl der Bindung an den russischen Boden und die russische Geschichte zugute, das viel mehr mit der überlieferten, nicht-kommunistischen russischen Kultur als mit der Ideologie von Marx und Lenin zu tun hatte.

Stalin erkannte die Bedeutung dieser Tradition, in der christliche Helden, die im alten Rußland gegen türkische oder mongolische Eindringlinge gekämpft hatten, eine bedeutsame Rolle spielten. Deshalb lockerte er im Jahre 1942 den Widerstand des Regimes gegen derartige „feudale" Symbole des Nationalstolzes und erklärte Alexander Newski, der die Deutschritter im dreizehnten Jahrhundert besiegt hatte, zum Nationalhelden. Wichtiger war, daß Stalin im September 1943 die Kirchen wieder öffnen ließ und die Geistlichkeit ermunterte, ihre traditionelle Rolle als Symbol der russischen Identität wieder zu übernehmen. Diese Anerkennung der Tradition mag den Kreml auch bewogen haben, den Namen der Stadt Stawropol nicht zu ändern, nachdem die sowjetischen Truppen sie wiedererobert hatten. Im Jahre 1935 war Stawropol im Zuge von Stalins wachsendem Personenkult in Woroschilowsk – nach dem Verteidigungsminister Kliment Woroschilow – umbenannt worden. Die Nationalsozialisten gaben der Stadt den Namen Stawropol zurück, was sich als populäre Maßnahme erwies. Moskau wollte die stolzen Bewohner der Stadt nicht verärgern und ließ zu, daß der von den Deutschen wiedereingesetzte ursprüngliche Name beibehalten wurde.

Die Rückkehr seines Vaters aus dem Krieg im Mai 1945 muß für Gorbatschow ein Schlüsselerlebnis gewesen sein. Sergej Gorbatschow hatte allen Berichten zufolge tapfer an der Karpatenfront gekämpft und kam wie Millionen anderer aus dem Kriegsdienst entlassener sowjetischer Soldaten in sein Heimatgebiet zurück, um sein unterbrochenes Zivilleben fortzusetzen. Er übernahm wieder den Posten eines Mähdrescherfahrers, den er ganz zu Beginn der Kollektivierung innegehabt hatte, und verbrachte mit seinem Sohn Michail lange Stunden auf dem Feld. Für den jungen Gorbatschow muß es eine wertvolle Zeit der Kameradschaft gewesen sein.

Bis 1945 hatte der eifrige und ernste junge Mann bereits Not, Unruhe und die Anstrengungen eines vollen Arbeitstages erlebt. Unter den Notstandsbedingungen des Krieges waren sowjetische Schulkinder für die Erntearbeit mobilisiert worden. Da Millionen sowjetischer Männer an der Front kämpften oder harte Fabrikarbeit für die militärische Produktion verrichteten, blieben nur noch Frauen, Kinder und ältere Menschen übrig, um die Last der landwirtschaftlichen Arbeit zu übernehmen und die Nation zu ernähren. Sobald die Kinder kräftig genug waren, mußten sie die Arbeit von Erwachsenen leisten. Im Alter von vierzehn Jahren konnte Gorbatschow bereits Mähdrescher fahren – eine harte Arbeit, die ein Schuljunge beileibe nicht zum Vergnügen ausübte. Meistens jedoch hatte Gorbatschow die ermüdende, aber notwendige Aufgabe, als Helfer seines Vaters, der den Mähdrescher fuhr, zu fungieren.

Es war eine zermürbende und schmutzige Tätigkeit. Der Helfer mußte hinter dem Traktor hergehen und die Garben aufsammeln. Im Sommer trieb die brennende südliche Sonne die Temperaturen bis weit über dreißig Grad Celsius hoch, so daß sich die Schwarzerde mit einer harten Kruste überzog, die sich unter den Ketten des Mähdreschers in feinen Staub auflöste. Der Fahrer hatte keine Schutzkabine, und schon nach zehn Minuten Arbeit waren er und sein Helfer von Spreu- und Staubwolken eingehüllt, die einem den Atem nahmen. Die schwitzende Haut der Männer war bald von Schmutz, Strohteilchen und Sandkörnern überzogen. Im Winter, wenn Gorbatschow manchmal die Arbeit des Fahrers übernahm, peitschte der eiskalte Steppenwind jeden nicht hinreichend bedeckten Teil des Körpers. Um Erfrierungen vorzubeugen, wickelte Gorbatschow sich bei der Fahrt über die kalten, hartgefrorenen Felder in Strohballen ein.

Es gibt kaum einen Zweifel, daß Gorbatschow allen Belastungen zum Trotz bei dieser Schwerarbeit nach der Schule und in den Sommerferien persönliche Befriedigung empfand. Er scheint auch das Bild völlig akzeptiert zu haben, das die Kommunistische Partei vom Zweiten Weltkrieg – dem „Großen Vaterländischen Krieg", wie er überall in der Sowjetunion genannt wird – und seiner Folgezeit entwarf. Diese idealisierte Definition der Geschichte enthielt Elemente der Wahrheit, vor allem in Hinblick auf den gerade beendeten Krieg. Doch ihr Hauptzweck bestand darin, eine klar umrissene Weltanschauung mit einer optimistischen Zukunftssicht zu entwerfen sowie eine umfassende Erklärung für die Schrekken der vergangenen Jahre und die fortdauernden Härten der Nachkriegszeit zu geben. Nach der offiziellen Darstellung des sowjetischen und internationalen Geschehens, die in den späten vierziger Jahren gegeben wurde, hatte Josef Stalin, ein gütiger, nahezu allwissender Führer, sein Volk unbeirrt durch ein Fegefeuer von Invasion und Leid schließlich zum Sieg über den Feind geleitet; heldenhafte und opferbereite Parteimitglieder hatten sich als erste bei der Verteidigung ihres Landes und beim Wiederaufbau in der Nachkriegszeit hervorgetan; die Sowjetunion war der einzige Vorposten der Hoffnung in einer Welt, die von „imperialistischen Kriegstreibern" – besonders von den USA, dem Erzfeind alles Guten und Fortschrittlichen – sowie von den Hyänen des internationalen Monopolkapitalismus gefährdet wurde. Stalin erschien als internationaler Führer der „fortschrittlichen" (das heißt prokommunistischen) Menschheit gegen eine üble Verschwörung rachsüchtiger imperialistischer Staaten (nämlich der USA, Westeuropas und ihrer Verbündeten überall in der Welt).

Gorbatschow dürfte den größten Teil dieser Lehre für bare Münze genommen haben und war wohl nur skeptisch, wenn die Propaganda ausführlich Einzelheiten aus dem sowjetischen Landleben beschrieb, die, wie er aus persönlicher Erfahrung wußte, nicht der Realität entsprachen. Kurz nachdem er das Mindestalter von vierzehn Jahren erreicht hatte, trat er in den Komsomol, den Kommunistischen Jugendverband, ein. Schon als junger Mann zeigte er gesellschaftliche und intellektuelle Begabung: die Fähigkeit, seine Argumente nachdrücklich und beredt vor einem Publikum zu vertreten, ein ausgezeichnetes Detailgedächtnis, einen zielstrebigen Enthusiasmus für anstehende Aufgaben und nicht zuletzt ein Geschick, seine Vorgesetzten durch Eifer und offensichtliche Loyalität zu beeindrucken.

Gleichzeitig, zur Jahreswende 1949/50, beendete Gorbatschow seine Mittelschulausbildung. Die Unterbrechung durch den Krieg hatte seinen Abschluß um ein Jahr verzögert; deshalb war er bereits neunzehn Jahre alt, als er die Schule verließ. Er war hochintelligent, wenn auch nicht brillant, lernte fleißig, ohne jedoch zu „pauken", und interessierte sich für fast zu viele Fächer, so daß er nicht einmal zu sagen wußte, welches sein bestes war. Er liebte Literatur und prägte sich wie Generationen russischer Kinder die Dichtungen Puschkins und Lermontows ein. Im Jahre 1986 erzählte er einem Interviewer von *L'Unità,* der italienischen kommunistischen Zeitung: „Bis heute kann ich Gedichte, die ich in der Schule gelernt habe, auswendig rezitieren." Aber seine eher auf Vielfalt denn auf Spezialisierung zielende Intelligenz scheint ihn damals zu Zweifeln an sich selbst veranlaßt zu haben. Er teilte demselben Interviewer mit: „Ich habe es immer für eine Schwäche meinerseits gehalten, an zahlreichen Fragen in mehreren verschiedenen Bereichen gleichermaßen interessiert zu sein. Ich könnte nicht einmal sagen, an welchen Fächern ich in der Schule spezielles Interesse hatte." Gorbatschows schulische Leistungen waren sehr gut, aber er war nicht der Primus seiner Abschlußklasse: Man verlieh ihm die Silbermedaille, nicht die Goldmedaille für den hervorragendsten Schüler. (Seine Frau Raissa errang – in einer anderen Schule und einer anderen Stadt – die Goldmedaille.)

Wenn es Gorbatschow mit dem Schulabschluß hätte bewenden lassen können, um sich sogleich eine Karriere außerhalb der provinziellen Verhältnisse von Stawropol aufzubauen, wäre er vielleicht nie nach Moskau gekommen. Nach dem Zweiten Weltkrieg waren Plätze in der Hochschulausbildung rar, da Hunderttausende zurückkehrender Soldaten um einen Platz an der Universität wetteiferten. Zudem gab es zahlreiche Jugendliche in Moskau, Leningrad und anderen Großstädten, deren Herkunft (Parteimitgliedschaft oder Berufsausbildung und Leistungen der Eltern) sie zu chancenreicheren Kandidaten für die begehrten Plätze an den bedeutenden Universitäten machte. Zu seinem Glück aber hatte Gorbatschow sich auf zwei anderen Gebieten hervorgetan: bei der politischen Arbeit als Komsomol-Mitglied und bei der körperlichen Arbeit während der langen Sommer auf der Kolchose. Der Komsomol wurde Gorbatschows Sprungbrett zur Karriere nicht nur an der Moskauer Staatsuniversität, sondern auch bei seinem raschen Aufstieg in der Bürokratie, als er im Jahre 1957 nach Stawropol zurückkehrte.

Für die Mehrheit der Jugendlichen in der Sowjetunion ist es seit 1917 zu einem ganz normalen Ritual geworden, sich zuerst den Jungen Pionieren in der Grundschule und später, mit vierzehn Jahren, dem Komsomol anzuschließen. Die Mitgliedschaft im Komsomol ist so üblich, daß sie an sich keine besonderen Privilegien mit sich bringt. Aber sie ist eine unerläßliche Voraussetzung für die spätere Mitgliedschaft in der Kommunistischen Partei und für jede berufliche Karriere, welche die Beförderung in eine verantwortliche Position ermöglicht. Die Aktivitäten im Komsomol reichen vom obligatorischen Besuch wöchentlich stattfindender politischer Vorträge über Verbesserungsprojekte für die Gemeinschaft bis hin zu Ferienreisen ohne jedweden politischen Anspruch. Vielseitig interessiert und energiegeladen, wie er war, dürfte Gorbatschow sich für alle Aktivitäten im Komsomol begeistert haben, auch für jene, die von den meisten jungen Menschen als unangenehme Aufgaben betrachtet werden: zum Beispiel die Unterstützung von Parteiarbeitern, die sich kommunalen Angelegenheiten widmeten, oder die Teilnahme an Bildungs- und Propagandaveranstaltungen in Schulen und Fabriken.

Gorbatschow hat nie öffentlich über seine frühe Komsomolarbeit in Priwolnoje gesprochen oder auch nur angedeutet, wie es ihm gelang, die Aufmerksamkeit der Komsomolfunktionäre in Stawropol auf sich zu lenken. Aber offensichtlich beeindruckte er wichtige Parteimitglieder durch überdurchschnittliche Führungsqualitäten. Wahrscheinlich war es ganz allgemein sein Einsatz – innerhalb und außerhalb des Komsomol –, der ihm schon im erstaunlich jungen Alter von achtzehn Jahren den „Orden der Roten Fahne der Arbeit" eintrug. Diese Ehre war gewöhnlich altgedienten Arbeitern vorbehalten. Gorbatschow scheint sie hauptsächlich wegen der besonderen Umsicht zuteil geworden zu sein, die er 1949 beim erfolgreichen Ernteeinsatz in der Region Stawropol bewies. Diese Auszeichnung und seine im Komsomol bereits hervortretenden organisatorischen und politischen Fertigkeiten reichten dafür aus, daß man ihn im Jahre 1950 in die Ausnahmekategorie der Jugendlichen vom Lande einordnete, die zum Studium an der größten sowjetischen Hochschule, der Moskauer Staatsuniversität, zugelassen wurden.

Im September 1950 verabschiedete sich Gorbatschow von seinen Eltern und Freunden, bestieg den Zug und legte die fast 1600 Kilometer lange Strecke von Stawropol nach Moskau zurück. Jeder Jugendliche aus den südrussischen Landgebieten wäre wohl von der Möglichkeit begeistert gewesen, in die sowjetische Hauptstadt reisen und an der dortigen Universität studieren zu dürfen. Unterwegs bot sich Gorbatschow jedoch ein ernüchternder Anblick: ein erschreckendes Bild der Zerstörungen, welche die Sowjetunion im Zweiten Weltkrieg erlitten hatte. Priwolnoje war anscheinend von stärkeren Kriegsschäden verschont geblieben, und auch Stawropol hatte trotz Monaten und Jahren der Bombardierung, trotz Angriffen und Gegenangriffen sowjetischer und deutscher Streitkräfte relativ wenig Zerstörungen erfahren. Dagegen las sich die Liste der Städte, die Gorbatschow bei seiner Eisenbahnfahrt in die sowjetische Hauptstadt durchfuhr, wie ein Verzeichnis heroischer sowjetischer Schlachten gegen die Deutschen: Stalingrad, Rostow, Charkow, Orjol, Kursk und Woronesch lagen an der Haupteisenbahnlinie aus Südrußland. Im Jahre 1986 erzählte Gorbatschow einem Interviewer von dem Schrekken, den diese erste Reise nach Moskau in ihm auslöste: „Ich fuhr zum Studium an der Moskauer Staatsuniversität, und ich reiste durch Stalingrad, das zerstört worden war, durch Woronesch, das zerstört worden war, und auch Rostow war zerstört. Überall nichts als Trümmer. Ich reiste als Student und sah alles. Das ganze Land lag in Trümmern."

Diese Reise machte Gorbatschow mit den Realitäten des sowjetischen Lebens nach dem Zweiten Weltkrieg vertraut. Aber der Anblick war für ihn wahrscheinlich auch eine persönliche Mahnung, sein Studium mit äußerstem Ernst zu betreiben. Fest entschlossen, sich hervorzutun, traf er in Moskau ein. Ihn motivierte eine Mischung aus Patriotismus und persönlichem Ehrgeiz. Mit neunzehn Jahren war Gorbatschow frisch und voller Idealismus. Die wenigsten gleichaltrigen jungen Männer oder Frauen in anderen Ländern dürften durch ähnlich harte Erfahrungen so gut auf die Spielregeln des Erwachsenenlebens vorbereitet worden sein.

Zweites Kapitel

Universitätsjahre

Als Gorbatschow seine lange und deprimierende Reise im September 1950 am Kursker Bahnhof in Moskau beendete, wußte er, welch schwierige neue Aufgabe sich ihm in der sowjetischen Hauptstadt stellte. Er traf nur mit einem Koffer, einem Mantel, einer Kosaken-Pelzmütze, einem Paar Alltagshosen – also dem Minimum an persönlichen Habseligkeiten – ein, doch er verkörperte die Hoffnungen seiner Familie, seines Dorfes und der Komsomolbehörden des Kreises Krasnaja Gwardija in der Region Stawropol.

Gorbatschow war von der Juristischen Fakultät angenommen worden. Offenbar handelte es sich dabei nicht um seine erste Wahl. In dem oben erwähnten Interview mit *L'Unità* gab der Generalsekretär offen zu, daß Rechtswissenschaft nicht das von ihm ursprünglich angestrebte Studienfach war: „Ich trat in die Juristische Fakultät ein, aber anfangs wollte ich an die Physikalische Fakultät." Er habe sich gleichermaßen für Mathematik, Geschichte und Literatur interessiert. Daß es ihn zur Rechtswissenschaft verschlug, mag das Ergebnis nicht ganz ausreichender Noten in den Fächern Mathematik und Wissenschaft gewesen sein. Auf diesen Gebieten gab es schließlich starke Konkurrenz von seiten der Kriegsheimkehrer und der Höchstbegabten aus dem ganzen Land.

Daß Gorbatschow mit der Zuweisung eines juristischen Studienplatzes nicht recht zufrieden war, mag einen Grund auch darin haben, daß Juristen in der Sowjetunion ein extrem niedriges Ansehen hatten. Die Rechtswissenschaft unter marxistisch-leninistischer Doktrin und in der sowjetischen Praxis der Stalinzeit hatte nicht viel mit der zweitausendjährigen Tradition der Jurisprudenz im Westen gemeinsam. Die Aufgabe sowjetischer Anwälte bestand vorwiegend darin, juristische Formulierungen zu liefern, mit deren Hilfe der Sowjetstaat seine Gegner zermalmen konnte. Die gigantischen Säuberungen und Schauprozesse der dreißiger Jahre waren eine Verhöhnung normaler Verfahrensvorschriften, wobei es hauptsächlich darum ging, von den Angeklagten Geständnisse zu erzwingen. Durch die ausgeklügelten Folterungen, die in der Lubjanka und in anderen berüchtigten Moskauer Gefängnissen routinemäßig durchgeführt wurden, konnte man die Opfer des stalinistischen Justizapparates zwingen, Verbrechen zu gestehen, die sie realiter gar nicht verübt haben konnten. Dies geschah mehrere Male und war einer der Faktoren, welche die Stalinschen Säuberungen letztlich diskreditierten. Meist genügte eine einfache Methode, um den Gefangenen zu praktisch jedem Geständnis zu veranlassen: Schlafentzug für mehrere Tage. Diese spezielle Form der Nötigung, die keine Spuren am Körper hinterließ, war in der Sowjetunion als „Fließband" bekannt.

Es war der Regisseur der Moskauer Schauprozesse, Generalstaatsanwalt Andrej Wyschinski, der für die berüchtigte Praxis verantwortlich war, den Angeklagten Geständnisse abzupressen und ihnen die gesamte Beweislast aufzuerlegen. Während der alptraumhaften Säuberungen der dreißiger Jahre folterte man einen der früheren Gefährten Lenins und Stalins nach dem anderen und zwang sie, phantastische konterrevolutionäre Verbrechen zuzugeben, etwa angebliche Spionage für die Japaner, die Briten oder für andere Ausländer- oder Emigrantengruppen. Als Gorbatschow sein Studium an der Juristischen Fakultät aufnahm, war Wyschinski bereits –

kurzfristig – zum Außenminister und dann zum sowjetischen Vertreter bei den Vereinten Nationen aufgerückt. Sein Schatten lastete jedoch immer noch auf der sowjetischen Gesetzgebung, den offiziellen Ansichten des Berufsstandes, den Lehrbüchern und der Alltagstätigkeit von Anwälten. Die überwiegende Mehrheit von neuausgebildeten Juristen schloß sich der Staatsanwaltschaft oder den „Organen" an (dies ist der immer noch geläufige Euphemismus für die Sicherheitsdienste; das KGB in seiner heutigen Form wurde erst im Jahre 1954 gegründet, nachdem das Innenministerium, das zuvor für Sicherheit und Nachrichtendienste verantwortlich war, einen Teil seiner Macht eingebüßt hatte). Die Staatsanwaltschaft und die „Organe" boten zwar eine einträgliche und abwechslungsreiche Arbeit, aber keine attraktive Karriere für Studenten mit überdurchschnittlicher Selbstachtung.

Die klägliche Reputation der Rechtswissenschaft spiegelte sich deutlich in der geringen Zahl junger Menschen wider, die das Fach Mitte der fünfziger Jahre studierten: nur 45 000 von insgesamt 1,2 Millionen sowjetischen Studenten. Bis 1958/59 war diese Zahl auf 36 000 zurückgegangen, obwohl es nun insgesamt doppelt so viele Studenten gab und obwohl nach der Entstalinisierung eine beträchtliche soziale Auflockerung eingesetzt hatte. Vratislav Pechota, ein Spezialist für Sowjetrecht an der Columbia University, der ungefähr zur gleichen Zeit wie Gorbatschow Jura studierte, allerdings in Kiew und Leningrad, erklärt die Situation folgendermaßen: „Rechtswissenschaft war keine beliebte Disziplin, weil die Rolle, die das Recht damals spielte, nicht sehr bedeutsam war."

Trotzdem nahm Gorbatschow das Jurastudium auf und geriet zu seinem Glück an dasjenige akademische Fach, das am besten geeignet war, seine sich stark herausbildenden politischen Interessen weiterzuentwickeln. Zwar war er nie als Jurist tätig, aber er machte sich die strenge intellektuelle Ausbildung zunutze, welche die Moskauer Universität ihren Studenten selbst in den finsteren stalinistischen Tagen der frühen fünfziger Jahre bot. Es ist eine bemerkenswerte Parallele, daß Gorbatschow und der Gründer des Sowjetstaats, Wladimir Iljitsch Lenin, den Gorbatschow als geistiges und intellektuelles Vorbild verehrt, die einzigen sowjetischen Führer sind, die ein Universitätsstudium absolvierten – zudem in beiden Fällen das der Rechtswissenschaft.

In den frühen fünfziger Jahren war die Juristische Fakultät nicht in dem heutigen Hauptgebäude der Moskauer Staatsuniversität untergebracht, dem vierunddreißigstöckigen, im Stalinschen Zuckerbäckerstil gebauten Wolkenkratzer auf den Lenin-Hügeln am Rande Moskaus. Sie befand sich in einem freundlichen, vorrevolutionären Kolonnaden-Gebäude am Karl-Marx-Prospekt im Stadtzentrum, den alten zaristischen Ställen gegenüber. Gorbatschow fuhr an sechs Tagen der Woche von seinem Wohnheim im nordöstlichen Stadtteil Sokolniki dorthin, um an Vorlesungen und Seminaren teilzunehmen und in der Bibliothek zu arbeiten. In den ersten Wochen bestaunte er vermutlich die glänzenden Marmorsäulen und Kristallüster der Moskauer U-Bahn. Das eindrucksvolle und ungeheuer ehrgeizige öffentliche Projekt war in den dreißiger Jahren von Stalin vorangetrieben worden; es verschlang enorme Summen und sollte eine Art Vorgeschmack auf den Kommunismus bieten.

Die meisten von Gorbatschows Kommilitonen an der Juristischen Fakultät waren Veteranen des Zweiten Weltkriegs, Männer von Mitte oder sogar Ende Zwanzig, die mit den sowjetischen Truppen in ihrem eigenen Land, in Osteuropa und in Deutschland gekämpft hatten. Einige hatten zweifellos bei Kriegsende an der kurzen sowjetischen Offensive gegen Japan teilgenommen. Eine kleinere Gruppe hatte sich sofort nach Abschluß der Mittelschule in Moskau, Leningrad und anderen sowjetischen

Großstädten immatrikulieren können. Dies waren gewöhnlich die Kinder vergleichsweise privilegierter Eltern, loyaler Fachleute, die trotz der verschiedenen Kampagnen Stalins gegen die sowjetische Intelligenzija in den dreißiger, vierziger und fünfziger Jahren ihre Position behaupten konnten und es nach sowjetischen Maßstäben zu Wohlstand gebracht hatten. Eine dritte und noch kleinere Gruppe von Studenten, zu der auch Gorbatschow gehörte, bestand aus außergewöhnlich begabten oder politisch zuverlässigen jungen Leuten aus den Provinzen. Gorbatschows Eltern hatten vermutlich nicht den Einfluß, der es ihnen ermöglicht hätte, ihrem Sohn Zugang zu der angesehensten Hochschule des Landes zu verschaffen, dem Moskauer Staatsinstitut für Internationale Beziehungen, wo viele der künftigen Führungspersonen in die Feinheiten von Diplomatie und internationalem Recht eingewiesen wurden. Ohnehin gibt es keinen Hinweis darauf, daß es für ihn etwas Großartigeres als ein Studium an der Moskauer Staatsuniversität gegeben hätte.

Außerdem erschien in den frühen fünfziger Jahren an der Universität eine noch winzigere Gruppe von Studenten, wie man sie nie zuvor in der Sowjetunion gesehen hatte. Es handelte sich um ausgewählte Vertreter der nun kommunistisch beherrschten Länder Osteuropas – aus den „sozialistischen Bruderländern", um den sowjetischen Begriff zu benutzen. Die Neuankömmlinge aus der Tschechoslowakei, der DDR, Bulgarien, Albanien und sogar China brachten ein exotisches Element in die Studentenschaft, die ansonsten von der übrigen Welt durch Zensur, Störsender und polizeiliche Überwachung völlig isoliert war. Die Anwesenheit ausländischer Studenten hatte den Zweck, der sowjetischen Jugend „Internationalismus" einzuflößen, das heißt sie an die Rolle und die Pflichten zu erinnern, welche die Sowjetunion als Führerin des sozialistischen Blocks im Kampf gegen den westlichen Imperialismus wahrzunehmen hatte.

Die Ausländer waren zumeist deshalb ausgewählt worden, weil sie eine starke kommunistische Überzeugung besaßen. Sie sollten nach den Vorstellungen der sie entsendenden Regime nach der Rückkehr in ihre eigenen Länder die neue, prosowjetische Führungselite repräsentieren. Sie wurden sowohl von ihren eigenen Botschaften als auch von den sowjetischen Sicherheitsbehörden aufmerksam beobachtet, damit sie ihre sowjetischen Kommilitonen nicht versehentlich durch ihre eher kosmopolitische, in vielen Fällen westliche Herkunft und Erfahrung verseuchten.

Einer der Ausländer, die im selben Herbst wie Gorbatschow das Studium an der Juristischen Fakultät aufnahmen, war Zdeněk Mlynář, ein junger Tscheche, der leidenschaftlich dem Kommunismus anhing und sich heftig für Politik interessierte. Mlynář hatte eine erfolgreiche Karriere in der Kommunistischen Partei der Tschechoslowakei vor sich und sollte bis ins Zentralkomitee aufsteigen. Doch im Prager Frühling von 1968 mißfielen ihm die starren, stalinistischen Herrschaftsmethoden seiner Partei immer mehr, und er schloß sich den Reformern an, die Alexander Dubček noch im selben Jahr an die Macht brachten. Nachdem sowjetische Panzer die tschechoslowakische Reformbewegung im Spätsommer niedergewalzt hatten, verlor Mlynář alle seine offiziellen Ämter und arbeitete schließlich in aller Stille an einem Prager Forschungsinstitut, wo er sich um eine Schmetterlingssammlung kümmerte. Er emigrierte im Jahre 1977 nach Österreich und leitet heute ein Forschungsinstitut in Wien.

Mlynář und Gorbatschow wurden derselben Seminarstudiengruppe zugeteilt – im Rahmen eines Programms, das eine engere Zusammenarbeit zwischen Studenten und Lehrern vorsah und den Professoren eine bessere Möglichkeit gab, die Fortschritte der Jurastudenten zu überwachen. Die beiden jungen Männer, laut Mlynář

„durch reinen Zufall" in dieselbe Gruppe geraten, wurden enge Freunde, studierten gemeinsam, bereiteten sich gemeinsam auf Prüfungen vor und fuhren miteinander durch Moskau. Noch als Studenten heirateten sie Frauen, die ihrerseits eng befreundet waren. Vor allem jedoch vertraute Gorbatschow seinem Kommilitonen seine persönlichen Ansichten zur Politik, zur Wirtschaft und zum Leben im allgemeinen an, und dies in einem Maße, das zwischen einem Sowjetbürger und einem Ausländer – selbst einem Ausländer aus einem Land des sozialistischen Bruderblocks – damals ungewöhnlich war. Das meiste von dem, was wir über Gorbatschows politische Ideen zur Zeit seines Studiums wissen, entstammt Mlynářs Erinnerungen an Gespräche mit ihm.

Das Studium dauerte fünf Jahre und war weit intensiver als die meisten vergleichbaren Studiengänge im Westen. Vorlesungen oder Seminare begannen vor neun Uhr morgens und setzten sich bis fünfzehn Uhr fort, und dies während des gesamten akademischen Jahres an sechs Tagen pro Woche. Die Teilnahme wurde kontrolliert, und ein Fehlen ohne hinreichende Entschuldigung konnte zur Streichung des Stipendiums oder sogar, in ernsten Fällen, zur Relegation führen. Andererseits konnten beständig gute akademische Leistungen und ein tadelloses Verhalten dafür sorgen, daß ein Student die dringend benötigte finanzielle Unterstützung erhielt. Gorbatschow bezog nach seiner Ankunft in Moskau ein Stalin-Stipendium, das ihm half, sich mit dem Lebensnotwendigsten zu versorgen.

Ein großer Teil des Jurastudiums bestand aus der Beschäftigung mit dem Marxismus-Leninismus, so wie auch heute noch jeder geisteswissenschaftliche Lehrgang ein Pflichtpensum an sowjetischer Ideologie umfaßt. Gorbatschow besuchte Vorlesungen und Seminare über Dialektik, historischen Materialismus, Volkswirtschaft und die Werke von Marx, Engels, Lenin und Stalin. Da die marxistisch-leninistische Ideologie die entscheidende theoretische Rechtfertigung für die Struktur des Sowjetstaates und damit für das sowjetische Rechtssystem liefert, nahm sie in der Rechtswissenschaft einen zentraleren Platz ein als in jedem anderen Fach, ausgenommen die Philosophie.

Viele Jurastudenten leisteten den Gründern des marxistischen Glaubens nur Lippendienste und lernten nicht mehr, als nötig war, um gute Noten zu sichern. Doch auch sie blieben praktisch lebenslang unter dem Einfluß des Marxismus-Leninismus, nachdem sie den didaktischen Werken der Gründerväter pausenlos ausgesetzt worden waren. Friedrich Nesnanski, ein sowjetischer Emigrant, der sein Jurastudium ein Jahr vor Gorbatschow an der Moskauer Universität abschloß und viele Kontakte zu dem späteren Generalsekretär hatte, drückt es folgendermaßen aus: „Der Marxismus-Leninismus schafft eine bestimmte Atmosphäre: ein Verständnis der sowjetischen Ideologie und der nicht zu überschreitenden Grenzen dessen, was das System erlaubt."

Aber für Gorbatschow und auch für Mlynář war das Fach eine intellektuelle Herausforderung. Gorbatschow war als überzeugter Kommunist an die Moskauer Staatsuniversität gekommen, und an mehreren Punkten seines Studiums hatte er reichlich Gelegenheit, sein grundlegendes ideologisches Engagement zu bekräftigen. Die ausgiebige Beschäftigung mit der marxistischen und leninistischen Beweisführung verlieh seinen Anschauungen einen theoretischen oder, wie Gorbatschow es heute ausdrückt, einen „geistigen" Unterbau, auf den er sich bis heute immer wieder stützt. Dies mag für unbelesene Westler schwer zu begreifen sein, denen der Marxismus-Leninismus nur als fauler Zauber erscheint, mit dessen Hilfe jede pragmatische Entscheidung gerechtfertigt werden kann. Gorbatschow studierte die Werke Lenins, weil er ihn nicht nur als Theoretiker, sondern auch als meisterhaften politischen Taktiker schätzte – als einen Mann, der wußte, wann es vorzurücken und wann es zurückzuweichen galt, doch dabei niemals sein Endziel aus den Augen verlor: die Durchsetzung der kommunistischen Macht in Rußland und dann in der ganzen Welt. Nesnanski erinnert sich, wie Gorbatschow bewundernd von Lenins Entscheidung sprach, im Jahre 1918 den unvorteilhaften Frieden von Brest-Litowsk mit den Deutschen zu schließen. Lenin rechtfertigte sich seinen skeptischen bolschewistischen Genossen gegenüber auf eine Weise, die Gorbatschow einleuchtete: Wenn die Revolution erst einmal im eigenen Lande gesichert sei, würden die Sowjets sie leichter in die Außenwelt hinaustragen können.

Aber Gorbatschow bewunderte Lenin auch wegen dessen vergleichsweise humaner Behandlung seines menschewistischen Rivalen Juli Martow, der sich vor und nach der Oktoberrevolution gegen Lenin gewandt hatte. Derartige Ansichten zu äußern war selbst einem Freund gegenüber nicht ungefährlich. Die offizielle Geschichte der UdSSR, wie sie im Jahre 1952 an der Moskauer Staatsuniversität gelehrt wurde, besagte eindeutig, daß jeder, der von der von oben diktierten Parteilinie abwich, sich des Verbrechens der „antiparteilichen Abweichung" schuldig machte – und das konnte zu einer langen Haft im GULag oder sogar zum Tode führen. Solche Menschen wurden im stalinistischen Wahnsinn jener Tage als abscheuliche Schwerverbrecher angesehen, deren Namen aus den Geschichtsbüchern zu tilgen waren. Mlynář erinnert sich: „Damals sagte Gorbatschow zu mir: ‚Und doch befahl Lenin nicht, Martow zu verhaften, sondern ließ ihn emigrieren.'" Für Mlynář zeigte die Kühnheit, mit der Gorbatschow eindeutig ketzerische Ansichten vorbrachte, daß sein russischer Freund kein Opportunist war.

Das Jurastudium forderte jedoch nicht nur gründliche

Kenntnisse der Klassiker des Marxismus-Leninismus, sondern ging auch ausführlich auf die sowjetische und die vorrevolutionäre Gesetzgebung sowie auf verschiedene Themen ein, die wesentlich waren, wenn man die Rolle des Gesetzes auch in der übrigen Welt verstehen wollte. Zu den juristischen Lehrbüchern gehörte das Werk *Lehrgang des sowjetischen Strafrechts* der Professoren A. A. Piontowski und W. D. Menschagin. Darin wurden die Schauprozesse der dreißiger Jahre, was nicht überraschen kann, als Beispiele einer wahrhaft „sozialistischen Rechtsprechung" beschrieben. Der Begriff „Volksfeind" war immer noch geläufig, und man schreckte nicht davor zurück, politische und kriminelle Vergehen miteinander gleichzusetzen. Doch es waren laut Nesnanski nicht alle Professoren – nicht einmal in den auf juristische Themen beschränkten Fächern – Anhänger des Standpunktes von Wyschinski, für den das Geständnis der Prüfstein von Schuld oder Unschuld blieb. Einige waren zwar vorsichtig genug, keine abweichende politische Meinung zu äußern, hielten aber in aller Stille eine gewisse Berufsethik hoch, wenn Strafrechtliches definiert und diskutiert wurde.

Gorbatschow muß den größten Nutzen aus dem umfangreichen Teil des Lehrplans gezogen haben, der allgemeinjuristischen und philosophischen Themen gewidmet war. Es gab Vorträge und Seminare über Römisches Recht, Rechtsgeschichte, internationales Recht, Zivil- und Arbeitsrecht. Die Studenten beschäftigten sich mit dem Kodex Hammurabi, Machiavellis *Geschichte von Florenz*, den Werken von Thomas von Aquin, Hobbes, Hegel und Rousseau und sogar mit der amerikanischen Verfassung. Beim Studium des Römischen Rechts verbrachte der künftige führende Politiker der Sowjetunion eine gewisse Zeit damit, sich den Fallen der lateinischen Sprache zu stellen. Die Lehrer vieler dieser Fächer waren Überlebende aus vorbolschewistischen Zeiten – Gelehrte, die sich völlig von der Politik ferngehalten hatten und denen es gelungen war, Kriege, Säuberungen und andere Gefahren des sowjetischen Lebens in der Stille ihres akademischen Wirkens zu überstehen.

Der zweijährige Lehrgang zur Geschichte der politischen Ideen, der auf vier Vorlesungs- und vier Seminarstunden pro Woche angesetzt war, stellte nach Mlynářs Meinung eines der intellektuellen Glanzlichter des Jurastudiums in Moskau dar. Der Lehrgang, geleitet von Professor Stepan Fjodorowitsch Ketschekian, machte die Studenten, wenn auch abstrakt und vorsichtig, mit einer geistigen und politischen Welt bekannt, die vor der stalinistischen Philosophie geschaffen worden war und jenseits ihrer Beschränkungen existierte. Ketschekian, der seine Ausbildung vor der bolschewistischen Revolution abgeschlossen hatte, verdeutlichte den Studenten die Kraft eines Geistes, der nicht von den dogmatischen Gewißheiten spätstalinistischer Dialektik gefesselt war. Mlynář schreibt über diesen bemerkenswerten Lehrer: „Er war sehr beliebt. Ich erinnere mich, daß Gorbatschow von jenen anderen [politischen] Ideen beeindruckt war."

Während Gorbatschow sein Wissen auf vielen unterschiedlichen Gebieten von Politik und Philosophie erweiterte, erlebte er auch, wie zahllose Studenten vor und nach ihm, einige intellektuelle Höhepunkte. „Ich entsinne mich an ein Gespräch mit Gorbatschow über Hegel", berichtet Mlynář. „Professor Ketschekian sagte, Hegel habe seine Pferde vor dem Brandenburger Tor gezügelt [eine Metapher für Hegels Verständnis der Beziehung zwischen Philosophie und politischer Macht]. Gorbatschow bemerkte, diese Wendung zeige die Qualität des Professors. Ich war überrascht, daß Gorbatschow, ein Student aus einem kleinen Provinznest, derartige Qualität für nötig hielt." Gorbatschow war auch von einem der Aphorismen Hegels fasziniert gewesen: „Die Wahrheit ist immer konkret." Einen Monat nach Gorbatschows

Machtübernahme im Jahre 1985 schrieb Mlynář: „Im Gegensatz zu uns benutzte er diesen Satz nicht im genauen Sinne von Hegels Philosophie. Er wiederholte ihn gern, wenn ein Lehrer oder Student über allgemeine Prinzipien schwafelte und deren Verbindung zum realen Leben ignorierte. Anders als sehr viele sowjetische Studenten sah er die marxistische Theorie nicht als eine Sammlung von Lehrsätzen, die man sich einzuprägen hat. Vielmehr hatte sie den Wert eines Instruments, mit dessen Hilfe die Welt verstanden werden kann, und eines Kredos, das auch nach dreißig Jahren noch nicht zu politischem Pragmatismus zerflossen sein kann."

Unklar bleibt, wieviel Gorbatschow wirklich über ausländische, vor allem westliche, juristische und politische Systeme lernte. Laut Alexander Stromas, einem Litauer, der teilweise zur selben Zeit wie Gorbatschow in Moskau studierte, war der Zugang zu vor-Marxschen Schriften recht gut, da Werke von Autoren, mit denen Marx selbst sich befaßt hatte, in der Sowjetunion nicht zensiert wurden. Mlynář meint, die US-Verfassung sei in einem positiven Licht präsentiert worden, obgleich die Dozenten sich zu der Aussage verpflichtet gefühlt hätten, daß die hehren Worte mit der amerikanischen Realität ganz und gar nicht in Einklang stünden.

Die Einfuhr oder der Besitz zeitgenössischer ausländischer Zeitungen oder Bücher unterlag einem totalen Verbot, sofern nicht die Publikationen von den Behörden gebilligt wurden, was in den meisten Fällen bedeutete, daß die Werke der sowjetischen Weltanschauung verpflichtet waren. Aber Lew Judowitsch, der zwei Jahre vor Gorbatschow und Mlynář ebenfalls Jura an der Moskauer Staatsuniversität studierte, gibt zu bedenken, daß das Verbot potentiell abweichlerischen Materials sich auch auf sowjetische Bücher oder bolschewistische Schriften aus der vorrevolutionären Zeit und aus den zwanziger Jahren erstreckte. Es sei oft unmöglich gewesen, Werke dieser Art in der Bibliothek zu bekommen. Paradoxerweise hätten die Studenten nicht einmal Exemplare von *Iskra* (Der Funke), der von Lenin im Jahre 1900 gegründeten Zeitung, erhalten können.

Ohnehin herrschte in Moskau ein politisches Klima, das geprägt war durch Feindseligkeit gegenüber dem größten Teil der Außenwelt. Der Personenkult um Stalin, der 1950 seit dreiundzwanzig Jahren der unumstrittene Führer der Sowjetunion war, hatte seinen Höhepunkt erreicht. Neben den osteuropäischen Staaten, die nach dem Zweiten Weltkrieg einer nach dem anderen unter die politische Kontrolle der Sowjetunion geraten waren, hatte China sich 1949 dem „sozialistischen" Lager angeschlossen, wodurch nun ein Drittel der Weltbevölkerung unter kommunistischer Herrschaft lebte. Der Koreakrieg war im Juni des Jahres, in dem Gorbatschow in Moskau eintraf, ausgebrochen und schien – nach den anfänglichen Niederlagen der US- und UN-Truppen – den Beginn eines entscheidenden Verfalls der amerikanischen Weltmacht zu markieren. Nach außen hin kennzeichneten politische Einheit und ideologischer Gleichklang die sozialistische Welt von Berlin bis Shanghai, von Archangelsk bis Kanton. Über allem thronte Stalin, ein politischer Halbgott von ungeheurer Autorität, der im Jahre 1950 wahrscheinlich die größte politische Macht in der modernen Geschichte besaß. Vielleicht kam die Idee eines monolithischen kommunistischen Weltsystems der Realität niemals näher als im Jahre 1950, obwohl im Rückblick deutlich wird, daß die scheinbare Einheit ernste innere Probleme verdeckte, die später im chinesisch-sowjetischen Konflikt dramatische Gestalt annehmen sollten.

Stalin war überall. Wohin sie sich auch wandten, sahen die Sowjetbürger – ebenso wie die Ungarn, Polen, Chinesen, Nordkoreaner und viele andere – Bilder, Büsten, Statuen und Fotos von ihm. Seine Aussprüche zierten

Säulengänge, Schulaulen, Fabriktore und Kolchossäle in zehn Ländern. Den Bewohnern der Sowjetunion wurde er täglich als „Vater der Völker", als „weises und kluges Oberhaupt des Sowjetvolks", als „Koryphäe der Wissenschaften", als das „größte Genie aller Zeiten und Völker" präsentiert. Vor allem aber wurde Stalin im unerbittlichen Trommeln der ihn verherrlichenden Propaganda als Führer der fortschrittlichen Menschheit dargestellt, die einen Titanenkampf gegen die bösen Kräfte des westlichen Imperialismus bestreite, wobei die USA als schlimmste Verkörperung des Bösen galten.

Der Antiamerikanismus war so heftig, daß er heute, in einer Welt der von der Détente geprägten diplomatischen Floskeln, kaum noch nachzuvollziehen ist. Aber er war durchaus real, und niemand, der zur selben Zeit wie Gorbatschow in der Sowjetunion studierte, kann ihn vergessen. Einer der Zeitgenossen Gorbatschows war Arkadi Schewtschenko, ehemals stellvertretender UN-Generalsekretär, der sich im Jahre 1978 in die USA absetzte. Schewtschenko studierte am angesehenen Moskauer Institut für Internationale Beziehungen und legte sein Examen im Jahre 1954 ab, ein Jahr bevor Gorbatschow sein Studium an der Moskauer Staatsuniversität abschloß. „Amerika war der Große Satan", schreibt Schewtschenko in seinem Buch *Mein Bruch mit Moskau*, wobei er sich ironisch einer Wendung bedient, die Ajatollah Chomeini in einer späteren Epoche einführte. „Die meisten Studenten akzeptierten den extremen Standpunkt, daß die USA das Land sei, das man in erster Linie für die Weltprobleme verantwortlich machen müsse. Das Bild war entsetzlich und hinterließ bei mir einen unauslöschlichen Eindruck." Schewtschenko machte Karriere als Diplomat und war erst Jahre später, nachdem er die USA besucht hatte, in der Lage, sich der negativen Indoktrination zu entziehen, die er als Student in Moskau empfangen hatte.

Vratislav Pechota hat ähnliche Erinnerungen: „Die

Atmosphäre war gespannt. Die Freiheit des Lebens war stark eingeschränkt. Der Koreakrieg schien der Höhepunkt des kalten Kriegs zu sein." Sein juristischer Kommilitone Nesnanski fügt hinzu: „Tagaus, tagein wurde uns Studenten eingeprägt, daß ein Krieg bevorstehe und diesmal die Vereinigten Staaten der Feind sein würden."

Gorbatschow hat sich nicht darüber geäußert, wie er die USA zur Zeit seines Studiums einschätzte, aber man kann sich dem Eindruck kaum entziehen, daß die offizielle Lehre, die Gesellschaft der Vereinigten Staaten sei dekadent und kurz vor dem Bankrott, seine Phantasie beschäftigte. Westler, mit denen Gorbatschow sprach, seit er in den frühen achtziger Jahren außerhalb seines Landes Aufmerksamkeit zu erregen begann, berichten immer wieder von seinen tiefen Ressentiments gegen das Leben in den USA, die nicht selten sogar in unverhüllter Verachtung der Vereinigten Staaten gipfelten. Mlynář leugnet den Einfluß der stalinistischen Indoktrination in den fünfziger Jahren zwar nicht, stellt sie jedoch in den allgemeinen Rahmen des Stalinismus jener Zeit und der von Gorbatschow später ausgedrückten Neigung zu Reformen: „Wie jeder andere damals war er ein Stalinist. Um ein wahrer Reformkommunist zu werden, muß man ein wahrer Stalinist gewesen sein."

Die langen Stunden, die mit Vorlesungen und Seminaren gefüllt waren – von der zum Studium des Materials benötigten Zeit gar nicht zu reden –, machten es fast unmöglich, über diese Masse an Informationen nachzudenken, der die Studenten täglich ausgesetzt waren. Die meisten hatten zu kaum etwas anderem Zeit als zu ihrem Studium, bevor sie mit der U-Bahn zum Studentenwohnheim Stromynka im Nordosten Moskaus zurückkehrten.

Die Bedingungen im Wohnheim waren äußerst primitiv. Männliche und weibliche Studenten wohnten dort nach Geschlechtern getrennt, wobei sich höchstens fünfzehn und mindestens sechs ein Zimmer teilten. Auf jeder Etage befanden sich eine Küche, ein Waschraum und Gemeinschaftstoiletten, aber es gab keine Badegelegenheit. Gorbatschow und die anderen Studenten gingen normalerweise zweimal im Monat in ein öffentliches Badehaus, um sich gründlich zu reinigen. Die Zimmer waren spartanisch eingerichtet und schmucklos; persönliche Habseligkeiten mußten in Koffern unter den Betten verstaut werden. Die Unterkunft war laut, kalt und bedrückend unpersönlich, und die an einen Zoo gemahnenden Bedingungen wurden nur wenig durch die Tatsache gemildert, daß Männer und Frauen auf denselben Etagen wohnten. Das Wohnheim hatte einen „Kulturklub" im Erdgeschoß, wo fast jeden Abend Filmvorführungen, Vorträge und andere Aktivitäten stattfanden. Gorbatschow und Mlynář, die in zwei verschiedenen, durch einen Flur getrennten Räumen wohnten, standen gegen acht Uhr auf, vertilgten rasch ein Stück Brot und tranken eine Tasse Tee und gingen dann zu der nahe gelegenen U-Bahn-Station am Sokolniki-Park, um zur Juristischen Fakultät zu fahren.

Geld war stets knapp. Das Monatsstipendium von zweihundert bis dreihundert Rubel (ein Rubel entsprach damals einem Zehntel des heutigen Werts) genügte kaum für das Lebensnotwendigste. Für den Kauf von Kleidung blieb nichts übrig, ganz zu schweigen von Luxusartikeln, die heutige Studenten im Westen für selbstverständlich halten. Ein Kommilitone erinnert sich, daß Gorbatschow all die Jahre tagein, tagaus ein und dieselbe Hose trug, sogar nachdem er sich versehentlich ein kleines Loch hineingerissen hatte. Sogar Tee war teuer; Studenten, die ihn sich nicht leisten konnten, griffen auf „Studententee" zurück (ein Euphemismus für eine Mischung aus heißem Wasser und Zucker). Die meisten nahmen die einzige anständige Mahlzeit des Tages nach Abschluß der Vorlesungen in der Mensa der Juristischen

Fakultät ein. Die Mensa bot etwa 150 Personen Platz, wie Mlynář sich entsinnt, und war immer überfüllt. Das Essen war kaum genießbar. „Es war eine eintönige Kost", sagt Mlynář. „Kascha [eine Art Buchweizengrütze] und solche Sachen. Es war schrecklich." Das einzige Vergnügen, das die meisten Studenten sich je leisten konnten, waren gelegentliche Kino- oder Theaterbesuche – damals wie heute waren Karten nicht teuer – oder, weit seltener, eine gemeinsame Flasche Wodka. Aber im wesentlichen war das Leben eine endlose Schinderei, die nur von den Sommerferien und der militärischen Ausbildung unterbrochen wurde. Wie alle Universitätsstudenten in der Sowjetunion war Gorbatschow von der Einberufung freigestellt, doch er mußte sich zum Reserveoffizier ausbilden lassen.

Paradoxerweise waren amerikanische Filme die beliebteste Unterhaltung für alle sowjetischen Studenten in den frühen fünfziger Jahren – in einer Zeit also, in der ein Krieg gegen den Westen immer im Bereich des Möglichen zu liegen schien. Die siegreichen Sowjetarmeen, die aus Berlin zurückkehrten, hatten Tausende alter Spielfilme mitgebracht, die sie in den nationalsozialistischen Archiven und in den Kinos der zerstörten deutschen Städte gefunden hatten. Eine Kriegsbeute mit absonderlichen Folgen: Marlene Dietrich, Errol Flynn – wer weiß, vielleicht sogar Ronald Reagan – flimmerten während der letzten Tage Stalins durch das karge Leben ernsthafter sowjetischer Studenten und weckten Gedanken an eine Welt, die jenseits der von Zensoren und Propagandisten gesteckten engen Grenzen existierte. Das Publikum erfuhr nie, wer der Produzent, der Regisseur oder die Schauspieler waren, oder gar, aus welchem Land der Film kam. Manchmal wurde der Vorspann überhaupt nicht gezeigt. Vratislav Pechota erinnert sich: „Man sagte uns einfach:

,Dies ist ein ausländischer Film.'" Größter Publikumsliebling war immer derselbe: Johnny Weissmueller als Tarzan.

Das Fehlen jeglicher Privatsphäre, die Überfüllung und der ständige akademische und politische Druck müssen sich in starkem Maße auf die täglichen Kontakte zwischen Männern und Frauen auf derselben Etage ausgewirkt haben. Außereheliche sexuelle Beziehungen stellten in der strengen Atmosphäre stalinistischer Moral ein politisches und gesellschaftliches Risiko dar, und für Studenten, die keine Freunde oder Verwandten mit Wohnungen in der Stadt hatten, muß die Organisation solcher Rendezvous ein fast unüberwindliches Hindernis gewesen sein. Infolgedessen waren Studentenehen häufig, sogar innerhalb des Wohnheims und mit der Gewißheit, daß es Monate dauern konnte, bevor Mann und Frau normal zusammenleben konnten. Mlynář, weit von seiner Heimat und seiner Familie entfernt, ging eine leidenschaftliche, aber kurzlebige Ehe mit einer tschechischen Studentin ein; Heirat und Scheidung fanden innerhalb seiner fünfjährigen Studienzeit statt. Aber die Ehe hatte einen interessanten historischen Nebeneffekt: Mlynářs Frau wohnte in demselben Zimmer wie eine gebildete Philosophiestudentin namens Raissa Maximowna Titorenko.

Raissa war intelligent und hübsch und so beliebt, daß Gorbatschow sich, wie Mlynář berichtet, praktisch einen Weg durch Unmengen von Bewunderern bahnen mußte, um sie kennenzulernen. Sie war ein Jahr jünger als Gorbatschow, die Tochter eines Eisenbahningenieurs, doch offenbar vertraut mit dem kulturellen Angebot Moskaus. Sie begegneten einander bei einem Lehrgang für Gesellschaftstänze, bei dem Gorbatschow erschienen war, um sich in aller Freundschaft über seinen Kommilitonen Wladimir Lieberman zu amüsieren, der ein ernsthafter Walzertänzer war. Lieberman war acht Jahre älter als

Gorbatschow und früher Oberst in der Sowjetarmee gewesen. Seine jüdische Herkunft sollte sein Jurastudium später erschweren. Gorbatschow, der ein sympathisches Gesicht und damals noch einen dunklen Haarschopf hatte, fühlte sich sofort zu Raissa hingezogen. Sie war gebildeter als er, was ihn jedoch nicht abschreckte, und vielleicht wurde er durch sein Selbstbewußtsein noch attraktiver für sie.

In der Zeit, als sie einander kennenlernten, nahm Raissa ihn oft mit ins Theater und zu Konzerten. Nadeschda Michalewa, eine Kommilitonin Gorbatschows, erinnert sich gut an die beiden. Bei einer Wiedersehensfeier früherer Studenten der Moskauer Staatsuniversität teilte sie Robert Scheer von der *Los Angeles Times* Ende 1987 mit: „Raissa war nicht nur hübsch, sondern auch sehr gescheit. Und beides gilt immer noch. Weshalb sollte sie also keine führende Rolle spielen?“ Raissa begeisterte sich ihrerseits für das, was Mlynář als Gorbatschows „Kultiviertheit“ bezeichnet, seine Bereitschaft, sie als Partnerin zu behandeln, was Interessen und Karriere angeht. Dieses Verhalten hob sich deutlich von der chauvinistischen und rüpelhaften Einstellung ab, die viele sowjetische Männer damals in weiblicher Gesellschaft an den Tag legten – so wie sie es noch heute tun.

Außer dem Besuch von kulturellen Veranstaltungen gab es in Stromynka kaum etwas, was man unternehmen konnte. Allerdings schufen sich die Zimmergenossen eine Möglichkeit, wenigstens eine kurze Zeit ungestört mit dem anderen Geschlecht zu verbringen. In Gorbatschows Zimmer hing ein Zeitplan, der jedem Studenten gestattete, den Raum wenigstens eine Stunde pro Woche für sich zu haben. Die Mitbewohner mußten sich dann anderswo aufhalten. Um den Anschein zu wahren, wurden diese privaten Fristen auf dem Plan als „Säuberungsstunden“ bezeichnet. Niemand weiß, wie oft Gorbatschow und

Raissa diese seltenen Gelegenheiten nutzten. Anfang 1954 beschlossen sie zu heiraten.

Es war eine einfache, wahrscheinlich typische Studentenhochzeit, mit wenig Luxus und minimalem Kostenaufwand. Wie vom sowjetischen Gesetz vorgesehen, fand die Zeremonie höchstwahrscheinlich in aller Schnelle vor sowjetischen Beamten statt, die täglich mehrere Ehen schlossen. Nach den Formalitäten feierten rund dreißig Freunde des Paares bescheiden in einer Ecke des Speisesaals von Stromynka. Flitterwochen gab es nicht. Die Hochzeitsnacht verbrachten die beiden in Gorbatschows Zimmer; alle anderen Bewohner hatten sich bereit erklärt, irgendwo anders zu schlafen. Am folgenden Tag kehrte Raissa in ihren eigenen Raum zurück, und Gorbatschows Zimmergenossen tauchten wieder auf. Einem Bericht zufolge konnten die beiden erst mehrere Monate später wie Mann und Frau zusammenleben – nach Fertigstellung der Wohnungen für verheiratete Studenten in dem neuen Wolkenkratzer der Moskauer Universität auf den Lenin-Hügeln.

Gorbatschows Selbstbewußtsein und Intelligenz, seine Reife und seine weitgespannten Interessen beeindruckten nicht nur Raissa, sondern auch viele andere Studenten, die ihn kannten. Er verzichtete nicht völlig auf Alkohol, was auch sehr außergewöhnlich gewesen wäre, doch er trank nur sehr wenig. Laut Lieberman war eines der auffallendsten Kennzeichen Gorbatschows, daß er eine hingebungsvolle kommunistische Überzeugung mit einer Abneigung gegen Formalismen verband. Er war, wie Lieberman einem Interviewer berichtete, „am Rande des Nonkonformismus". Einmal ärgerte Gorbatschow sich über einen Dozenten, der darauf beharrte, ein neues Werk von Stalin Seite für Seite vorzulesen, statt es zu analysieren oder zu erläutern. Gorbatschow und Lieberman schrieben dem Dozenten eine anonyme Notiz und erinnerten ihn trocken daran, daß jeder in der Klasse lesen könne. Der Dozent war so erzürnt, daß er der Klasse die Notiz vorlas und den Autor als antisozialistisch verurteilte. Gorbatschow stand ruhig auf, um seine Urheberschaft einzuräumen, verwies auf seine eigenen kommunistischen Überzeugungen und seine führende Rolle im Komsomol und erklärte, daß ihm nur die pedantische Art mißfalle, mit der der Dozent das Werk Stalins behandele. Später wurde Gorbatschow zwar von Funktionären wegen dieser Unverschämtheit kritisiert, doch man verzichtete auf disziplinarische Maßnahmen gegen ihn. Der Dozent wurde abgelöst.

Mlynář und andere entsinnen sich, daß Gorbatschow den Umgang mit älteren Studenten pflegte, häufig mit Veteranen des Zweiten Weltkriegs wie Lieberman. Seine eigenen politischen Leistungen stellte er nie zur Schau – etwa dadurch, daß er im Unterricht seinen Orden der Roten Fahne der Arbeit getragen hätte. Die Auszeichnung, die auch auf politische Verdienste hindeutete, hätte ihm die Gunst des Lehrpersonals einbringen können, doch dies wäre nach Mlynářs Meinung Gorbatschows Wunsch zuwidergelaufen, unabhängig zu handeln. Mlynář schrieb, der künftige sowjetische Parteichef „war eine freimütige Person, und seine Intelligenz verleitete ihn nie dazu, arrogant zu sein. Er verstand es zuzuhören ... Er war ehrlich und gutwillig, und er hatte sich eine natürliche – keine formelle – Autorität erworben und gleichzeitig seinen Stolz behalten. Seinem Charakter nach war er reformistisch." Aber Mlynář spricht Gorbatschow eine Vielschichtigkeit zu, die über diese lobenswerten, doch vordergründigen Eigenschaften hinausgeht. Er hatte „verschiedene Persönlichkeitsschichten. Positiv für seinen Charakter ist, daß er Selbstsicherheit besitzt. Dies könnte auch eine Gefahr sein, denn er hat sich aus eigener Kraft emporgearbeitet und könnte seine Qualitäten überschätzen. Es war klar, daß keiner von uns eine juristische Karriere einschlagen würde."

Alexander Stromas, der Gorbatschow nicht gut kannte und sein Studium drei Jahre vor ihm abschloß, beschreibt ihn dennoch als eine entschlossene, selbständige und ordentliche Person: „Er war ein sehr, sehr gründlicher Mann und äußerst diszipliniert. Er machte einen guten akademischen Abschluß." Stromas hatte Grund, Gorbatschow dankbar zu sein, weil dieser seinen politischen Einfluß als Komsomolaktivist nutzte, um Stromas aus (nicht näher bekannten) politischen Schwierigkeiten an der Universität zu helfen. Nesnanski, sonst eher ein Kritiker Gorbatschows, erinnert sich, daß dieser ihn unterstützt habe, als ein begehrtes Graduiertenstipendium, das man ihm versprochen hatte, an einen anderen Studenten mit politischen Beziehungen vergeben worden war. Gorbatschow habe Einspruch eingelegt und bewirkt, daß die Ungerechtigkeit rückgängig gemacht wurde. Bei einer anderen Gelegenheit ging Gorbatschow, so erinnert sich Nesnanski, während der für alle Studenten obligatorischen Militärausbildung ein großes Risiko ein. Als ein brutaler Hauptfeldwebel die Studenten nach einem Zehn-Kilometer-Marsch ohne eine Pause sofort wieder zu anstrengendem Drill zwang, legte Gorbatschow bei einem Offizier Protest ein, worauf der Befehl zurückgenommen wurde.

Ein anderer Vorfall zeigt laut Mlynář, daß Gorbatschow sich ungewöhnlich offen über die Praktiken der Geheimpolizei äußerte. Im Sommer 1951, am Ende des ersten Studienjahres, kehrte Gorbatschow nach Priwolnoje zurück, um bei der Ernte zu helfen, und Mlynář fuhr nach Prag. Von dort aus schickte er in aller Unschuld eine Postkarte an Gorbatschow. Diese Karte verursachte höchste Unruhe bei den Sicherheitsbeamten des Innenministeriums, das für die polizeiliche Arbeit zuständig war. Alles, was aus dem Ausland eintraf – selbst aus einem „sozialistischen Bruderland" –, löste Argwohn aus und führte zu Ermittlungen gegen den Empfänger.

Gorbatschow erzählte Mlynář später, daß ihm der örtliche Polizeichef persönlich die Karte ausgehändigt habe, vermutlich um das potentielle Sicherheitsrisiko in Augenschein zu nehmen. Gorbatschow war anscheinend in der Lage, den Vorfall zu erklären, und beide Männer lachten über das Drama, das sich aus einer so harmlosen Geste ergeben hatte.

Einige frühere Sowjetbürger haben Zweifel an Gorbatschows Aufrichtigkeit Mlynář gegenüber geäußert; wahrscheinlich habe er weniger seine eigenen Ansichten vertreten als den bewußten Versuch unternommen, Informationen aus dem Tschechen herauszuholen. Sie argumentieren, daß Gorbatschow vermutlich für die Geheimpolizei Berichte über Mlynář, der schließlich Ausländer war, habe schreiben müssen. Sonst hätte ein Sowjetbürger seine Meinung im Gespräch mit einem Ausländer kaum so unverhohlen vorgebracht. Gorbatschow mag solche Berichte über Mlynář an die Geheimpolizei geschrieben haben, aber der junge Mann hatte in seinen Studentenjahren offensichtlich zwei ganz unterschiedliche Seiten. Die eine Seite, die er wohl nur wenigen Menschen – unter ihnen auch Mlynář – zeigte, ließ seine offene Skepsis über manche Aspekte der sowjetischen Innenpolitik unter Stalin erkennen. Sowjetische Kommilitonen von Gorbatschow haben bestätigt, daß in jenen Tagen recht freimütige politische Diskussionen stattfanden, wenn auch nur im kleinen Kreis vertrauter Freunde. Die andere Seite Gorbatschows war die offizielle; sie war charakterisiert von der nach außen hin brüsken Art eines Komsomolführers, der unbedingt einen guten Eindruck auf die ihn beobachtenden Funktionäre der Kommunistischen Partei machen wollte. Die Einschätzung Gorbatschows durch jene, die ihn an der Moskauer Staatsuniversität kannten, ist unterschiedlich, je nachdem, ob sie mit seinem persönlichen, intellektuellen Verhalten vertraut waren oder ob sie nur seine halbamtliche Komsomolmaske sahen.

Nach Mlynářs Erinnerungen, die in der Tendenz, wenn auch nicht in allen Einzelheiten, von anderen früheren Studenten, die das sowjetische System im allgemeinen unterstützten, bestätigt wurden, war Gorbatschow aufrichtig verärgert über die zum Teil dümmlichen Züge der internen Propaganda. Dies betraf vor allem die Lügen über das Landleben, die täglich von der Sowjetpresse verbreitet wurden und denen seine eigene Kolchoserfahrung widersprach. Einmal sahen Gorbatschow und Mlynář sich gemeinsam den Propagandafilm *Kosaken des Kuban* an. In mancher Hinsicht war dieser Film ein so gutes Beispiel der sowjetischen Desinformationspolitik, wie Leni Riefenstahls *Triumph des Willens* ein klassisches Werk der nationalsozialistischen Propaganda darstellt. Das Thema der *Kosaken* ist die Kollektivierung der dreißiger Jahre. Szene um Szene werden lächelnde Bauern gezeigt, an Tafeln, die sich unter dem Gewicht festlicher Speisen biegen. Gorbatschow, der den hier gezeigten Nordkaukasus und den dort existierenden Mangel an Nahrung genau kannte, kommentierte spöttisch: „So ist es ganz und gar nicht."

In einem anderen Fall erinnerte Gorbatschow sich seiner harten Erfahrungen auf dem Land, als er und seine Kommilitonen das Fach Kolchosrecht studierten. Mlynář schreibt: „Gorbatschow erklärte mir, wie unbedeutend das Kolchosrecht im Alltagsleben ist – und wie bedeutend die brutale Gewalt, die allein die Arbeitsdisziplin auf den Kolchosen garantiert."

Dies war eine gewagte Äußerung für einen Sowjetbürger, besonders einem Ausländer gegenüber. Aber wahrscheinlich war Gorbatschow bereit, Mlynář Vertrauen zu schenken, gerade weil dieser als Ausländer seinerseits verletzlich war. Und der Tscheche mit seiner stärker europäisch orientierten Weltanschauung hatte Gorbatschow – nicht ohne Risiko für sich selbst – mit Tatsachen und Ideen bekannt gemacht, die innerhalb der Sowjetunion nicht einmal erwähnt werden durften. Ihre Freundschaft hatte noch einen anderen wesentlichen Bestandteil, der zu der Offenherzigkeit beitrug, mit der sie einander ihre Meinungen anvertrauten: Beide waren überzeugte Kommunisten. Sie glaubten bedingungslos, daß der Sozialismus (so wie er von der sowjetischen Ideologie immer noch interpretiert wird: als ein System, in dem alle Produktionsmittel in Händen des Staates sind und der Staat selbst von einer kommunistischen Partei geleitet wird, die über ein Monopol an politischer Macht verfügt) für die Welt den Weg in die Zukunft markiere und die einzig mögliche Gesellschaftsform für Rußland sei. Und schließlich waren Gorbatschow und Mlynář – im Gegensatz zu vielen Kommilitonen, die politisches Engagement bloß vortäuschten – stark an Politik interessiert. Sie glaubten daran, daß Politik das Leben der Menschen verändern könne, und sie hatten trotz aller negativen Erfahrungen keine zynische Einstellung zur Sowjetgesellschaft.

Mlynář blickt zurück: „Unsere politischen Diskussionen waren sehr offen. Er war einer der wenigen, die über Politik redeten. Die anderen waren einfach nicht interessiert... Er war seinem Charakter nach reformistisch." Einmal verfaßte Mlynář eine Seminararbeit, in der er erläuterte, daß der Staat nicht jeden Aspekt des Wirtschaftslebens organisieren, sondern es nur beaufsichtigen solle. „Ich schrieb, daß der Staat diejenigen, die es verdienten, belohnen müsse. Es kam zu einer langen Diskussion, und Gorbatschow sagte: ‚Ja, du hast recht, daß der Lohn der Leistung entsprechen sollte, aber in Wirklichkeit ist es ganz anders.' Er fügte hinzu, die sozialistische Gerechtigkeit müsse dafür sorgen, daß der Lohn nach sozialistischer Art entsprechend der Arbeitsqualität und -quantität verteilt werde."

Die intellektuellen Diskussionen, die für beide anregend gewesen sein müssen, waren nur ein Aspekt von

Gorbatschows Moskauer Universitätsjahren. Neben seinem Interesse an der Theorie zeigte Gorbatschow schon in sehr jungen Jahren die Fertigkeiten eines begabten Politikers. Einer der Lehrgänge an der Juristischen Fakultät war Übungen in Gerichtsrhetorik gewidmet. Der Kursus gab den Studenten Gelegenheit, die Redekunst in einer ungefährlichen Umgebung und unter vorzüglicher professioneller Anleitung zu erlernen. Bis heute zehrt Gorbatschow von den Früchten dieser Ausbildung. Er kann zwar langatmig und zuweilen recht dogmatisch sein, aber er ist von allen sowjetischen Führern seit Lenin der wirkungsvollste Redner.

Aber Gorbatschows politische Betätigung an der Moskauer Universität war nicht in erster Linie rhetorischer Natur; vielmehr machte er erfolgreich Karriere im Universitätskomsomol. Er war mit einer hervorragenden Empfehlung vom Komsomolkomitee des Kreises Krasnaja Gwardija in Moskau eingetroffen. Höchstwahrscheinlich trug diese Empfehlung sogar entscheidend dazu bei, daß er einen Platz an der Moskauer Universität erhielt. Der beste Gewährsmann, was Gorbatschows Komsomolkarriere in Moskau betrifft, ist Friedrich Nesnanski, der sich politisch und sozial in demselben Moskauer Komsomolkreis (Krasnaja Presnja) wie Gorbatschow betätigte, gelegentlich Teilzeitarbeit auf derselben Kolchose außerhalb Moskaus verrichtete und ebenfalls Kadett in einem Armeelager bei Kowrow war, rund 230 Kilometer östlich von Moskau. Vielleicht weil Gorbatschows Komsomolkarriere für ihn weit weniger interessant war als das Studentenleben des jungen Mannes in Moskau, sagt Mlynář kaum ein Wort zu diesem Thema. Nesnanski, der im Jahre 1978 legal aus der Sowjetunion auswanderte, berichtet weit mehr darüber.

Gorbatschow hielt sich während seines ersten Studienjahres in Moskau offenbar noch zurück, was die Komsomolarbeit anging. Dennoch wurde er 1951 zum *komsorg*

(Komsomolorganisator) seines Lehrgangs gewählt. Während seiner Universitätszeit stieg Gorbatschow dann zu einem der elf Mitglieder des Komsomolkomitees für die Juristische Fakultät auf und war unter anderem für Fragen im pädagogischen Bereich zuständig. Schließlich wurde er – von 1952 bis 1954 – Komsomolorganisator für die gesamte Juristische Fakultät. Laut Nesnanski wurde Gorbatschows Aufstieg in sein erstes *komsorg*-Amt auf recht skrupellose Weise vorbereitet: Gorbatschow soll den vorherigen Amtsinhaber am Abend vor einem Komsomoltreffen betrunken gemacht und dann dessen Verhalten als eines kommunistischen Jugendaktivisten unwürdig verurteilt haben. Andere Kommilitonen Gorbatschows entsinnen sich nicht an diesen Vorfall oder wollen nicht darüber sprechen. Sie erinnern sich jedoch, daß der junge Mann aus der Provinz seine Komsomolpflichten auf ungewöhnlich dienstbeflissene und manchmal sogar übereifrige Weise erfüllte.

Zu Gorbatschow als *komsorg* existieren widersprüchliche Erinnerungen. Sogar Nesnanski räumt ein, daß Gorbatschow seinen politischen Einfluß nutzte, um ihm in der Endphase seines Jurastudiums zu helfen. Stromas berichtet ebenfalls, daß Gorbatschow ihn aus politischen Schwierigkeiten befreit habe, während Lieberman behauptet, Gorbatschow habe sich nicht von dem antisemitischen Wahn distanziert, der die Sowjetunion Anfang 1953, in Stalins letzten Lebensmonaten, gepackt hatte. Auf jeden Fall scheint Gorbatschow ein ungewöhnlich strenger Zuchtmeister gewesen zu sein. Als mehrere Studenten sich einmal zu einer obligatorischen Komsomolsitzung verspätet hatten, weil sie in einem Konzert gewesen waren, forderten andere Komsomolorganisatoren, so erzählt Nesnanski, die Anwesenden nur auf, beim nächstenmal pünktlich zu sein; Gorbatschow jedoch erteilte seiner Gruppe mit mißbilligenden Worten einen förmlichen Verweis.

Überraschender ist, daß Gorbatschow anscheinend mit allem Nachdruck verlangte, Studenten, die Verwandte hatten, welche in Arbeitslagern saßen oder sich politisch unbeliebt gemacht hatten, aus dem Komsomol auszuschließen, in einigen Fällen sogar, sie von der Moskauer Universität zu verweisen. Lew Judowitsch spricht von der „stählernen Stimme des Komsomol-Sekretärs der Juristischen Fakultät, Gorbatschow, der aus geringstem Anlaß den Ausschluß von Mitgliedern aus dem Komsomol forderte, etwa wenn jemand politische Witze erzählte oder sich vor dem Einsatz in einer Kolchose drücken wollte". Judowitsch, der sein juristisches Examen zwei Jahre vor Gorbatschow ablegte, schreibt, seine Freunde und er hätten sich vor Gorbatschow wegen seines ideologischen Eifers in acht genommen. Gorbatschow habe im Ruf gestanden, juristisch und politisch übereifrig zu sein. Judowitsch fügt hinzu: „Manche von uns hielten ihn für heuchlerisch. Er pflegte gute Beziehungen zu seinen Kommilitonen und versprach einigen seine Hilfe, aber wenn er dann das Wort ergriff, setzte er sich nicht für sie ein, sondern äußerte nur Parolen." Nesnanski erklärt, Gorbatschow sei zwar nicht arrogant gewesen und habe seine Komsomolposition nicht dazu benutzt, sich materielle oder andere Privilegien zu sichern, doch sein öffentliches Bestreben, nicht von der Parteilinie abzuweichen, habe ihn bei einigen Studenten unbeliebt gemacht.

Der junge Gorbatschow muß eine Art Musterknabe gewesen sein, der sich nicht nur in der Erfüllung seiner Komsomolpflichten, sondern sogar bei der Säuberung seines Zimmers als sehr gewissenhaft erwies. Eine der weniger bedeutenden Ehrungen, die er während seines Studiums mit anderen teilte, war ein Preis für die reinlichste Unterkunft. Dies könnte allerdings weniger mit Gorbatschows eigenen Bemühungen zu tun gehabt haben als mit der Tatsache, daß der Zimmerälteste, wie es heißt, ein früherer Armeehauptfeldwebel war.

Gorbatschows Komsomolpflichten bestanden hauptsächlich darin, daß er politische und administrative Aufgaben im „Agitpunkt", dem Propagandazentrum des Moskauer Parteibezirks Krasnaja Presnja wahrnahm. Komsomolaktivisten hatten dafür zu sorgen, daß die Bewohner bei den formalen Wahlen ihre Stimme abgaben (die Wahlbeteiligung war obligatorisch und lag selten unter 99,9 Prozent), oder sie mußten sich darum kümmern, daß Dachreparaturen und Klempnerarbeiten ausgeführt wurden. Entsprechend seiner komplexen Persönlichkeitsstruktur mag es Gorbatschow aufrichtige Freude gemacht haben, gewöhnlichen Moskowitern bei den Problemen des täglichen Lebens zu helfen, doch gleichzeitig erntete er auch gerne den Lohn für herausragenden politischen Eifer. Nesnanski meint, Gorbatschows Hauptsorge habe weniger dem Wohlergehen der Bewohner von Krasnaja Presnja gegolten als dem herausragenden Ansehen seiner Komsomoleinheit.

Im Jahre 1951, als Gorbatschow seine *komsorg*-Karriere begann, wurde er auch Kandidat für die Mitgliedschaft in der Kommunistischen Partei der Sowjetunion. Nach der vorgeschriebenen einjährigen Probezeit, in der Gorbatschow Parteiversammlungen besuchte, aber nicht am Entscheidungsprozeß beteiligt war, wurde er 1952 förmlich in die Partei aufgenommen. Es war kurz vor dem letzten Parteitag der Stalinjahre (dem XIX.), in einer politischen Atmosphäre heftiger Feindschaft gegenüber dem Westen und vermeintlichen Gegnern der Partei im eigenen Lande. Offenbar vertrat Gorbatschow die offizielle Parteidoktrin bei Partei- und Komsomolversammlungen mit großer persönlicher Überzeugung. Dies wirft Fragen zu seinem Verhalten während der berüchtigten „Ärzteverschwörung" im Jahre 1953 auf.

Das Ausmaß der politischen Paranoia, die in Stalins letzten Monaten und Jahren das Leben in der Sowjetunion immer stärker prägte, ist kaum vorstellbar. Die Sowjetunion hatte gerade die ersten Versuche mit Wasserstoffbomben unternommen, die internationalen Spannungen waren gefährlich angewachsen. Der Koreakrieg tobte noch, obgleich sich eine militärische Pattsituation entwickelt hatte. Stalins außenpolitische Rückschläge in Europa – der Zusammenbruch der Blockade in Berlin nach der Luftbrücke von 1948/49, der vergebliche Versuch, Präsident Tito in Jugoslawien zu stürzen, und die Gründung der NATO im Jahre 1949 – hatten seine Entschlossenheit, dem ganzen Kontinent seinen politischen Willen aufzuzwingen, nur noch verstärkt. Geheimdokumente der Kommunistischen Partei der Tschechoslowakei, die 1968 während des Prager Frühlings veröffentlicht wurden, deuten darauf hin, daß Stalin von 1952 an eine militärische Invasion Westeuropas erwog.

Im Innern wurde die Sowjetunion von einer weiteren Säuberungswelle gegen die Intelligenzija und einer Hexenjagd auf solche Intellektuelle geschüttelt, die sich im Bereich von Kultur und Kunst nicht an die Parteilinie hielten. Es war die Zeit der *Schdanowschtschina*, eine Periode erdrückender Orthodoxie sowohl im kulturellen als auch im wissenschaftlichen Bereich; sie ist benannt nach Andrej Schdanow, einem Angehörigen des Politbüros, der auf diesen Gebieten als Stalins verlängerter Arm agierte. Schdanow starb im Jahre 1949, aber die Gewalt gegen vermeintliche Feinde des Sowjetstaates in den Künsten und Wissenschaften setzte sich bis zu Stalins Tod im März 1953 fort. Die Kampagne nahm 1949 eine besonders üble Wendung, als das Regime begann, seine inneren Feinde als „entwurzelte, staatenlose Kosmopoliten" zu bezeichnen. Damit war die Stoßrichtung unzweifelhaft antisemitisch geworden, denn viele hervorragende sowjetische Intellektuelle waren jüdischer Abstammung. Stalin und seine ideologischen Handlanger gingen sogar noch weiter: In der sowjetischen Presse entwickelte sich ein Trend, nahezu alle wichtigen Erfindungen der modernen Zeit russischen Urhebern zuzuschreiben.

Nachdem bereits ab 1949 jüdische Intellektuelle und Gelehrte aus akademischen und wissenschaftlichen Ämtern entfernt worden waren, erreichte im Januar 1953 die Kampagne gegen das „Kosmopolitentum" ihren Höhepunkt. Stalin plante eine letzte Säuberung der Partei und der Gesellschaft, um sich einer ganzen Schicht von Helfern zu entledigen, die sein Vertrauen verloren hatten. In erster Linie hatte er es auf Lawrenti Berija abgesehen, den Chef der Geheimpolizei, den Stalin selbst zu fürchten begann. Der Vorwand, mit dem er die Säuberung rechtfertigte, war ein angebliches Komplott, das sich gegen das gesamte Politbüro gerichtet haben soll und als „Ärzteverschwörung" bekannt wurde. Kurz gesagt, man bezichtigte hohe Kreml-Ärzte, von denen viele Juden waren, sie hätten seit Jahren heimlich versucht, die Moskauer Führungsspitze zu vergiften. Die Anklagen waren fingiert, aber sie klangen etwas plausibler, als einige Kreml-Ärzte, die zufällig auch noch Juden waren, alles eingestanden. Die Geständnisse waren natürlich erzwungen worden. Im letzten Stadium des Vorgehens gegen die „Ärzteverschwörung" wären, wie Stalin plante, Tausende von Juden überall in der Sowjetunion verhaftet worden; zudem sollte die Mehrheit der jüdischen Bevölkerung an einen fernen Ort in Sibirien deportiert werden.

Ende Januar 1953 begann man überall in der sowjetischen Gesellschaft mit der Ausmerzung des „Kosmopolitentums" und des „Zionismus". Man hielt zum Beispiel Komsomol-, Gewerkschafts-, Fabrik- und Kolchosversammlungen ab, um die angeblichen Anhänger der „Ärzte" ausfindig zu machen und zu beseitigen. An der Moskauer Staatsuniversität und an mehreren anderen Hochschulen der sowjetischen Hauptstadt wurden jüdische Professoren denunziert und aus ihren Positionen vertrieben. Dmitri Simes, ein sowjetischer Emigrant, der heute als Wissenschaftler in der Washingtoner Carnegie-Stiftung für Internationalen Frieden arbeitet, berichtet zu diesen Vorgängen: „Ich weiß von meinen Eltern, daß ein wirklicher antisemitischer Pogrom stattfand. Der engste Freund und Vertraute meines Vaters wurde verhaftet und dann hingerichtet." Michel Tatu, der führende Kenner der Sowjetunion in Frankreich und Autor einer gründlich recherchierten Gorbatschow-Biographie, ist der Ansicht, daß Gorbatschow „wie jeder andere mit den Wölfen heulen mußte". Er fährt fort: „Es ist höchst wahrscheinlich, daß der kleine Komsomolchef seinen eigenen Beitrag zu den Reden gegen das ‚Kosmopolitentum', die ‚Judasse der Medizin' und den ‚korrupten Liberalismus' zu leisten hatte."

Mlynář, der Gorbatschow in dieser Periode nahestand, leugnet nicht, daß dieser sich all der häßlichen antisemitischen Propaganda anschloß, aber er beteuert, daß Gorbatschow nicht für die Leiden einer einzigen Person an der Universität verantwortlich gewesen sei. Stromas, der Gorbatschows Anständigkeit in Zusammenhang mit seinen eigenen politischen Schwierigkeiten bezeugt hat, sagt einfach nur: „Ich bin sicher, daß Gorbatschow, wenn man ihn aufgefordert hätte, dabei [bei der antisemitischen Kampagne] eine Rolle zu übernehmen, es ohne jedes Zögern getan hätte!"

Wie durch eine Fügung des Schicksals starb der Mann, der hinter den Aktionen um die „Ärzteverschwörung" stand, am 5. März 1953. Viele Sowjetbürger – nicht nur Juden –, die angsterfüllt auf die nächste mörderische Attacke von Stalin warteten, nahmen die Nachricht seines Todes mit tiefer Erleichterung auf. Aber für Millionen gewöhnlicher Bürger, die Stalin gleichsam für den mythischen, unfehlbaren „Vater der Völker" hielten, der sie im Zweiten Weltkrieg zum Sieg geführt hatte, war der Verlust eine überaus erschütternde Erfahrung.

Die Kampagne um die „Ärzteverschwörung" verschwand so plötzlich von der Bildfläche, wie sie begonnen hatte, was die jüdische Gemeinschaft vor einer neuen Welle der Barbarei rettete. Porträts von Berija, den man nicht weniger gefürchtet hatte als Stalin, verschwanden im Juni seltsamerweise aus der Öffentlichkeit. Später stellte sich heraus, daß das Politbüro – erschrocken über die Aussicht, er könne der neue sowjetische Diktator werden – ihn hatte verhaften und erschießen lassen.

Innerhalb von zwei Jahren kam es zu dramatischen Änderungen. Eines der ersten Zeichen des nach-Stalinschen „Tauwetters" war die langsame und schmerzhafte Rehabilitierung von Opfern des politischen Terrors. Millionen von Insassen des GULag, dessen Bevölkerung man bei Stalins Tod auf etwa acht Millionen schätzte, wurden von der Anklage „konterrevolutionärer Verbrechen" freigesprochen und tauchten allmählich wieder in den sowjetischen Städten auf. Plötzlich merkten die Bürger, daß ihr juristisches System, welches man ihnen als das humanste und gerechteste der Welt hingestellt hatte, in Wirklichkeit schändlich war. Für junge Menschen, die mit den angeblich untrüglichen Wahrheiten des Stalinismus aufgewachsen waren, erwiesen sich die Enthüllungen als vernichtend. Roy Medwedjew, ein sowjetischer Historiker, der trotz offizieller Mißbilligung eine peinlich genaue Chronik des Stalinismus angelegt hat, kommentiert folgendermaßen: „Es ist leicht, sich heute mit diesen Geschehnissen als Tatsachen der Geschichte zu befassen, aber es waren Ereignisse von ungeheurer persönlicher Bedeutung für jeden, der damals an kommunistische Ideale glaubte, besonders für jemanden, der Anwalt werden wollte. Es war ein enormer Schlag für die einstmals gepflegten Vorstellungen von Gerechtigkeit."

Nesnanski berichtet, Gorbatschow habe, zumindest in seinen öffentlichen Aussagen, seine Einschätzung Stalins nach dessen Tod radikal geändert. Während Gorbatschow sich zu Lebzeiten Stalins nie auf allgemeine Diskussionen über dessen Persönlichkeit eingelassen habe, vermutlich weil er nicht der Heuchelei bezichtigt werden wollte, sei er nach dem März 1953 offener geworden. Zum erstenmal sprach Gorbatschow von den Ungerechtigkeiten, die den „Mittelbauern" während der Kollektivierung der dreißiger Jahre zugefügt worden seien; er erwähnte einen Verwandten, den man zu Unrecht verhaftet habe. Stalins eigene Leistungen seien, wie Gorbatschow nun erklärt habe, „halb weiß und halb schwarz" gewesen. Laut Nesnanski räumte Gorbatschow jetzt ein, daß Stalin in der Innenpolitik, vor allem in der Landwirtschaft, Fehler gemacht habe und daß die totale Isolierung, die er über die Sowjetunion verhängte, ebenfalls von Nachteil gewesen sei.

Aber Gorbatschows Meinungswandel Stalin gegenüber vollzog sich weniger plötzlich, als es den Anschein haben mochte. Mlynář macht deutlich, daß der junge Mann aus Stawropol in Privatgesprächen, ohne allerdings den Namen Stalins zu erwähnen, schon seit langem viele Vorbehalte gegen das sowjetische Leben unter dem Diktator geltend gemacht hatte. Da Gorbatschow als *komsorg* Stalin in der Öffentlichkeit jedoch preisen mußte, teilte er seine Zweifel natürlich nur wenigen Personen mit, denen er uneingeschränkt vertraute. Denkwürdigerweise waren die Männer, denen Gorbatschow am nächsten stand, laut Mlynář zuvor ebenfalls überzeugte Stalinisten gewesen.

In der offiziellen sowjetischen Biographie heißt es, Gorbatschow sei von 1952 bis zu seinem Examen im Jahre 1955 *komsorg* gewesen. Nesnanski behauptet, dies treffe formal zu, doch Gorbatschows Komsomolkarriere an der Moskauer Universität habe im Jahre 1954 einen Rückschlag erlitten, nachdem das Moskauer Rechtsinstitut, eine separate Hochschule, mit der Juristischen Fakultät der Moskauer Staatsuniversität zusammengelegt worden war. Der Zusammenschluß habe dazu geführt, daß man die beiden Komsomolorganisationen vereinigt habe. Für den Vorsitz der gemeinsamen Organisation habe man den Posten eines Komsomolsekretärs geschaffen, um den sich die Komsomolaktivisten des Instituts und der Juristischen Fakultät einen harten Kampf geliefert hätten. Die Juristische Fakultät unterstützte natürlich Gorbatschow, aber hinter seinem Gegner, dem *komsorg* des Instituts, einem gewissen Kondratenko, standen vor allem die Veteranen des Zweiten Weltkriegs an beiden Hochschulen. Gorbatschow sei von Kondratenko ausmanövriert worden und habe mit der Wahl möglicherweise auch eine gute Gelegenheit verloren, mit Hilfe des Moskauer Komsomolapparats eine politische Karriere zu starten.

Während Gorbatschows Abschlußprüfungen im Jahre 1955 näher rückten, muß er gewußt haben, daß er in Moskau keinen angemessenen Posten finden und deshalb nach Stawropol zurückkehren würde. Er hatte bereits beschlossen, keine juristische Laufbahn einzuschlagen – wohl auch deshalb, weil er nicht untrennbar an die Sicherheitsdienste gebunden sein wollte. Ohnehin war er stärker an Politik interessiert und daran, wie die Macht Nationen und individuelle Menschenleben umgestalten kann. Möglich ist aber auch, daß ihm die Komsomolbehörden der Region Stawropol, die ihm ja zu seinem Platz an der Moskauer Staatsuniversität verholfen hatten, die Verpflichtung auferlegten, in seine Heimat zurückzukehren und dort zumindest eine Zeitlang zu arbeiten.

Die Entscheidung, wenn es denn Alternativen gab, kann nicht leicht gewesen sein. Raissa fühlte sich sehr wohl in der städtischen Atmosphäre, vor allem deshalb, weil in der Hauptstadt der Sowjetunion das kulturelle Angebot weit üppiger war als in der Provinz.

Gorbatschow hatte das Studium an der Juristischen Fakultät mit Auszeichnung beendet. Zu seiner eigenen Zufriedenheit und zur Zufriedenheit anderer hatte er Selbstbewußtsein in der Öffentlichkeit sowie bei der Gestaltung seines Lebens gezeigt und den Respekt seiner Kommilitonen gewonnen. Das allein wäre für einen Jungen von ärmlicher provinzieller Herkunft schon bemerkenswert genug gewesen. Wichtiger noch war jedoch, daß Gorbatschow seine Freude an der Politik entdeckt und herausgefunden hatte, wie man andere durch Rhetorik, durch Argumentation und Planung für sich gewinnt. Er war in seinem tiefsten Innern auf eine – noch nicht ausgereifte – Vorstellung davon gestoßen, wie die Sowjetunion – und vielleicht sogar die Welt – mit der „richtigen" Politik aussehen könnte. Nun mußte er den langen, mühsamen und in der Sowjetunion manchmal gefährlichen Aufstieg auf der politischen Leiter beginnen, um an den Punkt zu gelangen, an dem er die Macht besitzen würde, diese Vorstellung in die Wirklichkeit umzusetzen.

Während der Zug im Sommer 1955 aus dem Kursker Bahnhof in Moskau rollte, muß es Gorbatschow, mit Raissa und ihrem gemeinsamen Gepäck neben sich, schwergefallen sein, die Stadt hinter sich zu lassen, die fünf schwierige und oft aufregende Jahre hindurch seine Heimat gewesen war. Erst dreiundzwanzig Jahre später sollte er zurückkehren. Vorerst hatte er seine Begabung und Energie auf einen neuen Punkt zu konzentrieren – die rund 1600 Kilometer entfernte schläfrige Provinzhauptstadt Stawropol.

Drittes Kapitel

In Stawropol

Ein paar Bewohner von Stawropol trotzen den scharfen Windstößen und kürzen ihren Weg über den Lenin-Platz hinweg ab, eine weite, gepflasterte Fläche, die sich von dem spartanischen fünfstöckigen Hauptquartier des regionalen Komitees der Kommunistischen Partei bis hin zu dem ovalen Stadion der Stadt erstreckt. Kaum einer wirft einen Blick auf die riesige Statue Lenins, der auf einem Granitsockel neben dem Eingang des Parteigebäudes steht, mit einer Hand seinen Mantelaufschlag packt und unverwandt in die Zukunft starrt. Die Passanten achten auch kaum auf das riesige Transparent über den Toren des Sportplatzes: Bürger von Stawropol: Setzt euch entschieden dafür ein, dass der vom XXVII. Parteitag festgelegte Kurs verwirklicht wird. Sie hasten zu der von Bäumen geschützten Einkaufszone, wo das modernistische Zentrale Kaufhaus ZUM über malerischen alten Gebäuden emporragt, deren pastellfarbener Anstrich mit weißen Verzierungen versehen ist.

Während der Einkaufsstunden in dieser südrussischen Stadt, die auf dem fünfundvierzigsten Breitengrad liegt, auf einer Hochebene zwischen den schneebedeckten Gipfeln des Kaukasus und der nördlichen Steppe, treten die propagandistischen Ansprüche auf *glasnost* und *perestroika* in den Hintergrund. Die meisten der mehr als dreihunderttausend Bewohner Stawropols sind mit viel banaleren Problemen beschäftigt. Manche steuern auf das Breitwandkino Ekran gleich neben dem Lenin-Platz zu, um sich Karten für den japanischen Film *Die sieben Samurai* zu besorgen. Andere beabsichtigen vielleicht, in den Genossenschaftsläden nach den Fleischpreisen zu sehen, wobei sie leise murren, weil die subventionierten Lebensmittel aus den staatlichen Schlachtereien inzwischen hauptsächlich für Invaliden und Kriegsveteranen bestimmt sind. Noch andere mögen versucht sein, auf dem Weg zu der modernen Markthalle haltzumachen und ihr Geld für einen Strauß weißer Chrysanthemen auszugeben, die dort zu überhöhten Preisen von Blumenverkäufern feilgeboten werden.

Die Szene könnte sich in vielen Provinzstädten der Sowjetunion abspielen, aber diese Regionalhauptstadt zeichnet sich durch etwas Besonders aus: Dies ist Gorbatschows Heimat, der Ort, wo er seine politische Karriere begann. Doch es gibt noch andere prominente Funktionäre, die mit Stawropol verbunden sind. Juri Andropow, ein weiterer sowjetischer Parteiführer, wurde in dem Eisenbahnstädtchen Nagutskaja in der Region Stawropol geboren. Zudem war Michail Suslow, der grimmige Politbüroideologe, von 1939 bis 1944 Parteichef der Region Stawropol. Ein anderer Funktionär, der von diesem Amt aus eine prominente Position erlangte, war Fjodor Kulakow, ein Landwirtschaftsexperte des Kreml in den sechziger und siebziger Jahren. Er spielte eine wichtige Rolle bei der Förderung des jungen Gorbatschow, bevor seine eigene Karriere im Jahre 1978 abrupt endete. Wegen dieser ungewöhnlichen Überschneidung so vieler politischer Machtlinien in diesem abgelegenen Gebiet Rußlands sprechen Kenner der Sowjetunion häufig vom „Stawropol-Netz".

Wenn in Stawropol die Herzen bei der Erwähnung Gorbatschows nun höher schlagen, dann tun die Einheimischen ihr Bestes, sich dies nicht anmerken zu lassen. Allenfalls riskieren sie im Restaurant eine gutmütige Spöttelei darüber, was „Mischa" Gorbatschow, der „Mineralwasser-Generalsekretär", wohl davon halten würde, wenn er sie bei einer Flasche Wodka sitzen sähe. Im Büro der Regionalzeitung *Stawropolskaja prawda* enthält ein Gedenkalbum mit Bildern berühmter Besucher nur ein einfaches Schwarzweißfoto von Gorbatschow, das ihn als Parteichef der Region Stawropol bei einer seiner Begegnungen mit örtlichen Redakteuren zeigt. Nach seiner Wahl in das höchste Parteiamt im März 1985 änderte sich lediglich die Bildunterschrift: Man klebte einfach einen Papierstreifen mit seinem neuen Titel über den alten. An den Straßenecken verkünden Plakate mit roten Lettern auf weißem Untergrund die neue politische Botschaft des Kreml: DIE AUSWEITUNG DER DEMOKRATIE IST NICHT NUR EINE PAROLE, SONDERN DAS WESEN DER PERESTROIKA. Transparente mit ähnlichen Texten in anderen Städten nennen Gorbatschow beim Namen, doch in seinem Heimatgebiet werden die Gedanken des Generalsekretärs bescheidener den „Materialien" aus Plenarsitzungen der Partei zugeschrieben. Stawropol ist kein Ort, an dem sich ein Personenkult aufbauen ließe.

In den dreiundzwanzig Jahren, die Gorbatschow in Stawropol verbrachte, gelang ihm ein langsamer und streckenweise wenig spektakulärer Aufstieg von einem unbedeutenden Posten im örtlichen Komsomol bis an die Spitze der Parteihierarchie in der Region Stawropol, bevor er 1978 nach Moskau ging. Wenn der junge Provinzpolitiker eine Position im Kreml anvisierte, so war er sorgsam darauf bedacht, es sich nicht anmerken zu lassen. Im Unterschied etwa zu einem ehrgeizigen Gouverneur eines amerikanischen Staates, der sich einfach um die Präsidentschaft bewerben kann, indem er der Presse seine Kandidatur bekanntgibt, zeigen die Männer, die in der Sowjetunion den Gipfel der Macht erreichen wollen, zumeist ein Geschick zur Tarnung. Gorbatschow war keine Ausnahme. Jene Bürger von Stawropol, die den künftigen Generalsekretär und Staatschef während seiner Amtszeit in ihrer Region begegneten, räumen ein, daß seine spätere Entwicklung zu einem erfindungsreichen Reformer und Weltpolitiker sie überrascht habe. So sagte ein örtlicher Journalist: „Gorbatschow war ein beispielhafter regionaler Parteisekretär, der durch seine umfassenden Kenntnisse auffiel. Er war eindeutig jemand, der über dem Provinzniveau stand. Aber wir rechneten nie damit, daß mit ihm eine neue Ära beginnen würde."

Als Gorbatschow, damals vierundzwanzig Jahre alt, und seine Frau Raissa im Sommer 1955 nach den erlebnisreichen Universitätsjahren in Stawropol eintrafen, muß es ihnen schwergefallen sein, sich dort einzuleben. Für Wladimir Maximow, einen heute in Paris lebenden sowjetischen Schriftsteller, der Mitte der fünfziger Jahre für die örtliche Komsomolzeitung arbeitete, war die regionale Hauptstadt, die damals nur eine Bevölkerung von rund 120 000 Menschen hatte, kaum mehr als ein „übergroßes, von der Landwirtschaft geprägtes Dorf, dessen Leben sich völlig auf eine einzige Straße konzentrierte". Der Karl-Marx-Prospekt hat immer noch einen einladenden Park und Villen aus dem neunzehnten Jahrhundert von schäbiger Eleganz mit verschnörkelten Eisenbeschlägen an den Eingängen. Die Straße erinnert an jene längst vergangenen Tage, da Stawropol literarische Größen wie Alexander Puschkin, Michail Lermontow und Leo Tolstoi beherbergte. Doch sie kann wohl kaum dem Vergleich standhalten mit der Gorki-Straße, dem Kusnezki Most oder einem der anderen imposanten Boulevards, welche die Gorbatschows mit der sowjetischen Hauptstadt hinter sich gelassen hatten.

Falls Gorbatschow mit seiner neuen Aufgabe in einer Abteilung des städtischen Komsomol von Stawropol unzufrieden war, so war dies für den Außenstehenden nicht zu erkennen. Er widmete sich der Propagandaarbeit und den politischen Erziehungsprogrammen, die zur Routine dieser Jugendorganisation gehören, mit solchem Elan, daß man ihn schon ein Jahr später – 1956 – zum Ersten Sekretär des städtischen Komsomol beförderte.

Betrachtet man das Chaos und die Verwirrung in den Büros der Staatsanwälte überall im Lande nach der Hinrichtung des früheren Chefs der Geheimpolizei Lawrenti Berija im Jahre 1953 und nach dem Zusammenbruch von Stalins schrecklichem Terrorsystem aus Gefängnissen und Arbeitslagern, so mag Gorbatschow dem Schicksal dafür gedankt haben, daß er keinen juristischen Beruf ausübte. Aber es folgten weitere Enthüllungen, die auch die letzten politischen Illusionen über Stalin zerstören mußten und die Gorbatschows kommunistische Überzeugung auf eine harte Probe stellten. Am Morgen des 25. Februar 1956 hielt Nikita Chruschtschow vor dem XX. Kommunistischen Parteitag eine Geheimrede mit dem Titel „Über den Personenkult und seine Folgen". Die Rede war ein Ereignis von so großer historischer Bedeutung, daß ihre Auswirkungen noch heute, mehr als drei Jahrzehnte später, in der Sowjetunion zu spüren sind.

Dem sowjetischen Historiker Roy Medwedjew zufolge nutzte Chruschtschow den Moment zwischen der Wahl eines neuen Zentralkomitees und der förmlichen Verkündung des Wahlergebnisses dazu, die Verbrechen Stalins zu enthüllen. Dabei bediente er sich eines Textes, den er seinen Genossen im Parteipräsidium nicht zur Billigung vorgelegt hatte. Während das sorgfältig ausgewählte Publikum im Großen Saal des Kreml den Worten des Ersten Sekretärs mit ungläubigem Staunen folgte, entlarvte er ein bedrückendes System von Terror, Folter, Massenverhaftungen und -einkerkerungen, welches das Stalinregime kennzeichnete. Die Säuberung war bis in die höchsten Ränge der Herrschaftselite vorgedrungen und hatte das Zentralkomitee im Jahre 1934 um zwei Drittel seiner Mitglieder gebracht. Chruschtschow wagte es auch, die bislang verherrlichten Kriegsleistungen Stalins in Zweifel zu ziehen; er machte ihn für die Serie von Niederlagen im Jahre 1941 verantwortlich, die es Hitlers Invasionstruppen gestattet hatten, fast bis zu den Toren Moskaus vorzurücken.

Chruschtschows Geheimrede erwies sich als durchaus nicht geheim. Bald war sie in allen Ländern der Erde in einer englischen Übersetzung zu lesen, die das zuvorkommende amerikanische Außenministerium zur Verfügung gestellt hatte. Alle Einwände, welche die stalinistische alte Garde innerhalb der Sowjetunion gegen die offizielle Freigabe des Textes über den „Personenkult" vorgebracht haben könnte, brachen offenbar zusammen, als zornige Anhänger des toten Diktators aus Anlaß seines dritten Todestages in seiner Heimatrepublik Georgien auf die Straße gingen. Einen Monat nach der am 25. Februar gehaltenen Rede wurde ein Sonderdruck des vollständigen Textes an die Parteifunktionäre der Regionen und der Städte verteilt. Diese organisierten ihrerseits überall im Land Versammlungen, bei denen Chruschtschows Anklagen vollständig verlesen wurden. Die Debatten waren oft stürmisch und leidenschaftlich, da man dem Zorn, der sich im Laufe der Jahre angesammelt hatte, nun endlich Luft machen konnte. Aber Roy Medwedjew erinnert sich, daß manchmal fast gar keine Diskussion über den Text zustande kam. Viele Parteimitglieder, die treue Gefolgsleute Stalins gewesen waren, gingen schweigend und mit gesenktem Kopf hinaus. Zweifellos waren sie zu erschrocken und beschämt, als daß sie einander hätten in die Augen sehen können. Als junger Komsomolaktivist in Stawropol muß Gorbatschow Mühe gehabt haben, den Arbeitern und Studenten innerhalb der kommunistischen Jugendorganisation diese unglaubliche Wendung der Ereignisse zu erklären.

Aus den Grüppchen der aus dem GULag zurückkehrenden Gefangenen wurde bald ein ganzer Strom, während man in den Lagern Sonderkommissionen einsetzte, um die Fälle von Millionen Menschen zu überprüfen, die unter Stalins Terrorherrschaft willkürlich verhaftet worden waren. Die gesamte Nation erlebte ein ungewohntes Gefühl der Freiheit. Der Titel von Ilja Ehrenburgs Roman *Tauwetter* lieferte wohl ein zutreffendes Bild für die Ära der Wandlung nach Stalins Tod, und Wladimir Dudinzew deutete die neue Suche nach persönlichen Werten in seinem Buch *Der Mensch lebt nicht vom Brot allein* an. Über Nacht erschien eine neue Generation von Dichtern auf der Bühne – Literaten wie Andrej Wosnessenski, Jewgeni Jewtuschenko und Bulat Okudschawa, die drei Jahrzehnte später mit ihrer Lyrik für Gorbatschows Politik der Offenheit eintreten sollten. Die neue überschwengliche Stimmung griff im Sommer 1957 auf ganz Moskau über, als die sowjetische Hauptstadt der Welt ihre lang verschlossenen Türen öffnete, um die ausländischen Teilnehmer am Sechsten Internationalen Jugendfestival zu begrüßen.

Sogar das provinzielle Stawropol wurde von den Strömungen des Wandels erfaßt, die von der Hauptstadt ausgingen. Wladimir Maximow erinnert sich, wie er Gorbatschow, dem damaligen Ersten Sekretär der Stadt Stawropol, im Redaktionsbüro der örtlichen Komsomolzeitung begegnete, wo der junge Funktionär über die aufregenden Entwicklungen in Moskau diskutierte. Laut Maximow hielt Gorbatschow sich stets sorgsam an die Parteilinie, begrüßte jedoch die Wandlung, die sich im politischen Leben der Sowjetunion vollzog. Gorbatschow, der sich später den Ruf eines leidenschaftlichen Kämpfers gegen den Alkoholismus erwarb, sei nicht abgeneigt gewesen, mit Freunden in der Hitze der Debatte ein, zwei Gläschen zu trinken. „Er setzte sich immer zwanglos mit uns zusammen", schrieb Maximow später. „Dann entkorkten wir eine Flasche Wein und sprachen meist über Politik. Chruschtschows Bericht über die Verbrechen der Stalinzeit war kurz vorher erschienen. Das ganze Land bebte noch unter dem Schock und gab sich der irrigen Erwartung hin, daß eine Morgenröte der Demokratie aufziehen werde."

Dieser erste Hoffnungsschimmer erwies sich als verfrüht, doch die Erfahrungen der „Tauwetterjahre" hinterließen einen unauslöschlichen Eindruck im politischen Denken Gorbatschows und seiner Zeitgenossen, die sich zuweilen immer noch als „die Kinder des XX. Parteitags" bezeichnen. Um für seine eigene Politik der *perestroika* zu werben, hat Gorbatschow gelegentlich auf den damaligen Umschwung verwiesen. Während eines Treffens mit Parteiaktivisten der landwirtschaftlichen Zone um Moskau machte Gorbatschow im August 1978 eine persönliche Bemerkung über die Chruschtschow-Jahre, die in dem Bericht der Parteizeitung *Prawda* nicht erwähnt wurde. Er musterte sein aufmerksames Publikum und stellte fest, daß fast alle Zuhörer seiner Generation angehörten, ihre politische Karriere also zur Zeit des XX. Parteitags begonnen hätten. „Wir haben alles erlebt, und wir kennen die Vor- und Nachteile, den Nutzen und den Schaden", sagte er mit ergriffener Stimme. „Wir wollen uns erneuern!" Einen Moment lang schien er sich in einen russischen Erweckungsprediger verwandelt zu haben.

Schon in seinen Komsomoltagen zeigte der junge Gorbatschow etwas vom Eifer eines Reformers, als könne er die Fehler der Vergangenheit durch seinen persönlichen Einsatz für die kommunistische Sache ungeschehen machen. Er unterschied sich darin von anderen Vertretern des Jugendverbandes, die ihre erzieherischen Besuche in Betrieben ohne wirkliches Engagement abwickelten. Als Lokalreporter vor kurzem die Angehörigen einer Baubrigade an einem Bewässerungsprojekt in der Region Stawropol fragte, ob sie sich an den Namen irgendeines der Komsomolmitglieder entsinnen könnten, die bei diversen Propagandatreffen agitiert hatten, war ihnen der Name Gorbatschow in Erinnerung geblieben. Sie sprachen von einem gewissen Mischa, der am Bauplatz des Kanals erschienen sei und den ganzen Tag bei ihnen verbracht habe. Als Chruschtschow im Juli 1958 seine Kampagne „Zur Stärkung der Verbindung zwischen Schule und Leben" einleitete, fand er in Gorbatschow einen leidenschaftlichen Anhänger. Der Komsomolführer dachte gewiß an die Jahre, da er selbst zwischen dem Klassenzimmer und den Getreidefeldern in Priwolnoje pendelte, und half, Arbeitsstudienprogramme für Schulkinder zu organisieren. Diese „Unterrichtsbrigaden" von Stawropol dienten bald als Vorbild für das ganze Land.

Gorbatschows offensichtliches Geschick bei der Durchführung von Parteimaßnahmen in der Stadt Stawropol brachte ihm im Jahre 1958 einen Posten in der Propagandaabteilung des Komsomol der Region Stawropol ein. Bald rückte er zum Zweiten Sekretär des regionalen Komsomol und dann, im Jahre 1960, zum Ersten Sekretär auf, womit er gleichzeitig einen Sitz im Parteikomitee der Region Stawropol erhielt. Bei Versammlungen im Parteihauptquartier traf er mit Fjodor Kulakow zusammen, einem ehrgeizigen Agronomen, der kurz zuvor einen politischen Rückschlag erlitten hatte, vom Ministerium für Getreideerzeugung in Moskau versetzt und zum Leiter der regionalen Parteiorganisation in Stawropol ernannt worden war. Kulakow war Erster Sekretär des Komsomol im Kreis Pensa gewesen und empfand vielleicht eine besondere Solidarität mit dem jungen Komsomolführer, der in Moskau studiert hatte. Wie auch immer, es war eine Freundschaft, die Gorbatschows politische Karriere vorantreiben sollte.

Der Mann aus Priwolnoje lernte auch einige Lektionen über die Nutzung und den Mißbrauch von Beziehungen – Lektionen, die ihm bei seinem Aufstieg durch die sowjetische Bürokratie hilfreich sein sollten. Wladimir Maximow erzählt, daß ein Dichter aus Stawropol den Komsomolführer fragte, ob dieser ihm durch seinen Einfluß zu einem Auto der Marke Wolga verhelfen könne. Gorbatschow ließ seine Beziehungen spielen, und der Dichter konnte sich das Auto kaufen. Aber er verkaufte es sofort auf dem schwarzen Markt und kam zurück, um seinen einflußreichen Freund um einen neuen Wagen zu bitten. Maximow: „Gorbatschow geriet gewöhnlich nicht in Wut, aber diesmal begann er zu brüllen, warf den Dichter aus seinem Büro und befahl ihm, sich nie wieder dort blicken zu lassen."

Der Emigrant Friedrich Nesnanski beobachtete ebenfalls einen unerbittlichen Charakterzug an seinem alten Kommilitonen, während er im Jahre 1956 als Untersuchungsrichter in der Region Stawropol arbeitete. Als Chef des städtischen Komsomol konnte Gorbatschow den höheren Funktionären der Stadt vorschlagen, vom Pfad der Tugend abgewichene Parteivertreter strafrechtlich zu belangen. Gorbatschow hatte keine Einwände gegen die Festnahme eines Komsomolangehörigen, der einer Vergewaltigung bezichtigt wurde, doch er reagierte anders, als Nesnanski versuchte, einen Komsomolsekretär anklagen zu lassen, der Mitgliedsbeiträge unterschlagen hatte. Wie Nesnanski sich erinnert, empfing Gorbatschow ihn auf „demokratische" Weise, widersetzte sich aber einer Festnahme des Schuldigen mit der Begründung, daß dies dem Ansehen der kommunistischen Jugend schaden würde. Seine Entscheidung wurde von den städtischen Parteiführern unterstützt.

Nachdem Chruschtschows Kampagne zur Zerstörung des Stalinschen Mythos bereits Schockwellen im Establishment der Partei ausgelöst hatte, trieben seine Vorschläge, Mißbräuche von Parteiprivilegien zu beseitigen und die Bürokratie umzuorganisieren, die alte Garde zur offenen Revolte. Bei einer Sondersitzung der Parteiführung im Juni 1957 versuchten die Präsidiumsmitglieder Wjatscheslaw Molotow, Georgi Malenkow und Lasar Kaganowitsch, den Ersten Sekretär aus seinem Amt zu entfernen. Der Coup scheiterte, als Chruschtschow über die Köpfe des Präsidiums hinweg eine außerordentliche Sitzung des Zentralkomitees einberief und dessen Unterstützung gewann. Chruschtschow rächte sich dadurch, daß er diese sogenannte antiparteiliche Gruppe unbelehrbarer Stalinisten aus dem Präsidium drängte. Damit konnte auf dem XXII. Parteitag, im Oktober 1961, ein zweiter Schlag gegen Stalins grausames Vermächtnis geführt werden. Unter den Delegierten war der Erste Sekretär des Komsomols der Regierung Stawropol, Michail Gorbatschow.

Dieser Kongreß ging noch weiter als der XX. Parteitag, was die Verurteilung der Verbrechen Stalins betraf, und man erweiterte den Kreis der Schuldigen auf Chruschtschows Gegner in der antiparteilichen Gruppe. Gorbatschow muß zusammengezuckt sein, als der Angriff sich dem früheren Generalstaatsanwalt Andrej Wyschinski zuwandte, dessen Denken die Ausbildung einer ganzen Generation sowjetischer Juristen geprägt hatte. Mit dem Eifer wahrer Bilderstürmer machten sich die fünftausend Delegierten im Großen Saal des Kreml daran, die letzten Überreste des Personenkults zu zerschlagen. Die „Heldenstadt" Stalingrad wurde in Wolgograd umgetauft, und Tausende von Städten, Ortschaften, Dörfern, Schulen, Fabriken, Straßen und Plätzen verloren den Namen des Diktators. Der vielleicht dramatischste Augenblick war gekommen, als man eine Resolution verabschiedete mit der Forderung, die Leiche Stalins aus dem Mausoleum auf dem Roten Platz entfernen zu lassen, wo sie neben Lenin ruhte. Der Dichter Jewgeni Jewtuschenko gab der Befürchtung vieler sowjetischer Intellektueller Ausdruck, daß die Abkehr von Stalin noch nicht weit genug ginge. In seinem Gedicht *Stalins Erben* flehte er den Kreml an, „die Wächter über jenem Grabstein zu verdoppeln, zu verdreifachen, damit Stalin nicht aufersteht, und mit Stalin die Vergangenheit".

Chruschtschows dauerhaftes Mißtrauen dem alten stalinistischen Parteiflügel gegenüber führte dazu, daß die Generation Gorbatschows zur künftigen Hoffnung der Nation erklärt wurde. Die Neigung Chruschtschows, Partei- und Regierungsorganisationen umzugestalten, ermöglichte es vielen Universitätsabsolventen, relativ bedeutende Positionen innerhalb der Parteihierarchie einzunehmen. Im März 1962 enthüllte Chruschtschow einen weiteren derartigen Plan: die Schaffung neuer Verwaltungsorganisationen für die Landwirtschaft, die im Rang über den existierenden örtlichen Partei- und Regierungskomitees stehen sollten. Die neuen Organisationen erhielten den schwerfälligen Titel „Territoriale landwirtschaftliche Produktionseinheiten", der ihrer Funktionsweise entsprach. Die Einheiten beaufsichtigten nicht weniger als fünfundzwanzig bis dreißig Kolchosen und Sowchosen in einem Gebiet, das manchmal zwei oder drei der alten Verwaltungsbezirke umfaßte. Das Ergebnis war in vielen Fällen ein bürokratisches Chaos. Aber für Gorbatschow war die Zeit gekommen, den Sprung vom Komsomol in den Parteiapparat zu wagen, und er akzeptierte den Posten des Parteiorganisators in einer der sechzehn Einheiten, in die man die Region Stawropol unterteilt hatte.

Für sein neues Amt benötigte Gorbatschow neben dem, was er bei seiner Arbeit auf den Feldern von Priwolnoje gelernt hatte, eine theoretische Ausbildung; deshalb belegte er einen Fernunterrichtskurs am Landwirtschaftlichen Institut von Stawropol. Noch vor Ende des Jahres berief man ihn in die Organisationsabteilung der Partei im Regionskomitee von Stawropol. Dies war ein Schlüsselposten, der ihm Einfluß auf die Beförderung oder Degradierung von Angehörigen der Nomenklatura einräumte, das heißt auf die von der Partei kontrollierten

Ämter. Chruschtschows fixe Idee, die landwirtschaftlichen Erträge erhöhen zu müssen, und seine ständige Einmischung in die ausgefallensten Einzelheiten, etwa in die Abfolge des Fruchtwechsels, bescherte den Parteiarbeitern in dieser südrussischen Kornkammer kein leichtes Leben. Mal erhielten sie die zweifelhafte Anweisung, brachliegende Felder zu pflügen, mal mußten sie sich mit unrealistischen Plänen befassen, die vorsahen, die USA in der Erzeugung von Fleisch und Milchprodukten zu übertreffen.

Als Chruschtschow im Juni 1962 eine Preiserhöhung von rund dreißig Prozent für Fleisch und Butterprodukte genehmigte, um die Erzeugung anzukurbeln, brach im Nordkaukasus offener Groll über seine Reformen aus. In Nowotscherkassk, einer Stadt im benachbarten Gebiet Rostow, eröffneten sowjetische Soldaten das Feuer auf eine Menschenmenge, die auf das Rathaus zumarschierte.

Chruschtschow beabsichtigte im Herbst 1964, ein weiteres Projekt zur Umgestaltung der sowjetischen Landwirtschaft einzuleiten, aber es wurde nicht mehr verwirklicht. Am 14. Oktober wurde er aus den Ämtern des Ersten Parteisekretärs und des Ministerpräsidenten entfernt, wobei man ihn mit Anschuldigungen überhäufte; sie reichten von dem Vorwurf, das Parteipräsidium mit Geringschätzung zu behandeln, bis zu der Anklage, den Oberhäuptern von Vasallenstaaten in der Dritten Welt unangemessene Ehrungen zugeschanzt zu haben. Leonid Breschnew wurde zum neuen Ersten Sekretär ernannt, und Alexej Kossygin übernahm den Vorsitz des Ministerrats, also das Amt des Ministerpräsidenten. 1965 vervollständigte Nikolai Podgorny als Präsident oder, förmlicher ausgedrückt, als Präsidiumsvorsitzender des Obersten Sowjets die herrschende Troika. Dem Historiker Medwedjew zufolge gibt es Hinweise darauf, daß Chruschtschows Sturz einen Monat zuvor in der Region

Stawropol geplant worden war, als ausgewählte Mitglieder des Präsidiums und des Zentralkomitees auf Einladung des örtlichen Parteichefs Kulakow für mehrere Tage an den Manytsch-Seen zusammenkamen, um „zu jagen und zu fischen". Es ist unwahrscheinlich, daß Gorbatschow, der damals noch in der Organisationsabteilung der Partei arbeitete, an dem Treffen beteiligt war. Kulakows Aufstieg in die herrschende Elite wurde im November 1964 auf einem Parteiplenum bestätigt, als man ihn an die Spitze der ZK-Landwirtschaftsabteilung berief.

Gorbatschow arbeitete sich in der Verwaltung von Stawropol ebenfalls nach oben und wurde im September 1966 zum Ersten Sekretär des Stadtkomitees der Kommunistischen Partei ernannt. Er bezog Büroräume in der alten Gouverneursvilla am Karl-Marx-Prospekt 94, einem dreistöckigen Gebäude aus rotem Backstein, dessen Eingang von vier gewaltigen Karyatiden bewacht wird. Die Wächter der Neuen Ordnung, Marx und Lenin, blikken von Sockeln in einen Park auf der anderen Straßenseite. Ungeachtet seiner bourgeoisen Eleganz könnte das Parteihauptquartier der Stadt Stawropol keinen makelloseren revolutionären Leumund haben: Auf einer Gedenktafel am Haupteingang wird allen Passanten mitgeteilt, daß das Gebäude im Jahre 1918 den ersten örtlichen Rat der Volkskommissare in der Region Stawropol beherbergte.

Als faktischer Bürgermeister der Stadt hatte Gorbatschow nicht nur dafür zu sorgen, daß die Busse pünktlich fuhren, sondern er mußte auch die jeweils neuesten Moskauer Erklärungen zur städtischen Politik verfolgen und versuchen, sie in die Tat umzusetzen. Schon in diesem Stadium seiner Karriere zeigte Gorbatschow eine Tendenz zu unorthodoxen Problemlösungen. Er beschloß, daß Stawropol einen ständigen Zirkus bekommen müsse, um das wachsende Unterhaltungsbedürfnis einer immer jünger werdenden Bevölkerung zu befriedigen. Er trug seinen Vorschlag in Moskau vor, doch dort wies man ihn ab. Eine Stadt von der Größe Stawropols brauche keinen Zirkus und könne ihn ohnehin nicht finanzieren. Unbeeindruckt sammelte Gorbatschow Gelder bei einer Vielzahl von Organisationen und Einrichtungen und leitete ein genossenschaftliches Projekt ein, um Stawropol einen Zirkus zu bauen. Er belehrte die Moskauer Neinsager eines Besseren, und die einer fliegenden Untertasse ähnelnde Betonkuppel, deren Fertigstellung er durch häufige Besuche auf der Baustelle vorantrieb, steht nun am Karl-Marx-Prospekt.

Im späten Frühling 1966 wurde Gorbatschow, der immer noch der regionalen Organisationsabteilung der Partei zugeordnet war, endlich ein Blick auf die Außenwelt gewährt. Er machte eine elftägige Reise in die Deutsche Demokratische Republik, um „die Erfahrungen" der ostdeutschen Genossen „zu studieren". Der freundliche Besucher aus Stawropol inspizierte Ställe in einem Betrieb für Schweinezucht, betrachtete die Ehrentafel der Polytechnischen Schule in Hoyerswerda, nahm Blumensträuße von Kindergartenzöglingen entgegen und fand auch Zeit, mit seinen DDR-Gastgebern Trinksprüche auszutauschen und im Spreewald eine Floßfahrt zu unternehmen. Der künftige Weltpolitiker besuchte auch die Gemächer im Schloß Cäcilienhof in Potsdam, wo Präsident Harry Truman sich im Jahre 1945 auf seine Gespräche mit Stalin vorbereitet hatte.

Im selben Jahr bekam Gorbatschow auch zum erstenmal die kapitalistische Welt zu Gesicht, als er mit einer sowjetischen Delegation nach Frankreich reiste. Die Kosten der Reise wurden von dem „roten Millionär" Jean-Baptiste Doumeng getragen, einem linken französischen Geschäftsmann. Als der französische Sowjetologe Michel Tatu sich im Jahre 1985 bei Gorbatschow nach dem Besuch erkundigte, erwiderte dieser, er sei mit einem Renault mehrere Wochen lang kreuz und quer durch Frankreich gefahren; der Zähler habe fast fünftausend Kilometer angezeigt. Es war zweifellos eine außergewöhnliche Reise für einen kommunistischen Funktionär. Darüber, ob er irgendwelche neuen Erkenntnisse über die ideologischen Gegner der Sowjetunion gewonnen hatte, äußerte sich Gorbatschow allerdings nicht.

Das Leben in der südrussischen Provinz muß dem in Moskau ausgebildeten Ehepaar mit der Zeit langweilig geworden sein. Gorbatschow setzte sein Fernstudium am Landwirtschaftlichen Institut von Stawropol fort und bestand darauf, seine Prüfungen genau wie jeder andere Student abzulegen. Im Jahre 1967 erhielt er sein Diplom als Agronom und Volkswirt. Raissa wurde im selben Jahr vom Staatlichen Pädagogischen Institut in Moskau der Titel eines Kandidaten der Philosophischen Wissenschaften zuerkannt, der in etwa dem westlichen Doktorgrad entspricht. Sie setzte ihre akademische Karriere in Stawropol fort, wo sie am Pädagogischen Institut der Stadt unterrichtete. Aber die Gorbatschows stießen bereits an die Grenze dessen, was das Leben in Stawropol ihnen bieten konnte. Vermutlich kam Michail zuweilen der Gedanke, daß sein alter Kommilitone Zdeněk Mlynář bereits ins Zentralkomitee der Kommunistischen Partei der Tschechoslowakei aufgestiegen war, während er selbst immer noch eine Provinzstadt verwaltete, die ihrer Einwohnerzahl nach in der Sowjetunion an 110. Stelle stand.

Mlynář besuchte Gorbatschow im Jahre 1967. Er traf mit dem Flugzeug in Kamennyje Wody ein, einem Kurort in der Region Stawropol. Gorbatschow, der einen Panamahut trug, wartete auf ihn. Die beiden umarmten einander und unternahmen in Gorbatschows Wagen eine Fahrt durch das Gebiet. Sie unterhielten sich den Nachmittag hindurch bis spät in den Abend hinein und tranken einige Gläschen. Gorbatschow erklärte, daß er die Entstalinisierungskampagne des gestürzten Chruschtschow unterstütze, stellte jedoch dessen unberechenbares Verhalten in der Landwirtschaftspolitik in Frage. In dieser Hinsicht sei Breschnew vorzuziehen. Dennoch beschwerte Gorbatschow sich über zu starke Einmischungen aus Moskau.

Gorbatschow wurde fast neidisch, als Mlynář erläuterte, wie die Tschechoslowakei ihr eigenes Entstalinisierungsprogramm durchführte. Ihre Reformbewegung, die als „Prager Frühling" bekannt werden sollte, begann ganz oben an der Parteispitze. „Vielleicht gibt es andere Möglichkeiten in der Tschechoslowakei, weil die Bedingungen unterschiedlich sind", sagte Gorbatschow. Als die beiden Männer erst spätnachts in der Wohnung der Gorbatschows eintrafen, war Raissa außer sich. Es war die letzte Begegnung von Gorbatschow und Mlynář. Der Prager Frühling nahm im August 1968 mit dem Einmarsch der Warschauer-Pakt-Staaten ein jähes Ende. Als Gorbatschow die Tschechoslowakei im Jahre 1969 mit einer offiziellen sowjetischen Delegation besuchte, war Mlynář politisch in Ungnade gefallen, und die beiden konnten einander nicht mehr treffen.

Der Parteichef von Stawropol hatte dem tschechischen Kommunisten anvertraut, daß er Breschnew nur als eine politische Übergangsfigur sehe. Er sollte sich täuschen. Nach der hektischen Chruschtschow-Ära brachte Breschnew der sowjetischen Bürokratie Stabilität und Ordnung. Die Kehrseite war, daß es keine kühnen Neuerungen mehr gab, welche die Apparatschiks hätten aufstören können. Die wenigen Reformmaßnahmen, die man durchführte, um eine zunehmend träge, zentralisierte Wirtschaft anzukurbeln, erwiesen sich als Stückwerk. Die Breschnew-Ära sollte später als „Zeit der Stagnation" bezeichnet werden.

Gorbatschows politische Karriere indes machte stetige Fortschritte. Im Jahre 1968 übersprang er den Posten des Dritten Sekretärs und wurde Zweiter Sekretär des Parteikomitees der Region Stawropol; mit diesem Amt übernahm er auch die Verantwortung für die örtliche Landwirtschaft. Ein Jahr später wurde er zum erstenmal zum Abgeordneten des Obersten Sowjets, des Parlaments der UdSSR, gewählt und zum Mitglied einer parlamentarischen Kommission für den Umweltschutz ernannt. Dies war ein wichtiges Thema für die Region Stawropol, wo Dürre und Bodenerosion seit langem eines der Hauptprobleme darstellten.

Den nächsten gewaltigen Schritt auf seinem Marsch nach Moskau machte Gorbatschow im April 1970, als man ihn zum Ersten Sekretär des Regionskomitees von Stawropol ernannte. Ungeachtet der extremen Zentralisierung der politischen und wirtschaftlichen Entscheidungsprozesse in Moskau bilden regionale Parteichefs einen wichtigen Machtblock auf der mittleren Ebene der sowjetischen Hierarchie, und sie haben genug Einfluß, um im Kreml getroffene Beschlüsse voranzutreiben oder zu bremsen. Da die örtliche Parteistruktur die Machtverteilung in Moskau genau widerspiegelt, saß der Erste Sekretär Gorbatschow einem regionalen Politbüro, einem Parteisekretariat und einem Zentralkomitee vor – genau so, als wäre er ein provinzieller Breschnew.

Die Region Stawropol stellt die Parteifunktionäre vor Probleme, die für solche Verwaltungsbereiche innerhalb der Sowjetunion einzigartig sind. Die Besonderheiten der Geographie und die ethnische Vielfalt prägen all jene, die hier regieren. In Stawropol behauptet man, daß ein Parteichef, der durch die hiesigen Lebensbedingungen gestählt sei, auch für Moskau tauge. Ein politischer Experte aus dieser Gegend drückte es folgendermaßen aus: „Es ist fast wie ein Prozeß der natürlichen Auslese. Die Schwachen überleben nicht. Nur ein aktiver, intelligenter Führer, der kühne Entscheidungen trifft, kann hier Erfolg haben." Auch Gorbatschow mußte die „Knüppelakademie" von Stawropol absolvieren.

Die Region umfaßt eine Fläche, die etwa so groß ist wie Belgien, die Schweiz und dreimal Luxemburg. Sie enthält fast jeden Landschaftstyp und jede Klimazone, die in der Sowjetunion zu finden sind: von Bergwiesen und Dauerfrostgebieten bis hin zu Wüsten und sonnengedörrten Steppen. Nur eines fehlt Stawropol: Obwohl es auf einem Korridor zwischen dem Schwarzen und dem Kaspischen Meer liegt, ist es von Land umschlossen und trokken. Einem alten Scherz zufolge gibt es viele Flüsse in der Region Stawropol, aber kein Wasser. Ausnahmen sind natürlich die berühmten Mineralquellen in Kurorten wie Mineralnyje Wody und Kislowodsk. Hierher kamen Kremlführer häufig, um sich zu erholen – und um die lokalen Parteichefs abzuschätzen, die sie am Flughafen oder Bahnhof empfingen und für die angenehme Gestaltung ihres Aufenthalts verantwortlich waren.

Das örtliche Regierungskomitee hatte dafür zu sorgen, daß das Räderwerk der regionalen Bürokratie geölt war und reibungslos funktionierte. Doch als Chef des Regionskomitees hatte Gorbatschow nicht nur die Aufgaben eines Gouverneurs, sondern auch die eines ideologischen Seelsorgers. Dies beinhaltete Hunderte von Reden vor Parteigruppen über die neuesten politischen Anweisungen aus Moskau sowie unzählige mündliche Berichte über die Ergebnisse von Versammlungen auf der Ebene der Russischen Republik und der zentralen Kommunistischen Partei. Im Unterschied zu anderen Parteifunktionären leitete Gorbatschow diese Instruktionssitzungen schwungvoll und mit Humor. Er sprach, mit den Worten eines politischen Journalisten aus Stawropol, „als sei er eine lebendige, atmende Person". Gorbatschow reiste auch kreuz und quer durch die Region, um Kolchosen zu besuchen und Ernteschäden zu inspizieren. Er trieb den Bau eines Bewässerungskanals voran, der den chronischen Wassermangel der Region beheben sollte, und förderte die Übernahme neuer Produktionstechniken in den

Fabriken – Reformen, die bereits auf einige der Experimente auf dem Gebiet der wirtschaftlichen Selbstverwaltung hindeuteten, die ein Jahrzehnt später mit der *perestroika* aktuell werden sollten.

Im Westen mag man den Eindruck haben, daß Gorbatschow aus dem Nichts und gleich in voller Größe auf der Weltbühne erschien, doch schon während seiner Jahre in Stawropol zeichnete sich ab, daß er einen neuen Typus des politischen Führers verkörperte. Lange bevor *glasnost* in aller Munde war, beschäftigte der Parteichef von Stawropol sich bereits eingehend mit der Presse und verwandte offenbar einen Teil des Morgens nur darauf, die örtlichen Zeitungen zu sichten. Jedenfalls war dies die Zeit, in der er stets die Redaktionsbüros der Jugendzeitung *Molodoi Leninez* anrief, um die jeweilige Ausgabe zu kommentieren und zukünftige Themen vorzuschlagen. Alexander Majatski, ein früherer Chefredakteur der *Stawropolskaja Prawda*, erinnert sich, daß Gorbatschow häufig auf der Straße auf ihn zutrat, ihn an den Aufschlägen packte, eine Diskussion über seine letzte Kolumne begann und ihn ermunterte, Themen wie zum Beispiel die Milchproduktion zu behandeln, die oft gar nicht zum Zuständigkeitsbereich des Journalisten gehörten. Majatski berichtet: „Wenn Gorbatschow etwas Interessantes fand, hatte man den Eindruck, daß es ihn Tag und Nacht, im Wachen und im Schlaf beschäftigte."

Gorbatschow sorgte dafür, daß der Presse vollständige Unterlagen über die regionalen Parteiversammlungen zugingen, und er richtete regelmäßige monatliche Pressekonferenzen für die Zeitungsredakteure von Stawropol ein. Bei diesen Konferenzen erklärten er oder andere hochrangige Parteifunktionäre neue Programme und beantworteten Fragen zu einem weiten Themenfeld. Anderswo war es üblich, daß Chefredakteure die Berichterstattung ihrer Zeitung und ihre Leitartikel mit örtlichen Parteivertretern absprachen, aber Gorbatschow hielt die

Journalisten der *Stawropolskaja Prawda* davon ab, dauernd zum Parteihauptquartier zu laufen, bevor sie Entscheidungen trafen. Bei Begegnungen mit Zeitungsredakteuren – ähnlich den Konferenzen, die er später mit Moskauer Journalisten abgehalten hat – pochte Gorbatschow immer wieder darauf, daß es einfach nicht genüge, ideologisch korrekte Artikel zu schreiben; sie müßten außerdem auch interessant sein. Er erkundigte sich häufig, ob die Berichte überhaupt gelesen würden, und äußerte die Frage, ob es einen Sinn habe, Geschichten zu drucken, die niemand lesen wolle.

Der künftige „Große Kommunikator" des Kreml war schon in seiner Stawropoler Zeit beim Volk sehr beliebt. Bei einem „Bad in der Menge" in einem Dorf im Isolbilnynski-Bezirk fragte der regionale Parteichef die versammelten Bewohner, wie viele Kinder sie hätten. Da die Regierung sich damals aktiv für die Erhöhung der Geburtenrate einsetzte, war Gorbatschow erfreut, als eine Frau mit sechs Kindern vortrat, und er erkundigte sich, wie sie mit einer so großen Familie zurechtkomme. Die Bäuerin antwortete, es sei kein leichtes Leben; sie habe zum Beispiel Mühe, billigen, aber haltbaren Stoff zum Schneidern von Kleidung zu finden. Ein Kaufhausdirektor habe sie grob abgewiesen, als sie zwanzig Meter Stoff erstehen wollte; schließlich habe er sie nicht gezwungen, sechs Kinder zu haben, und nun solle sie selbst einen Weg finden, ihre Kinder zu kleiden und zu ernähren. Das Gehörte verärgerte Gorbatschow so sehr, daß er bei einem späteren Treffen mit Bezirksfunktionären von nichts anderem sprach und sie wegen ihrer Gefühllosigkeit tadelte. Der Kaufhausdirektor wurde umgehend entlassen.

Ein andermal wurde Gorbatschow von der Familie eines örtlichen Arbeiters, der die Auszeichnung eines „Helden der Sozialistischen Arbeit" erhalten hatte, nach Hause eingeladen. Er sagte sofort ein offizielles Essen mit

Parteifunktionären ab, um eine bescheidene Mahlzeit mit seinen Genossen aus dem Volk zu teilen.

Während Gorbatschow regionaler Parteiführer war, machte er sich jeden Morgen zu Fuß von seinem unscheinbaren, im neunzehnten Jahrhundert erbauten Wohnhaus an der Dserschinski-Straße zur Arbeit auf. Die Bewohner von Stawropol merkten bald, daß sie einen offiziellen Termin in Gorbatschows Büro am Lenin-Platz umgehen konnten, indem sie ihm ihr Anliegen während des kurzen Spaziergangs zum Parteihauptquartier vortrugen. Die Gorbatschows gaben zu Hause selten Empfänge und nahmen auch nicht an den häufigen Zusammenkünften prominenter Bürger von Stawropol teil. Sie standen jedoch im Ruf, begeisterte Theaterfreunde zu sein, und verpaßten kaum eine Premiere in dem mit hellroten Säulen verzierten Lermontow-Theater, das vom Parteihauptquartier am Lenin-Platz aus gesehen direkt hinter dem Park liegt. Gorbatschow ging auch in das Stadion von Stawropol, um die örtliche Fußballmannschaft anzufeuern. Laut Wladimir Maximow war Gorbatschow schon in seinen Komsomoltagen, ob bei patriotischen Theaterstücken oder Militärparaden, „stets in der vordersten Reihe" zu finden.

In Moskau wurde man allmählich auf Gorbatschow aufmerksam, und im Jahre 1971 beförderte man ihn zum Vollmitglied des Zentralkomitees der Kommunistischen Partei. Im Jahre 1974 wurde er wieder in den Obersten Sowjet gewählt und zum Vorsitzenden der Kommission für Jugendfragen ernannt – ein Tribut an seine Arbeit im Komsomol. Während Gorbatschow in der Parteihierarchie aufstieg, erhielt er mehrfach Gelegenheit zu Auslandsreisen. Im Oktober 1972 flog er mit einer Delegation sowjetischer Funktionäre, die von der Kommunistischen Partei Belgiens eingeladen worden war, nach Brüssel. Im Mai 1975 besuchte er die Bundesrepublik Deutschland, um an einer Kundgebung zum dreißigsten

Jahrestag der Beendigung des Zweiten Weltkrieges teilzunehmen. Im November 1976 hielt er sich als Mitglied einer Delegation von Regions- und Stadtsekretären in Paris auf; diesmal fungierte die Kommunistische Partei Frankreichs als Gastgeberin.

Während Gorbatschow in der Region Stawropol einen neuen Führungsstil entwickelte, schlug ein anderer vielversprechender Provinzpolitiker in der Republik Georgien an der Südseite des Kaukasus einen parallelen Weg ein. Eduard Schewardnadse begann seine Karriere ebenfalls im Kommunistischen Jugendverband und war zur selben Zeit Erster Sekretär des georgischen Komsomol, als Gorbatschow den entsprechenden Posten in der Nachbarregion Stawropol innehatte. Wahrscheinlich begegnete Gorbatschow dem Mann, den er später zu seinem Außenminister machte, zum erstenmal bei regionalen Komsomolkonferenzen. Als Parteichef in der südrussischen Kornkammer verfolgte Gorbatschow mit größtem Interesse die am ungarischen Vorbild ausgerichteten Experimente, mit denen Schewardnadse 1973 – damals war er Erster Sekretär der georgischen Kommunistischen Partei – im Bezirk Abascha landwirtschaftliche Arbeiter zu Vertragsbrigaden organisierte. Der Erfolg solcher Bemühungen, die Eigeninitiative georgischer Bauern zu fördern, machte offenbar starken Eindruck auf den Ersten Sekretär der Region Stawropol. Nachdem Gorbatschow ins Moskauer ZK-Sekretariat aufgestiegen war, unternahm er wiederholt Informationsreisen in Schewardnadses Heimatrepublik. Auch lobte er 1984 in einer Rede die georgische Parteiorganisation, weil sie „unablässig eine interessante Suche nach den besten Verwaltungsformen der landwirtschaftlichen Produktion" durchführe.

Schewardnadses Ruf, ein hartnäckiger Gegner der Korruption im Verwaltungsapparat zu sein, und seine Bereitschaft, unorthodoxe Methoden wie Meinungsumfragen zu benutzen, um Zuwiderhandlungen gegen die

„sozialistische Legalität" zu entlarven, dürften ihm ebenfalls den Respekt Gorbatschows eingetragen haben. Doch die beiden waren Ausnahmen. In der Phase der Stagnation unter Breschnew herrschten ansonsten andere Normen politischen Handelns.

Wenn Breschnew am südrussischen Horizont nach politischen Aufsteigern Ausschau hielt, dürfte er eher Sergej Medunow bemerkt haben, den Parteichef der benachbarten Region Krasnodar, der sein Gebiet wie ein privates Lehnsgut leitete. Medunow und seine Kumpane hatten den Bau- und Grundstücksmarkt in dieser sich rasch entwickelnden Ferienregion an der Schwarzmeerküste unter fester und einträglicher Kontrolle. Während Bestechungsgelder in anderen Teilen des Landes mit Zehn-Rubel-Scheinen bezahlt wurden, mußte man dafür in Krasnodar schon einige hundert Rubel aufwenden. Jeder, dem der Sinn nach einem Hotelzimmer oder einer Beförderung stand, hatte großzügige Schmiergelder auf den Tisch zu legen. An die Zentralbehörden gerichtete Briefe und Klagen hatten keinen Erfolg. Wenn tatsächlich einmal Inspekteure in die Region kamen, wurden sie luxuriös bewirtet und oft mit „gastfreundlichen Diensten" in einem verschwiegenen Bordell für offizielle Würdenträger bedacht.

Medunow konnte offensichtlich mit hochrangiger Protektion in Moskau rechnen. Als der XXV. Parteitag im Februar 1976 in Moskau begann, war Medunow unter den geladenen Sprechern. Gorbatschow gehörte nicht zu ihnen. „Daß ein Erster Sekretär einer Regionalpartei intelligent und sympathisch war, dürfte in der damaligen Zeit außergewöhnlich gewesen sein", erklärt der sowjetische Historiker Roy Medwedjew. „Wenn Gorbatschow herumgebrüllt und geflucht hätte, ein Alkoholiker oder ein Lebemann mit einer Datscha vor der Stadt gewesen wäre, wo Funktionäre sich von hübschen Kellnerinnen bedienen ließen, so hätte man ihn damals für einen typischen regionalen Parteichef gehalten. So seltsam es klingen mag, Gorbatschow muß bei Parteivertretern weniger Furcht und Respekt als eine gewisse Verachtung ausgelöst haben. Er war zu intelligent."

Aber Gorbatschow war durchaus nicht ohne einflußreiche Förderer innerhalb der Herrschaftselite. Während Breschnew und seine alten politischen Genossen der „Dnepropetrowsker Mafia" am Schwarzen Meer die freundschaftlichen Dienste Medunows auskosteten, empfing Gorbatschow andere Prominente des Politbüros in den berühmten Kurorten der Region Stawropol, vornehmlich in Mineralnyje Wody und Kislowodsk. Ministerpräsident Kossygin und Parteiideologe Suslow kamen dorthin, um ihre Herzleiden behandeln zu lassen. Der KGB-Vorsitzende Juri Andropow, der an einer chronischen Nierenkrankheit litt, erschien ebenfalls für mehrere Wochen, um sich in dem warmen Klima fern von dem unruhigen Moskau zu erholen. Der westdeutsche Journalist und Biograph Christian Schmidt-Häuer meint sogar, daß Gorbatschow nie Generalsekretär geworden wäre, wenn er im fernen Norden, etwa in Murmansk, als Parteichef gewirkt hätte. Aber in der Region Stawropol hatte er die Möglichkeit, alle sich dort aufhaltenden Amtsträger zu empfangen.

Arkadi Schewtschenko, der sowjetische Diplomat und frühere stellvertretende UN-Generalsekretär, der sich 1978 in die USA absetzte, reiste im Jahre 1977 nach Kislowodsk. Laut Schewtschenko hatte Gorbatschow einen tadellosen Ruf als ehrlicher und energischer Politiker. Diese Qualitäten erweckten zweifellos die Aufmerksamkeit regelmäßiger Kurbadbesucher, etwa des grimmigen und asketischen Suslow und des nicht weniger gestrengen Andropow. Mlynář kommentiert: „Ich glaube, einer der Schlüssel zu Gorbatschows Erfolg war die Tatsache, daß er ein einfaches Leben führte und Andropow von ihm beeindruckt war." Schewtschenko meint, Ministerpräsident Kossygin habe Gefallen an dem tüchtigen Parteichef von Stawropol gefunden und vielleicht einen noch größeren intellektuellen Einfluß auf ihn ausgeübt als Andropow und Suslow. Die beiden letzteren hielten sich abseits und wohnten in speziellen Datschas, doch Kossygin zog das Hauptgebäude vor und mischte sich gerne zwanglos unter die Gäste. „Kossygin begegnete Gorbatschow viele Male“, sagte Schewtschenko. „Er interessierte sich für alles, und von Gorbatschow wußte man, daß er nicht korrupt war.“

Als indische Journalisten Gorbatschow im Jahre 1985 fragten, wer seine politischen Gönner gewesen seien, wurde er sichtlich abweisend und gab sich Mühe, all die ausländischen Mutmaßungen über die in Stawropol entstandene Beziehung zu Andropow und Suslow als abwegig abzutun. Der Generalsekretär führte seinen Aufstieg auf seine Wahl ins Zentralkomitee von 1971 zurück. „Ich hatte Kontakte zu verschiedenen führenden Politikern, darunter Leonid Breschnew, Michail Suslow, Juri Andropow und andere. Die Liste sollte nicht auf diese beiden Männer beschränkt werden. Gewiß, dies alles kam meiner politischen Erfahrung zugute. Jeder von ihnen hatte etwas mit mir gemein. Das ist normal.“

Gorbatschow erhielt auch Unterstützung von Kulakow, der 1971 ins Politbüro der Kommunistischen Partei aufgenommen worden war und das wichtige Sachgebiet Landwirtschaft im ZK-Sekretariat verwaltete. Kulakow wollte 1977 ein Experiment bei der Getreideernte durchführen und wandte sich deshalb an Gorbatschow. Die Idee, die als Ipatowski-Methode bekannt wurde – nach dem Bezirk in Stawropol, wo man sie zum erstenmal praktizierte –, war von radikaler Einfachheit. Gruppen von drei, vier oder fünf Mähdreschern sollten von Kolchose zu Kolchose fahren und die Garben einbringen. Man hielt eine zusätzliche Maschine für den Fall einer Panne in Reserve, und die Arbeitsbrigaden wurden von

Mechanikern, Feldküchen und sogar Abordnungen des „Kulturdienstes" begleitet, die ihnen auf den Feldern ein Ständchen brachten. Die Flotte von Mähdreschern jagte in nur neun Tagen – erheblich schneller als sonst – durch die Felder des Ipatowski-Bezirks. Plötzlich stand Gorbatschow im Rampenlicht. Am 16. Juli 1977 wurde ein Interview mit dem „Helden" der Ipatowski-Ernte auf der Titelseite der *Prawda* veröffentlicht.

Sieben Monate später sonnte Gorbatschow sich immer noch im Glanz seines Erfolges. Am 1. März 1978, einen Tag vor seinem siebenundvierzigsten Geburtstag, wurde er für seine landwirtschaftlichen Leistungen mit dem Orden der Oktoberrevolution ausgezeichnet. Auch die Stadt Stawropol erhielt im selben Jahr aus Anlaß des zweihundertsten Jahrestages ihrer Gründung eine offizielle Auszeichnung. Kein Geringerer als der Parteiideologe Suslow kam im Mai zur feierlichen Übergabe in die Stadt. Die beiden Männer begrüßten einander herzlich, und während einer Fahrt durch die Region erging sich Suslow vermutlich in seinen Erinnerungen an den Zweiten Weltkrieg, als er die örtlichen Widerstandskämpfer geführt hatte. Die Verbindungen von Stawropol nach Moskau schienen hervorragend zu funktionieren.

Als Erster Sekretär einer provinziellen Parteiorganisation mußte Gorbatschow wohl nicht allzuoft die quälende Heuchelei an den Tag legen, die ehrgeizige und begabte Männer in der Nähe des Machtzentrums ruinierte. Aber er zeigte sich so geschickt wie jeder andere Funktionär in der Breschnew-Ära, wenn die heuchlerischen Schmeicheleien ausgesprochen werden mußten, die der eitle, alternde Generalsekretär von seinen Untergebenen erwartete. Als ein Band von Breschnews Kriegserinnerungen, betitelt *Das kleine Land*, im Jahre 1978 veröffentlicht wurde, schloß Gorbatschow sich dem Chor devoter Lobhudeleien über ein Buch an, das nichts als einen aufdringlichen Versuch der Selbstverherrlichung darstellte. In einer Rede vom Mai 1978 erklärte Gorbatschow: „Die Tiefe seines ideologischen Inhalts, der Umfang der vom Autor ausgedrückten Abstraktionen und Ansichten hat *Das kleine Land* zu einem bedeutenden Ereignis des öffentlichen Lebens gemacht. Die Kommunisten und alle Arbeiter von Stawropol schulden Leonid Iljitsch Breschnew grenzenlose Dankbarkeit für dieses literarische Werk."

Es bedurfte eines besonders seltsamen Geschehnisses in den Annalen der Kremlpolitik, um Gorbatschow in das Moskauer Machtzentrum zu befördern. Fast genau ein Jahr nach dem Triumph auf den Feldern des Ipatowski-Bezirks starb Kulakow. In der offiziellen Erklärung zur Todesursache hieß es, Kulakows Herz habe „aufgehört zu schlagen" – eine ungewöhnliche Formulierung, die viele erfahrene Kremlbeobachter mutmaßen ließ, daß er keines natürlichen Todes gestorben sei. Es bleibt ein Geheimnis, wie Kulakow den Tod fand, aber man nimmt weithin an, daß er Selbstmord beging, indem er sich die Pulsadern durchschnitt.

In Moskau war deutlich geworden, daß Kulakow – sein Spitzname „der Bauer aus Pensa" verweist auf das landwirtschaftliche Gebiet, das er einst im Südosten der Russischen Sowjetrepublik geleitet hatte – in tiefen politischen Schwierigkeiten steckte. Sein Nachname leitete sich von dem russischen Wort für „Faust" *(kulak)* ab, doch er hatte seine Parteikarriere eher seiner Bescheidenheit als seiner Härte zu verdanken. Kulakow setzte auf den Gemeinschaftsgeist und war bereit, auch undankbare Aufgaben wie die Leitung der Abteilung Landwirtschaft im Zentralkomitee zu übernehmen. Seine persönlichen Qualitäten und sein relativ junges Alter – er war bei seinem Tode sechzig Jahre alt – hatten dafür gesorgt, daß er unter den möglichen Nachfolgern des kränkelnden Breschnew eine herausragende Rolle spielte.

Wenn der Landwirtschaftssekretär wirklich Selbstmord beging, dann wahrscheinlich deshalb, weil seine Amtsführung kritisiert wurde und er fürchtete, aus dem Politbüro entfernt zu werden. Kulakow scheint in einer wichtigen Politbüro-Kontroverse unter den Verlierern gewesen zu sein. Vordergründig hatte der Konflikt mit den schlechten Ernten zu tun, die in seine Amtszeit gefallen waren. Nur zwei Wochen vor Kulakows Tod hatte Breschnew die Leistung des landwirtschaftlichen Sektors in einer ZK-Rede scharf kritisiert. Aber die Auseinandersetzung betraf wohl nicht nur geringe Weizenerträge und Kartoffelfäule, sondern hatte auch ein persönlicheres Element. Kulakow erhielt ein Staatsbegräbnis, wie es seinem Politbüro-Rang entsprach, aber als man seine Asche am 20. Juli in die Kremlmauer einmauerte, war Breschnew seltsamerweise – und vielleicht aus bewußter Unhöflichkeit – nicht anwesend. Auch sein Hauptberater und späterer Nachfolger Konstantin Tschernenko sowie Ministerpräsident Alexej Kossygin und Parteiideologe Suslow waren „im Urlaub". Doch Gorbatschow blieb seinem Gönner treu. Er fügte den schwülstigen Trauerreden eine aufrichtige Note der Rührung hinzu, als er seinem „Freund und Genossen" adieu sagte. Zum erstenmal sahen und hörten die Sowjetbürger den Mann, der einmal ihr Generalsekretär und Staatschef sein würde, im nationalen Fernsehprogramm.

Kulakows Tod hatte plötzlich eine Lücke im Politbüro und im ZK-Sekretariat entstehen lassen. Mit ihm war zudem das einzige Mitglied des Politbüros verschwunden, das jung genug war, um als Nachfolger Breschnews in Frage zu kommen. Die Lücke wurde nicht sofort gefüllt, vielleicht weil das Politbüro sich nicht einigen konnte, wer das Machtgleichgewicht im Herrschaftsgremium der Kommunistischen Partei am wenigsten stören würde. Andropow und Suslow setzten sich möglicherweise für Gorbatschow ein. Er war ein diplomierter Landwirtschaftsexperte, und seine relative Unerfahrenheit sowie die Tatsache, daß er außerhalb der Region Stawropol keine Machtbasis besaß, garantierten, daß er in naher Zukunft nicht versuchen würde, die alte Garde des Politbüros um ihren Einfluß zu bringen. Aber Breschnew hatte anscheinend Vorbehalte dagegen, einen so jungen Mann auf den wichtigen Posten des Landwirtschaftssekretärs zu befördern.

Im Dezember 1978 fuhren Breschnew und sein stets getreuer Mitarbeiter Konstantin Tschernenko mit der Bahn durch den nördlichen Kaukasus nach Baku, der Hauptstadt der Republik Aserbeidschan. Die Reise durch die russische Kornkammer führte den Generalsekretär nach Rostow und dann in die Region Krasnodar, wo er mit örtlichen Funktionären, darunter Medunow, zusammentraf. In der Region Stawropol begrüßte ihn Gorbatschow am Bahnhof von Mineralnyje Wody. In Gorbatschows Begleitung war der KGB-Vorsitzende Andropow, der sich in einem Kurort in der Nähe erholte. Diese Begegnung am Bahnhof von Mineralnyje Wody erwies sich als ein einzigartiger Moment in der sowjetischen Geschichte, was jedoch keiner der Anwesenden ahnen konnte. Auf dem schmalen Bahnsteig standen sich vier Männer gegenüber, welche die Sowjetunion nacheinander regieren würden: Breschnew, Andropow, Tschernenko und Gorbatschow. Der kurze Aufenthalt in Mineralnyje Wody muß Breschnew davon überzeugt haben, daß Gorbatschow wohl doch der richtige Kandidat für Kulakows ehemaligen Posten im Sekretariat war.

Beim Novemberplenum des Zentralkomitees wurde das politische Puzzle, das von Kulakows vorzeitigem Tod durcheinandergebracht worden war, neu geordnet. Breschnew machte Tschernenko zum Vollmitglied im Politbüro, was Spekulationen auslöste, daß der farblose Bürokrat als Erbe des Generalsekretärs vorgesehen war. Ein weiterer alter Breschnew-Kumpan, Nikolai Tichonow, wurde zum Kandidaten des Politbüros gewählt –

und mit ihm ein Neuling in Moskauer Kreisen: der georgische Parteichef Eduard Schewardnadse. Die letzte Beförderung schließlich wurde am 28. November 1978 von der *Prawda* mit den lakonischen Worten gemeldet: „Das Plenum des Zentralkomitees wählte den Genossen M. S. Gorbatschow zum Sekretär der KPdSU."

Der einstige Mähdrescherfahrer aus Stawropol war nun für die Landwirtschaft der Sowjetunion verantwortlich. Nach dreiundzwanzigjähriger Abwesenheit sollte er nach Moskau zurückkehren.

Viertes Kapitel

Ruf nach Moskau

Gorbatschow traf in einem orientierungslosen Moskau ein, einer seltsam trübsinnigen Stadt mit einem Übermaß an rotgedruckten Parolen sowie riesigen Porträts Breschnews und der anderen alten Männer des Kreml. Sie erschienen nur selten in der Öffentlichkeit – Säulengestalten mit Pelzmützen und finsterer Miene, wie erstarrt auf dem Lenin-Mausoleum stehend. Sie beherrschten ein steuerlos dahintreibendes Land. Nach einer Periode energischer wirtschaftlicher und politischer Ausweitung in den sechziger und frühen siebziger Jahren – zum Teil auf Kosten der von Problemen geplagten und mit sich selbst beschäftigten USA – war die Sowjetunion in Apathie versackt.

Unter den Arbeitern des Arbeiterstaates ging eine zynische Parole um: „Sie tun so, als würden sie uns bezahlen; wir tun so, als würden wir arbeiten.“ Der Durchschnittslohn stieg zwar an, kaufen konnte man dafür allerdings kaum etwas. Alles, was irgendeinen Wert hatte, schien nur unter dem Tresen oder an der Hintertür erhältlich zu sein. Für jedes Erzeugnis, vom Scheibenwischer bis hin zur Antibabypille, gab es einen blühenden Schwarzmarkt. Ein Paar amerikanischer Jeans kosteten den Gegenwert von mehr als dreihundert Mark. Alle, ob Portier oder Regierungsmitglieder, waren käuflich, und sogar Kriegsorden waren für die entsprechende Menge Würste, das passende Autoersatzteil oder ein gutes Wort in ein Ministerohr zu haben.

In Moskau und anderen Großstädten drängten sich auf den Straßen Fußgänger, die während der Arbeitszeit von Schlange zu Schlange gingen. Die Frauen trugen die allgegenwärtige *sumka* (eine große Einkaufstasche), die Männer hatten eine dicke Aktentasche bei sich, die alles andere als Arbeitsunterlagen enthielt. Viele Sowjetbürger nutzten jeden Vorwand, um nicht zu arbeiten, sondern ihre Zeit in Schlangen zu verbringen oder sich auf Schwarzmärkten umzutun. Das Verb „kaufen" galt nur für Grundnahrungsmittel wie Brot und Kohl. Wenn ein Russe einen anderen mit einem Paar guter Stiefel oder einer Tüte Zitronen erspähte, fragte er unweigerlich: „Wo hast du dir das beschafft?" Damit wurde angedeutet, daß der andere die seltenen Waren nicht auf ehrliche Weise in einem Laden gekauft, sondern sie durch Beziehungen, geheime Machenschaften oder auf dem schwarzen Markt erhalten hatte. Am härtesten wurde gewöhnlich *nalewo* (unterderhand) gearbeitet, und Angestellte des Dienstleistungsbereichs erwarteten Sonderzahlungen für ihre normale Tätigkeit. Sogar Ärzte und Zahnärzte erwarteten in der Regel eine Flasche Cognac oder ein paar zusätzliche Rubel von ihren Patienten.

Häufig bezahlte man solche Dienste mit Wodka, der am weitesten verbreiteten Droge der Russen. Gewiefte Wohnungsinhaber ließen Klempner oder Elektriker niemals am Nachmittag kommen, weil diese am Morgen bereits zu viele „Geschenke" genossen hatten. Unter solchen Bedingungen ist es kein Wunder, daß Alkoholismus zu einer nationalen Epidemie geworden war. Gelangweilte und gleichgültige Menschen tranken bei und nach der Arbeit, konsumierten Wodka in Höfen, Gassen und schäbigen Kneipen. Häufig leerte man eine Flasche *na troich* (zu dritt): Drei Männer, oft Fremde, die sich vor einem Wodkaladen trafen, legten das Geld für eine Flasche zusammen und tranken sie sofort freudlos im Schutz des nächsten Hauseingangs aus. Frauen tranken diskreter, aber in einem solchen Ausmaß, daß einige westliche Demographen die erschreckende Kindersterblichkeitsrate der Sowjetunion – die höchste in der industrialisierten Welt – dem Alkoholismus unter schwangeren Frauen zuschrieben. Teils wegen der hohen Kindersterblichkeit aufgrund des starken Alkoholismus, teils wegen der schlechten Ernährung und vielleicht auch wegen der verbreiteten Depression über das triste Leben war die Sowjetunion das einzige industrialisierte Land mit einer sich verschlechternden Lebenserwartung für Männer. In den europäischen Gebieten der UdSSR gab es weit mehr Abtreibungen als Geburten. Im Durchschnitt ließen Frauen dort im Laufe ihres Lebens fünf Abtreibungen vornehmen und brachten nur ein einziges Kind zur Welt. Eine von drei Ehen endete mit Scheidung. Hinzu kamen – offiziell geleugnete und in der Öffentlichkeit nicht erwähnte – Probleme mit der Jugend: Drogenmißbrauch, Bandenkriminalität, Promiskuität nahmen immer stärker zu. Die UdSSR in der Breschnew-Ära war eine Nation, mit der es abwärts ging.

Sie blieb natürlich eine Supermacht, aber Zeichen des Verfalls gab es auch in der Außenpolitik. Die kommunistische Welt war von auseinandertreibenden Kräften gezeichnet. Im Osten wandten die Chinesen sich an Japan und die USA um Wirtschaftshilfe und ignorierten praktisch ihre marxistischen Brüder in der Sowjetunion. Im Westen war der Eurokommunismus richtungweisend für die marxistische Philosophie und Strategie geworden, ohne daß von der UdSSR Inspiration oder Führerschaft erwartet wurde. Die Gewerkschaftsbewegung „Solidarität“ schickte sich an, ein unruhig gewordenes Polen mitzureißen. Kurz nach Gorbatschows Ankunft in Moskau sah die Sowjetunion sich in einen unübersichtlichen Krieg in Afghanistan verwickelt, wo sie für undefinierbare Ziele und für einen unüberschaubaren Zeitraum zu kämpfen hatte.

Unter solchen Umständen achtete im In- oder Ausland kaum einer darauf, wie Kulakow posthum von Breschnew brüskiert wurde. Und noch weniger Aufmerksamkeit wurde dem unbekannten ZK-Mitglied aus Stawropol geschenkt, das eine aktive Rolle in der Beisetzungskommission spielte und eine der Trauerreden hielt – seine erste Rede auf dem Roten Platz. Aber Gorbatschows Anwesenheit kann im Rückblick als der bedeutsamste Aspekt dieser düsteren Bestattung gesehen werden – als Beginn eines neuen und vorsichtig geführten Kampfes zwischen dem stagnierenden Konservatismus Breschnews und dem drängenden Ehrgeiz einer dynamischen jüngeren Führungsgeneration. Zur Zeit von Kulakows Beisetzung war Gorbatschow siebenundvierzig Jahre alt, ein typischer Vertreter der nach dem Krieg vorwärtsdrängenden Parteielite: mit einer soliden Ausbildung, unzufrieden über den wirtschaftlichen Stillstand, beunruhigt über die allgemeine Faulheit und Korruption und vor allem fest entschlossen, etwas dagegen zu unternehmen.

Gorbatschow brauchte nicht lange zu warten. Bereits im November saß er im ZK-Hauptquartier am Staraja-Platz auf Kulakows Stuhl. Seine Ernennung allein verriet wenig darüber, welcher Machtfraktion innerhalb des Kreml Gorbatschow angehörte. Sie zeigte jedoch, daß die entscheidenden Parteiführer – Breschnew, Kossygin, Politbüromitglied Andrej Kirilenko, Suslow und Tschernenko – ihn hochschätzten oder zumindest keine Angst hatten, daß er sie genauso behandeln würde wie sie einst Chruschtschow. Oder hegten sie doch die geheime Furcht, daß Gorbatschow gegen sie revoltieren könnte? Sie sicherten sich dadurch ab, daß sie ihm die unangenehmste und politisch gefährlichste Aufgabe in Moskau übertrugen. Falls er zu einer Bedrohung werden sollte, hatten sie immer noch die Möglichkeit, so gegen ihn vorzugehen wie gegen Kulakow.

Sie nahmen zu Recht an, daß Gorbatschow in seiner

Position als Verantwortlicher für die sowjetische Landwirtschaft nicht mehr als mittelmäßige Arbeit würde leisten können. Die Verbindung eines widrigen Klimas mit der Organisationsform des Kollektivismus macht die sowjetische Landwirtschaft auch in guten Zeiten zu einem schwierigen Fachgebiet. Da der größte Teil des Akkerlandes nördlich des fünfundvierzigsten Breitengrades liegt, sorgen die Unbilden des Wetters dafür, daß die Erträge der sowjetischen Landwirtschaft nicht an jene der USA oder Westeuropas heranreichen. Und wenn das Wetter die Ernte verschont, dann zeigt das System seine Unzulänglichkeiten. Nach den seltenen Rekordernten wird der Überschuß durch Transportprobleme und unzureichende Lagerung rasch in faulenden Unrat verwandelt. Aber kein sowjetischer Provinzpolitiker würde auf die Chance verzichten, ins Machtzentrum zu gelangen, selbst wenn er dafür den undankbaren landwirtschaftlichen Bereich übernehmen muß.

Gorbatschow war ohnehin kein gewöhnlicher Provinzpolitiker. In jenen Tagen waren die Ersten Sekretäre der Regionalpartei häufig fast so bejahrt wie die Gerontokraten im Kreml, während Gorbatschow gerade erst im mittleren Alter stand. Das soll nicht heißen, daß er der erste gewesen wäre, der jugendlichen Elan in den Kreml gebracht hätte. Früher hatten andere Maßstäbe gegolten: Die erste sowjetische Führungsgeneration bestand aus jungen und tatkräftigen Männern. Lenin, den seine ehrfürchtigen bolschewistischen Anhänger „den Alten" nannten, noch bevor er die Dreißig erreicht hatte, war 1917 bei seiner Machtübernahme erst siebenundvierzig Jahre alt. Stalin war erst achtundvierzig, als er 1927 alle Rivalen um die Nachfolge Lenins aus dem Felde schlug. Chruschtschow war 1953, zur Zeit von Stalins Tod, achtundfünfzig Jahre alt. Sogar Breschnew zählte nicht mehr als siebenundfünfzig Jahre, als er und Kossygin 1964 die Macht an sich brachten; das Durchschnittsalter der Politbüromitglieder betrug damals lediglich neunundfünfzig Jahre. Michael Voslensky, Autor von *Nomenklatura*, einer 1980 erschienenen Studie des sowjetischen Führungsstils, erinnert sich des Breschnew der sechziger Jahre als eines lebhaften, agilen Mannes von typisch südlicher Jovialität. Diese Beschreibung unterscheidet sich nicht allzu stark von der des heutigen Gorbatschow.

Aber im Herbst 1978, als der neu ernannte ZK-Sekretär Gorbatschow – er nahm unter den Führern der Sowjetunion nur den zwanzigsten Rang ein – in Moskau eintraf, stand Breschnew kurz vor seinem zweiundsiebzigsten Geburtstag, und das Durchschnittsalter der Politbüromitglieder war auf siebzig Jahre angestiegen. Mit siebenundvierzig – fast ein Vierteljahrhundert jünger als das Durchschnittsalter seiner Kollegen – war Gorbatschow bei bester Gesundheit und hätte schon allein durch Ausdauer vorrücken können. Aber offensichtlich war mehr als Ausdauer nötig gewesen, um die Karriereleiter zunächst so weit emporzuklettern und um sich dann in den geheimnisumwitterten und gefährlichen Korridoren des Moskauer ZK-Hauptquartiers zu orientieren. Jene, die ihn auf seinem Weg nach oben kennengelernt hatten, beschreiben ihn als intelligent, energiegeladen und überzeugungskräftig; zudem habe er die natürliche Gesprächigkeit und das angeborene Selbstvertrauen eines typischen Politikers besessen. So wichtig wie seine Tugenden war sein Mangel an Lastern. Gorbatschow fehlten, was auffällig war, zwei Kennzeichen, die für höhere Sowjetbürokraten der damaligen Zeit charakteristisch waren: Er war weder arrogant noch korrupt. Im Gegensatz zu den meisten sowjetischen Politikern trat er stets höflich auf – eine Eigenschaft, die ihm geblieben ist und eine seiner Hauptstärken auf der Weltbühne darstellt. Sein persönlicher Charme half ihm, mögliche Oppositionen und Rivalitäten innerhalb der UdSSR zu entschärfen, und hat sich auf internationaler Ebene seit seiner Ernennung zum Generalsekretär als ein Gewinn für die sowjetische Diplomatie erwiesen.

Im Herbst 1973 packten Michail Gorbatschow und seine Frau Raissa also ihre Habseligkeiten und kehrten in die Stadt zurück, in der sie sich kennengelernt hatten. Nach mehr als zwei Jahrzehnten in der bedrückenden Provinzatmosphäre Stawropols muß die Aussicht, von neuem in das geschäftige, kulturell anregende Treiben Moskaus einzutauchen, verlockend gewesen sein. Einem Bericht zufolge bezog das Ehepaar nach seiner Ankunft eine behagliche ZK-Wohnung in der Alexej-Tolstoi-Straße. Ein Jahr später siedelte es in komfortablere Räumlichkeiten in der Granowski-Straße um, wo mehrere Mitglieder des Politbüros residieren. Dieser Umzug fand im November 1979 statt, als Gorbatschow im verblüffend jungen Alter von achtundvierzig Jahren zum Kandidaten des Politbüros ernannt wurde. Weniger als ein Jahr später, im Oktober 1980, wurde er Vollmitglied. Er war nicht nur acht Jahre jünger als das zweitjüngste Politbüromitglied, Grigori Romanow, sondern lag auch einundzwanzig Jahre unter dem Durchschnittsalter dieses Gremiums.

Auch andere Ehren wurden diesem jugendlichen Energiebündel zuteil. Im Jahre 1980 kandidierte Gorbatschow für den Obersten Sowjet der UdSSR, die formelle gesetzgebende Körperschaft, die theoretisch das höchste Organ der staatlichen Souveränität darstellt. In der Sowjetunion folgt man dem britischen Brauch, daß hohe Politiker sich unabhängig von ihrem Wohnort für einen Wahlkreis entscheiden. Dennoch war Gorbatschows Entscheidung erstaunlich: Er wollte das Altai-Gebiet repräsentieren, die Verwaltungseinheit einer nationalen Minorität in Sibirien. Zufällig war Raissa Gorbatschowa in Rubzowsk, in ebendiesem Altai-Gebiet, geboren worden.

Die sieben Jahre seines Aufstiegs nach dem Eintreffen in Moskau waren für Gorbatschow eine wertvolle politische Lehrzeit. Er lernte, mit den Machthebeln der sowjetischen Politik umzugehen, er vertiefte sich in die ungeheuren Probleme der sowjetischen Ökonomie, besonders in der Landwirtschaft, und er machte seine ersten internationalen Erfahrungen auf Politbüro-Ebene. Während dieser Zeit scheint er bewußt machtpolitische Zurückhaltung geübt zu haben, so daß er erst 1983 als Politiker von nationaler Bedeutung ins Blickfeld rückte.

Es gab gute Gründe für diese Zurückhaltung. Es war vom politischen Standpunkt aus günstiger, im Hintergrund zu bleiben. Der Zeitraum von 1978 bis 1982 war die Abenddämmerung der Breschnew-Jahre – eine Periode, in der wirtschaftlicher Stillstand und politische Erstarrung auf der höchsten Ebene Bestechlichkeit und Intrigen hervorzubringen schienen. Die Machenschaften derjenigen, die die Nachfolge des aufgedunsenen und fast arbeitsunfähigen Generalsekretärs antreten wollten, waren zunächst diskret, nahmen bald aber immer unschönere Formen an. Eine Leningrader literarische Zeitschrift veröffentlichte zu Breschnews fünfundsiebzigstem Geburtstag einen Beitrag, zu dem auch eine gehässige Karikatur und eine sarkastische Bewertung der Lobesworte gehörten, mit denen er ständig überhäuft wurde: „Die meisten Menschen denken so über ihn, als sei er längst tot – so groß ist die Ehrfurcht vor seiner Begabung ... Wir werden nicht mehr lange warten müssen, bis wir die Lobreden hören, mit denen man diesen Autor bei seinem Tode überschüttet." Breschnews eigene Tochter Galina geriet durch ihre persönlichen Kontakte in gefährliche Nähe eines Diamantenschmuggelskandals, in den der Direktor des Moskauer Zirkus und ein stellvertretender KGB-Abteilungsleiter verwickelt waren. Der letztere beging Selbstmord, als der Skandal aufflog. Es gab Vermutungen, daß Andropow ihn absichtlich aufgedeckt habe, um die Breschnew-Dynastie ins Wanken zu bringen und sich selbst den Weg an die Spitze zu bahnen. Als Andropows Protegé war Gorbatschow bemüht, sich nicht in solche Intrigen verwickeln zu lassen, aber seine Unterstützung Andropows trug mit dazu bei, daß der KGB-Chef nach dem Tode Breschnews im November 1982 dessen Nachfolge antrat.

Nachdem Andropow die Macht übernommen hatte, wurde Gorbatschow von seiner beschwerlichen Verantwortung für die Landwirtschaft befreit und erhielt die Rolle des für ideologische Fragen zuständigen Politbüromitglieds und ZK-Sekretärs – eine Position von erheblichem Einfluß. Dieses Amt hatte Suslow lange Zeit innegehabt, und es war nach seinem Tode im Januar 1982 an Andropow übergegangen. Inoffiziell galt dieser Posten als zweithöchster der Partei und damit des Landes. Als Andropow diese Aufgabe an Gorbatschow übertrug, drückte er damit ein beträchtliches Vertrauen in ihn aus. Die Ernennung war der Schlüssel zu Gorbatschows späterem Aufstieg an die Spitze. Das Amt verlieh ihm innerhalb des Politbüros eine herausragende Stellung, die sich im Laufe des Jahres 1983 nur festigen konnte, als Andropow – nach einem ersten Versuch, die Disziplin in der Sowjetgesellschaft wiederherzustellen –, an einer tödlichen Krankheit leidend, nur noch dahinsiechte.

Es war eine außergewöhnliche Zeit, was die sowjetisch-amerikanischen Beziehungen anging. Für die Dauer von ein paar Monaten im Jahr 1983 sah man Andropow in den USA euphorisch als einen heimlichen Amerikafreund an, als jemanden, der guten schottischen Whisky schätzte, den amerikanischen Schriftsteller Kurt Vonnegut las und die „Stimme Amerikas" hörte. Ob dieser Eindruck das Ergebnis amerikanischen Wunschdenkens oder sowjetischer, vom KGB gesteuerter Falschinformationen war – oder beides –, er traf wahrscheinlich nicht zu. Andropow reiste selten ins Ausland, schon gar nicht über den Sowjetblock hinaus, und abgesehen von dem aus dritter Hand stammenden Bericht eines Emigranten, der zusammen mit Andropows Sohn die Schule besucht hatte, gab es keinen Hinweis darauf, daß der asketische KGB-Vorsitzende irgendeine der ihm zugeschriebenen Vorlieben besaß. Zudem war er todkrank, während er angeblich die Eigenschaften eines sowjetischen Reformers zur Schau stellte. Aber die Episode mag aufschlußreich für Gorbatschow gewesen sein. Er hat seither ein außergewöhnliches Geschick dafür gezeigt, die westliche – besonders die amerikanische – öffentliche Meinung zu beeinflussen. Es würde gewiß zu weit gehen, Gorbatschow zu unterstellen, daß er das Image des amerikanophilen Andropow geschaffen habe, aber er dürfte aus alldem wohl etwas gelernt haben.

Die wahrscheinlich wertvollsten Erfahrungen, die Gorbatschow während der Andropow-Zeit machte, ergaben sich daraus, daß er an der schwierigen Aufgabe beteiligt war, ein so riesiges und komplexes Land wie die Sowjetunion zu regieren. Andropows Krankheit verschlimmerte sich derart, daß er seine letzten Monate nur noch im Kremlkrankenhaus in Kunzewo westlich von Moskau verbrachte, wo er außer Familienangehörigen nur ein paar wichtige Mitarbeiter empfing, die ihm Informationen überbrachten und seine Entscheidungen weiterleiteten. Die bedeutendste Rolle unter diesen Mitarbeitern spielte Gorbatschow, der sich somit die Ausübung von Macht in einer Lehrzeit aneignete, wie sie den zweiten Männern im Westen, zum Beispiel amerikanischen Vizepräsidenten, nur selten vergönnt ist. Als Hauptstellvertreter eines arbeitsunfähigen Generalsekretärs war er zum Beispiel gezwungen, nach dem Abschuß eines koreanischen Passagierflugzeugs im September 1983 als Krisenmanager aufzutreten. Gorbatschow galt als Vorsitzender der Arbeitsgruppe im Politbüro, die sich mit dieser Katastrophe beschäftigte. Tatsächlich zeigten sich hier einige der Merkmale, die er später auf internationalem Parkett weiterentwickeln sollte. Im Mittelpunkt der

Krisenbewältigung stand der Beschluß, auf keinen Fall einzulenken – was, für sich genommen, nicht ungewöhnlich war. Das Krisenkomitee suchte den Sachverhalt vor allem durch die Behauptung zu verschleiern, daß die USA die abgeschossene Maschine als ein Spionageflugzeug benutzt hätten, und diese Argumentation wurde später beibehalten. Ungewöhnlich war jedoch die Bemühung, der Weltöffentlichkeit diese Version der Geschichte, ob glaubhaft oder nicht, in einer für den Kreml ungewöhnlichen Form vorzutragen. Statt einfach nur ihre Spionagebehauptung vorzubringen und dann in Schweigen zu verfallen, sandte Gorbatschows Gruppe den Generalstabschef Nikolai Ogarkow in die Arena der westlichen Presse, wo er den sowjetischen Standpunkt mit Karte und Zeigestock auf den Fernsehschirmen der Welt erläuterte. In gewisser Weise war die Taktik erfolgreich. Allein die Bereitschaft der Sowjetunion, eine öffentliche Erklärung, wenn auch keine Entschuldigung, anzubieten, wurde im Westen als ein Fortschritt gegenüber der früheren Praxis angesehen. Obwohl die UdSSR nicht die geringste Chance hatte, die Weltöffentlichkeit auf ihre Seite zu ziehen, zeigte dieser Vorgang, daß Gorbatschow wie kaum ein anderer im Politbüro das Beste aus einer schlechten Situation zu machen verstand.

Währenddessen setzte sich der Verfall der sowjetischen Gerontokratie fort. Andropow starb im Februar 1984, und Gorbatschow war unter den Kandidaten, die als mögliche Nachfolger in Erwägung gezogen wurden. Doch dazu war es noch zu früh. Gorbatschow sah sich einem mächtigen Rivalen gegenüber: Grigori Romanow, dem langjährigen Leningrader Parteiführer und ZK-Sekretär für die Verteidigungsindustrie. Dies war der Mann, von dem man meinte, er sei für die frechen Angriffe auf den todkranken Breschnew verantwortlich, insbesondere für die oben zitierte abfällige Bemerkung in der Leningrader Literaturzeitschrift. Zudem war das

Verhältnis zwischen der alten Garde und den Nachrükkern, zwischen den Gefolgsleuten des toten Breschnew und den unter Andropow ins Politbüro beförderten Männern reichlich gespannt.

In der sowjetischen Politik werden Entscheidungen gewöhnlich in einer Art von stillschweigendem Konsens getroffen. Es gibt keine abweichenden Stimmen – wenn auch sehr häufig abweichende Gedanken. Unter solchen Umständen wird nur selten eine formelle Abstimmung durchgeführt – in aller Regel nur dann, wenn man sicher ist, daß alle einmütig die Hand erheben. Wenn die Zeit gekommen ist, einen Beschluß zu einer speziellen Frage zu fassen, kennen die Betroffenen bereits das Ergebnis und bieten ihre Einwilligung an. In der politischen Ungewißheit nach Andropows Tod war nicht auszumachen, ob Romanow oder Gorbatschow die meisten Stimmen für das Amt des Generalsekretärs erhalten hätte. Deshalb verschoben Politbüro und Zentralkomitee sorgsam ihre Entscheidung, bis die Lage übersichtlicher geworden war, und wählten zunächst Tschernenko. Dies war gleichzeitig eine Belohnung für einen geschickten, doch mittlerweile alternden politischen Karrieristen, der, obwohl Breschnew ihn als seinen Nachfolger aufgebaut hatte, von Andropow ausmanövriert worden war. Und es war eine Entscheidung für einen Mann, der nicht lange im Amt bleiben würde. Tschernenko wurde von einem anderen, unversöhnlicheren Gegner überwältigt: seiner Krankheit, einem Emphysem. Bei Andropows Bestattung war er so schwach, daß er nicht einmal die Hand an den Sarg heben konnte, der auf den Roten Platz getragen wurde. Er war kaum fähig, ohne Hilfe ein Zimmer zu durchqueren.

Gorbatschow allerdings achtete darauf, seine eigene Stärke in der Öffentlichkeit deutlich werden zu lassen. Am Ende der Plenumssitzung, auf der Tschernenko gewählt wurde, war es Gorbatschow – nicht der neue Generalsekretär, nicht Romanow, nicht ein anderer Bewerber um die Führung –, der die Abschlußrede hielt. Auffallend war auch, daß Gorbatschow während der Beerdigung als einziges Politbüromitglied zu Andropows Witwe Tatjana trat, um sie zu trösten. Die Geste, von tiefer Menschlichkeit geprägt, zeigte, wie vertraut er mit dem verstorbenen Generalsekretär gewesen war.

Gorbatschow stand auch dem neuen Generalsekretär nahe, was in der Öffentlichkeit immer deutlicher wurde, je mehr Tschernenkos Gesundheitszustand sich verschlechterte. Im April 1984 hielt Gorbatschow die Rede vor dem Obersten Sowjet, in der Tschernenko formell für das höchste Amt vorgeschlagen wurde. Gorbatschow setzte sich überzeugend dafür ein, die Rolle des Staatsoberhauptes – des Präsidenten oder, genauer gesagt, des Vorsitzenden des Obersten Sowjets – mit dem Generalsekretärsposten der Kommunistischen Partei zu verbinden; die entscheidende institutionelle Aufgabe des Generalsekretärs bei der Formulierung der Außenpolitik mache die Zusammenlegung nötig. (Interessanterweise vertrat Gorbatschow im Jahre 1985 den entgegengesetzten Standpunkt, als er das Präsidentenamt zurückwies und es Andrej Gromyko überließ – teils, um Gromyko für dessen Unterstützung zu belohnen, und teils, um ihn aus der Außenpolitik zu entfernen.)

Vielleicht hatte die alte Garde Breschnews mit der Nominierung Tschernenkos durch Gorbatschow bezweckt, auf ihre noch immer existierende Mehrheit innerhalb des Politbüros hinzuweisen. Aber es wurde auch klar, daß der Wahl einige wichtige Absprachen vorausgegangen waren. Der alte Mann hatte sich der jüngeren Fraktion dadurch annehmbar gemacht, daß er einwilligte, die von Andropow initiierten Maßnahmen der Disziplinierung und der begrenzten personellen Konsequenzen nicht rückgängig zu machen. Gorbatschow war freilich ohnehin in der Lage, dies sicherzustellen. Er fungierte für

Tschernenko so wie zuvor für Andropow praktisch als „Zweiter Sekretär", das heißt, er übernahm die Leitung, wenn der Generalsekretär wegen seiner Krankheit bei politischen Sitzungen nicht erscheinen konnte. Gorbatschow hatte abwechselnd mit seinem mutmaßlichen Rivalen Grigori Romanow den Vorsitz bei Politbüro-Zusammenkünften. Aber sowjetische Funktionäre haben später eingeräumt, daß Gorbatschow in Tschernenkos letzten Monaten bereits als Generalsekretär handelte, was Wirtschaftspolitik, Außenpolitik und manchmal auch andere Bereiche betraf. Vor allem hielt Gorbatschow nun die Hebel der Macht in der schwerfälligen sowjetischen Wirtschaft in den Händen. Diese „Ausbildung am Arbeitsplatz" dürfte seine Ernennung zum Generalsekretär am 11. März 1985, dem Tag von Tschernenkos Tod, entscheidend befördert haben.

Wenn es je Zweifel an Gorbatschows außergewöhnlichen politischen Fähigkeiten gab, wurden sie gewiß dadurch ausgeräumt, daß es ihm gelang, nach dem Fiasko, in dem sich die sowjetische Landwirtschaft in den späten siebziger Jahren befand, die Leitung der Gesamtwirtschaft zu behalten. Fünf Jahre lang war Gorbatschow die Verkörperung der sowjetischen Landwirtschaftspolitik, der für sie zuständige ZK-Sekretär, und er blieb in diesem Amt bis 1983, als er die politisch einträglichere Aufgabe übernahm, die Personalangelegenheiten der Partei zu überwachen. Dabei muß betont werden, daß Gorbatschows Amtszeit mit den schlimmsten Jahren in den sowjetischen Landgebieten seit der Massenhungersnot der dreißiger Jahre zusammenfiel.

Fast unmittelbar nach seiner Ankunft in Moskau begannen die Fehlschläge, wenn auch nicht durch seine Schuld. 1978 war für die sowjetische Landwirtschaft ein gutes Jahr mit einer Rekordernte von 230 Millionen Tonnen Getreide (die paradoxerweise gerade zu dem Zeitpunkt heranreifte, als der unglückliche Kulakow durch

Angriffe auf seine Verwaltung der Landwirtschaft in den Selbstmord getrieben wurde). Aber unzureichende Vorbereitungen für die folgende Aussaat sowie verheerende Regenfälle ließen die Ernte von 1979 zu einer Katastrophe werden: Sie erbrachte nur 179 Millionen Tonnen, mehr als zwanzig Prozent weniger als im Vorjahr. Nachdem im Jahre 1980 der Ertrag wieder mühsam auf 189 Millionen Tonnen angestiegen war, fiel die Getreideernte im Jahre 1981 so katastrophal aus, daß man überhaupt keine offiziellen Zahlen veröffentlichte. Das US-Landwirtschaftsministerium schätzte den Gesamtertrag auf 155 Millionen Tonnen. Im Jahre 1982 trat nur eine geringfügige Verbesserung ein: Laut amerikanischer Schätzung wurden 175 Millionen Tonnen geerntet. (Der Ertrag sowjetischer Getreideernten blieb bis 1987 ein Staatsgeheimnis.) Gorbatschow konnte natürlich kaum für das Wetter oder für die geballte Unfähigkeit des stalinistischen Kollektivismus verantwortlich gemacht werden. Aber als Kapitän des sinkenden Schiffes war er derjenige, auf den die anklagenden Finger schließlich weisen würden.

Wie sich herausstellte, konnte Gorbatschow sich weitgehend hinter Breschnew selbst verschanzen. Im Mai 1982 leitete Breschnew ein ehrgeiziges „Lebensmittelprogramm" ein, das, so die Theorie, die chronischen landwirtschaftlichen Mängel der UdSSR beheben und die Ernährungslage verbessern sollte. Das Programm sah eine höherentwickelte ländliche Infrastruktur und den Aufbau eines „agroindustriellen Komplexes" vor: ein Verfahren, das die Administration, die Lagerungs-, Transport- und Verarbeitungseinrichtungen, die für die Gesamtabwicklung der sowjetischen Ernte erforderlich waren, näher an die Produktionsorte heranrücken sollte. Was das Lebensmittelprogramm nicht vorsah, war eine Vertragspolitik für Bauernfamilien, die Gorbatschow versuchsweise in Stawropol entwickelt hatte und die mit einigem Erfolg in anderen Teilen der Sowjetunion erprobt worden war (vornehmlich in Georgien unter Eduard Schewardnadse). Das Vertragssystem gewährte Bauern, bäuerlichen Familien und landwirtschaftlichen Brigaden größere Unabhängigkeit. Nach diesem System konnten die Betroffenen zum erstenmal mit einem konkreten Entgelt für höhere Produktivität rechnen, das heißt mit wirklichen finanziellen Anreizen anstelle endloser moralischer Aufrufe zu größerem Arbeitseinsatz.

Gorbatschows Interesse daran, ein solches Vertragssystem landesweit zu etablieren und die Agrareinrichtungen in die Nähe der Produktion zu bringen, war schon zu Beginn seiner Amtszeit als ZK-Sekretär offensichtlich. Wie Breschnew wollte er die Leitung der Landwirtschaft an örtliche agroindustrielle Zentren übertragen, wo man seiner Ansicht nach ein weit besseres Verständnis für unmittelbare lokale Bedürfnisse und Bedingungen haben würde, als es von fernen Moskauer Bürokraten zu erwarten war. Gleichzeitig hielt er es für notwendig, sich von seinem eigenen „Ipatowski"-Muster, also von der Konzentration großer Mengen von Erntemaschinen auf kleinen Flächen, zu distanzieren. Das System hatte an einigen Orten gut funktioniert, war aber zusammengebrochen, als man es dem ganzen Land verordnet hatte. Es muß Gorbatschow schwergefallen sein, ein Programm zu revidieren, dessen Anfangserfolg ihm 1977 zum erstenmal zu nationaler Bekanntheit verholfen hatte.

Gorbatschows Bestreben, das Vertragssystem auszuweiten, traf sofort auf Widerstände, die offenbar noch einige Jahre andauerten. Trotzdem verkündete er im März 1983 in einer Rede, das Politbüro habe die „Einführung von Kollektivverträgen in der Kolchos- und Sowchosproduktion" gebilligt. Die Verträge sollten langfristig sein und nur für autonome Arbeitsbrigaden gelten. Doch Beschlüsse des Politbüros waren eine Sache, ihre Verwirklichung durch Tausende von Kolchosen und örtlichen Parteibehörden überall in der Sowjetunion eine andere. Das erweiterte Vertragssystem macht bis heute im größten Teil der Sowjetunion nur langsam Fortschritte, weil es mit dem Widerstand von Kolchosleitern und örtlichen Parteibehörden zu kämpfen hat, die eine Einschränkung ihrer eigenen Autorität fürchten.

Die Tatsache, daß Gorbatschows Karriere nicht sehr unter den landwirtschaftlichen Fehlschlägen während seiner Amtszeit litt, mag auf seine einzigartige Beziehung zu Andropow zurückzuführen sein. Manchmal entstand der Eindruck, daß Andropow seinen Schützling auf die Führung vorbereitete, indem er ihm die Freiheit gab, aus seinen Fehlern zu lernen. Zudem war deutlich, daß Gorbatschows Verantwortung sich nicht nur auf die Landwirtschaft, sondern auf das gesamte ökonomische Spektrum erstreckte. Selbst zu Zeiten, da Ernten vertrockneten oder durch zuviel Regen verfaulten, beschäftigte er sich mehr mit der sowjetischen Wirtschaftsentwicklung im allgemeinen und überließ Einzelheiten des landwirtschaftlichen Bereichs dem Leiter der zuständigen ZK-Abteilung. Bezeichnenderweise hatte er keinen unmittelbaren Nachfolger, als er im Jahre 1983 den Bereich der Wirtschafts- und Personalfragen übernahm – eine Tatsache, welche andeutet, daß die entscheidende Aufsicht schon zuvor auf Abteilungsebene ausgeübt worden war.

Gorbatschows Loyalität Andropow gegenüber gründete sich anscheinend auf das Gefühl, daß die Sowjetunion mit dem früheren KGB-Chef zum erstenmal einen Generalsekretär besaß, der das enorme Ausmaß der wirtschaftlichen Probleme begriff. Andropow betonte, daß Arbeitsdisziplin ein Schlüssel zu verbesserter Produktivität sei – ein Prinzip, das auch seinem besonnenen und fleißigen Protegé am Herzen lag. Aber Gorbatschows Ideen beschränkten sich nicht auf den Bereich des arbeitenden Individuums. Er kümmerte sich auch um die großen Zusammenhänge der Wirtschaft, untersuchte die Methoden, die den Erfolg des Systems gewährleisten sollten, und forschte wie zuvor in der Landwirtschaft nach Gründen für dessen immanente, nicht durch menschliche Fehlleistungen bedingte Probleme. Von 1982 bis 1985, also während der Regierungszeit von Andropow und Tschernenko, leitete Gorbatschow ein „Programm von fünf Ministerien" zur Dezentralisierung und technologischen Erneuerung. Es war ein weiterer Versuch, diesmal in der Industrie, den für die Sowjetwirtschaft immer noch typischen Würgegriff zu lockern, der Initiative und Unabhängigkeit einschnürte.

Interessanter als die öffentlichen Initiativen jedoch war die Art und Weise, wie Gorbatschow selbst seine Kenntnisse der sowjetischen Realität erweiterte. Seinem wichtigsten Wirtschaftsberater Abel Aganbegjan zufolge begann Gorbatschow, kurz nachdem er ZK-Sekretär geworden war, Seminare zu organisieren, bei denen Ökonomen und andere Experten zwanglos über die landwirtschaftlichen Probleme der Nation diskutieren konnten. Aganbegjan erinnerte sich: „Genosse Gorbatschow kam häufig mit Ökonomen zusammen und sprach mit ihnen über landwirtschaftliche Probleme. In unserem Institut [der Wirtschaftsabteilung der Akademie der Wissenschaften] unterhielt er sich mit dem Akademiemitglied [Tatjana] Saslawskaja. Auch ich redete mit ihm über gewöhnliche Wirtschaftsfragen. Oft versammelte er Ökonomen, um mit ihnen Managementprobleme und -systeme zu erörtern; um Lösungen dafür zu finden, wie der Sozialismus und die Wirtschaftsentwicklung sowie die Verteilung beschleunigt werden könnten. Diese Zusammenkünfte waren sehr nützlich. Natürlich sagte jeder, was er dachte." Die Treffen fanden im ZK-Gebäude in Moskau oder gelegentlich in einer Datscha auf dem Lande statt.

Was die berühmte Saslawskaja angeht – sie ist nicht nur Mitglied der Akademie der Wissenschaften, sondern auch Vorsitzende der Sowjetischen Soziologischen Vereinigung –, so beschreibt sie ihren Einfluß auf Gorbatschows wirtschaftliche Ideen erheblich bescheidener. Bei einem Interview mit der *Time*-Korrespondentin Traudl Lessing sagte sie 1987 in Wien, sie habe niemals unter vier Augen mit Gorbatschow gesprochen und sei ihm überhaupt nur fünf- oder sechsmal begegnet, stets zusammen mit einer kleinen Gruppe anderer Personen. „Bei diesen Treffen habe ich das Wort ergriffen, und er hörte sehr aufmerksam zu . . . Ich weiß, daß unsere Beziehungen ausgezeichnet sind. Bei einigen Treffen saß ich neben ihm. Es ist unglaublich, welche Kraft und Energie Herr Gorbatschow ausstrahlt . . . Seine Vitalität ist außergewöhnlich, und obwohl man diese Spannung spürt, ist er doch ein guter Zuhörer und wartet, bis man zu Ende geredet hat."

Saslawskaja ist übrigens keine jugendliche Romantikerin. Sie ist sechzig Jahre alt und nahm vor zwei Jahrzehnten ein beträchtliches politisches Risiko auf sich, als sie bahnbrechende Arbeit für die soziologische Forschung leistete, die damals in der Sowjetunion noch kein anerkanntes Wissenschaftsgebiet war. Ihre Einschätzung des menschlichen Charakters ist auffallend unmarxistisch. In den letzten sieben Jahrzehnten der sowjetischen Geschichte behauptete die offizielle Propaganda und Theorie mit Marx, es gebe keinen menschlichen Charakter, sondern nur einen Klassencharakter. Daraus leitete sich ab, daß die Sowjetgesellschaft, unter angeblich nichtausbeuterischen Wirtschaftsprinzipien, dabei sei, den „neuen sowjetischen Menschen" zu schaffen, eine Gestalt von mythischer Selbstlosigkeit und Weisheit, von beispiellosem Mut und Fleiß. Saslawskaja ist anderer Meinung: „Ich glaube, daß wir, so wie der menschliche Charakter nun einmal ist, keinen neuen Menschen schaffen werden. Wir müssen den Menschen akzeptieren, wie er ist."

Diese Aussage über die Notwendigkeit, „den Menschen zu akzeptieren, wie er ist", mag nicht genau Gorbatschows Einstellung zu wirtschaftlichen Problemlösungen entsprechen, aber sie kommt ihr nahe. Gorbatschow bleibt ein engagierter Marxist. Doch nun, da er sich mit der Realität des Sozialismus in seinem Lande vertraut gemacht hat, scheint es ihm keine Mühe zu bereiten, die besonders spekulativen und nicht zu beweisenden Aspekte der marxistischen Philosophie zu verwerfen. Dadurch wird er zwar noch nicht zu einem Pragmatiker in dem Sinne, wie dieses gefährlich unpräzise Wort oft benutzt wird, und schon gar nicht zu jemandem, der sich anschickt, den Kapitalismus neu zu erfinden. Vielmehr wird er dadurch zu einem Menschen, der es gelernt hat, mit wirtschaftlichen und philosophischen Paradoxa zu leben. Er ist fähig, wirtschaftliche Ergebnisse um ihrer selbst willen anzustreben, ohne sich Sorgen über formale Definitionen der marxistisch-leninistischen Lehre zu machen. Kein anderer sowjetischer Führer seit Lenin hat diese Eigenschaft besessen, die man am besten „dialektische Flexibilität" nennen könnte.

Gorbatschow hatte nur begrenzte Erfahrungen mit der Außenpolitik, als er im Oktober 1980 Vollmitglied des Politbüros wurde. Zwar hatte er einige Reisen unternommen – nach Frankreich, Italien, Belgien, in die Bundesrepublik Deutschland, die DDR, die Tschechoslowakei –, und er war in jungem Alter eng mit einem Ausländer, mit Zdeněk Mlynář, befreundet gewesen, wodurch er die potentiellen Widersprüche zwischen der gemeinsamen Ideologie und spezifisch nationalen Interessen begriffen hatte. Aber er hatte nie mit irgendwelchen ausländischen Repräsentanten offizielle Verhandlungen geführt und war nie direkt mit fremden Weltanschauungen konfrontiert worden. Natürlich besaß er – nicht nur aufgrund seiner Reisen – eine gewisse Kenntnis des Westens: Er war auf vielen Gebieten belesen, und als Mitglied des Zentralkomitees muß er Zugang zu weit objektiveren

Berichten über die Geschehnisse in der Außenwelt gehabt haben als der durchschnittliche Sowjetbürger.

Deshalb ist es erstaunlich, daß sich Gorbatschow möglicherweise erst 1981 in Moskau zum erstenmal mit einem Amerikaner zu einem Gespräch zusammensetzte. Der Mann war John Chrystal, damals siebenundsechzig Jahre alt und seit langem regelmäßiger Besucher der Sowjetunion. Chrystal, ein Farmer und Bankier, beschreibt sich selbst als einen liberalen Demokraten. Seit den fünfziger Jahren war er hohen sowjetischen Amtsträgern, mit Nikita Chruschtschow an der Spitze, begegnet. In jedem zweiten Jahr hatte er die UdSSR für längere Zeit besucht, um die landwirtschaftliche Produktion in zwei separaten Landesteilen zu inspizieren und seinen freundschaftlichen Rat zu Leistungssteigerungen anzubieten. Da er sich offenbar nicht im geringsten für die konventionellen Themen der Sowjetologie interessierte und eine unnachgiebige US-Politik Moskau gegenüber ablehnte, empfingen die Sowjets ihn dankbar und gastfreundlich. Im Jahre 1981 machten seine Gastgeber großes Aufheben von der Tatsache, daß er im Zentralkomitee einen bedeutenden und hochgestellten Vertreter der Kommunistischen Partei besuchen werde. Es handelte sich um Gorbatschow, dessen Name Chrystal damals noch wenig sagte.

Das Treffen fand in Gorbatschows Büro statt, das, in starkem Kontrast zu der überwiegend viktorianischen Ausstattung der meisten sowjetischen Amtsräume, mit hellen, bequemen und modern wirkenden skandinavischen Möbeln versehen war. Es gab noch zwei andere deutliche Unterschiede zu den sowjetischen Gepflogenheiten bei Begegnungen mit Ausländern. Erstens waren, neben dem Dolmetscher, nur Gorbatschow und Chrystal in dem Raum. Zweitens war der Tisch frei von dem Zubehör – Mineralwasserflaschen, Zigarettenpäckchen, verschiedenes Glasgeschirr und so weiter –, das traditionsgemäß den Rahmen für Verhandlungen in der Sowjetunion bildet. Chrystal war überrascht, wie sehr Gorbatschow sich von allen anderen sowjetischen Funktionären abhob, denen er begegnet war: „Er hatte eine starke persönliche Ausstrahlung und machte den Eindruck eines Mannes, der ein visionäres Ziel ansteuerte, über Selbstbewußtsein und Beharrlichkeit verfügte. Er ließ einfach nicht von einem Thema ab, bis man es erschöpft hatte."

Die beiden Männer unterhielten sich den ganzen Nachmittag miteinander, wobei sie die gesamte Skala landwirtschaftlicher Fragen sowie umfassendere Themen des Wirtschaftsmanagements behandelten. Chrystal, welcher der Sowjetunion gegenüber stets freundschaftlich gesonnen war, fiel besonders auf, wie unnachgiebig Gorbatschow in seiner Einschätzung der USA war. Er schien jede Behauptung von *Prawda*-Leitartikeln zu glauben, welche in der amerikanischen Gesellschaft ein gewaltiges Potential von Menschen ausgemacht hatten, die kurz vor dem Verhungern standen. Chrystal kommentiert: „Er ist wirklich überzeugt . . ., daß in den USA vielerorts eine drückende Armut herrscht. Meinem Eindruck nach stellt er sich vor, daß ganze Städte im Elend leben." Chrystal, der kein besonderes Interesse an Ideologie hat, nahm auch zur Kenntnis, wie stark sich Gorbatschow für sein eigenes System engagierte. Zu einem Begriff, der 1981 während jenes Treffens mit Gorbatschow noch niemandem geläufig war, merkt Chrystal an: „*Glasnost* ist nicht amerikanische *glasnost* – es ist etwas ganz anderes."

Ein Kanadier, der Gorbatschow im Herbst desselben Jahres besuchte, hatte einen ähnlichen Eindruck von Gorbatschows Einschätzung der USA. Eugene Whelan, damals Landwirtschaftsminister in der liberalen Regierung von Premierminister Pierre Trudeau, verbrachte mit einer offiziellen kanadischen Delegation zehn Tage in Moskau. Die Atmosphäre des Treffens war angenehm und ohne Mißklänge, bis man auf die Vereinigten Staaten zu sprechen kam. Whelan erinnert sich: „Er ließ sich darüber aus, daß die USA der Aggressor seien und immer mehr Waffen herstellten. Er sagte, die USA kehrten zu den Verhältnissen der fünfziger Jahre zurück." Als der Kanadier entgegnete, in den Vereinigten Staaten und in anderen Ländern des Westens sei die Ansicht verbreitet, daß die Sowjetunion viel mehr Waffen besitze, als sie für ihre legitime Verteidigung benötige, gab Gorbatschow gereizt zurück: „Das stimmt nicht und läßt an die Tage von [Verteidigungsminister James] Forrestal denken."

Zwei Jahre später, im Frühling 1983, machte Gorbatschow seine erste direkte Erfahrung mit Nordamerika. Als Angehöriger des Obersten Sowjets, als Landwirtschaftsexperte und Politbüromitglied wurde er vom Parlament in Kanada eingeladen, sich mit der dortigen Landwirtschaft und Lebensmittelproduktion vertraut zu machen. Er verbrachte zehn Tage in Kanada und wäre wohl länger geblieben, wenn er seine Reise aus ungenannten politischen Gründen nicht jäh hätte abbrechen müssen. Gorbatschow besuchte die Bundeshauptstadt Ottawa sowie Teile von Ontario und reiste dann westwärts, nach Banff und in die Prärien von Alberta. Er sah sich in Farmen, Fabriken, Schulen, Supermärkten und Weinbergen um.

Bei diesem Besuch begegnete Gorbatschow auch erstmals jenem Mann, der später eine wichtige Rolle in seiner Führungsmannschaft spielen sollte: Alexander Jakowlew, der damals sowjetischer Botschafter in Kanada und im Grunde ein politischer Exilant war. Jakowlew war 1971 ein vermeintlich kommender Mann im ZK-Apparat gewesen, hatte sich jedoch wegen einer obskuren ideologischen Frage, die den russischen Nationalismus betraf, mit Suslow zerstritten. Er verlor seinen Posten im Zentralkomitee und wurde, wohl auch aufgrund seiner Studien an der Columbia University in New York City während der späten fünfziger Jahre, nach Kanada entsandt, wo er die routinemäßige Beobachtung der USA – dies ist die Hauptaufgabe der Botschaft in Ottawa – zu leiten hatte. Von seinem kanadischen Horchposten aus erwarb er ein intuitives Verständnis dafür, wie die amerikanische öffentliche Meinung gebildet und, natürlich, manipuliert wird. Die erste wichtige Gelegenheit, dieses Wissen zu nutzen, ergab sich während der Gorbatschow-Reise. Die beiden Männer saßen nach Gorbatschows Eintreffen in Kanada bis spät in die Nacht zusammen und waren einander sofort sympathisch. Jakowlew war, ungeachtet seiner Vertrautheit mit der amerikanischen Realität, ein genauso scharfer Kritiker der USA geblieben wie zur Zeit seiner ZK-Arbeit in Moskau. Gorbatschow war dankbar für die Unterweisung, die Jakowlew ihm während seines Besuches in Kanada gab. Als er zwei Jahre später Generalsekretär wurde, kehrte der nüchterne Jakowlew als Gorbatschows Propagandachef und zuverlässiger Medienberater ins ZK-Gebäude zurück. Aber auch Gorbatschow selbst besaß einen Sinn für Public Relations: Seine kanadischen Gastgeber lernten ihn als einen liebenswürdigen, fähigen und eindrucksvollen Repräsentanten der Sowjetunion kennen.

Jim Wright, ein Beamter des kanadischen Außenministeriums, begleitete die Delegation während des größten Teils der Kanadareise und beobachtete Gorbatschow aus nächster Nähe, während dem Russen lokale Besonderheiten, beispielsweise eine Bullensamenübertragung in Calgary, gezeigt wurden oder während er die kritischen Fragen eines außenpolitischen Parlamentskomitees in Ottawa beantwortete. „Er war allen anderen turmhoch überlegen", sagte Wright über Gorbatschow, der schon 1983 für offizielle kanadische Analytiker der Mann war, auf den man in der sowjetischen Hierarchie zu achten hatte. Wright fiel auf, wie sehr Gorbatschow sich zu Frauen und Kindern hingezogen fühlte und wie beeindruckt er von den Methoden der kanadischen Landwirtschaft war. Auf einer Viehfarm bat er einmal darum, mit „einigen der Arbeiter" sprechen zu dürfen.

„Wir haben eigentlich keine Menschen auf der Farm", sagte der verdutzte Eigentümer, der sich mit seiner Familie und ein paar Tagesarbeitern um eine Fläche von mehreren hundert Morgen kümmerte. Gorbatschow war verblüfft. Wright und andere, die Russisch sprachen, hörten ihn vor sich hinmurmeln: „Dies werden wir [in der Sowjetunion] in den nächsten fünfzig Jahren noch nicht erleben."

In ideologischen Fragen zeigte Gorbatschow abermals die Sprödigkeit, die seine öffentlichen Auftritte seit jeher bestimmen. Auf die grobe Frage eines kanadischen Parlamentsmitglieds in Ottawa, weshalb es so viele Spione in der sowjetischen Botschaft gebe, erwiderte Gorbatschow barsch, daß der Mann nur „amerikanische Provokationen" wiederhole. Während sein offizieller Gastgeber, Landwirtschaftsminister Whelan, mit ihm während eines Fluges einmal kanadische Zeitungen durchblätterte, stießen die beiden auf eine ganzseitige Supermarktanzeige mit den Tagesangeboten. Whelan pries die Wunder des freien Unternehmertums und des Wettbewerbs, doch Gorbatschow schnitt ihm das Wort ab. „Gene, versuchen Sie nicht, mich zum Kapitalismus zu bekehren", sagte er mit fester, doch freundlicher Stimme, „und ich werde nicht versuchen, Sie zum Kommunismus zu bekehren." Whelan staunte jedoch über eine unverblümte Bemerkung Gorbatschows zum Thema Afghanistan, als er einräumte: „Es war ein politischer Fehler, daß wir uns in diese Situation haben verwickeln lassen."

Mitte 1984 wurde Gorbatschow Vorsitzender der Außenpolitischen Kommission des Obersten Sowjets. In dieser Position besaß er zwar keine Exekutivgewalt, aber die Ernennung deutete darauf hin, daß die sowjetische

Führung ihn soviel Erfahrung wie möglich im außenpolitischen Bereich sammeln lassen wollte.

Im Juni machte er seine nächste Reise in den Westen: nach Rom zur Beisetzung Enrico Berlinguers, des Führers der Kommunistischen Partei Italiens. Antonio Rubbi, ein Führungsmitglied der Kommunistischen Partei und Chef ihrer außenpolitischen Abteilung, war überrascht von Gorbatschows Offenheit. Rubbi und andere ranghohe italienische Kommunisten führten während des kurzen Besuches beim Essen ein unerwartet freimütiges Gespräch mit Gorbatschow. „Man gewann den Eindruck, daß er die Lage in der Sowjetunion sehr kritisch beurteilte", berichtet Rubbi. „Er sagte, es gebe zuviel Zentralisierung und man müsse für Dezentralisierung sorgen. Außerdem wollte er mehr Macht für die [fünfzehn Sowjet-] Republiken." Rubbi, der die Sowjetunion häufig besucht und fließend Russisch spricht, hörte zum erstenmal einen sowjetischen Funktionär die Existenz eines Nationalitätenproblems einräumen und sogar die Machtkonzentration in Moskau kritisieren. Gorbatschow war seinerseits überrascht über den Anblick Hunderttausender Italiener, die, ohne von den Behörden zu diesem Zweck organisiert worden zu sein, dem toten Kommunistenführer Tribut zollten und von denen viele die Faust zum kommunistischen Gruß ballten.

Am Ende des Jahres konnte man bereits mit Tschernenkos Tod rechnen. Er war tagelang nicht in der Öffentlichkeit aufgetreten, und im Grunde regierte Gorbatschow die Sowjetunion. Im Dezember beschlossen die Sowjets, auf das Bestreben der britischen Premierministerin Margaret Thatcher nach verbesserten Beziehungen zu Moskau einzugehen und eine seit langem vorliegende Einladung für einen hohen Amtsträger anzunehmen. Gorbatschow wurde dazu ausersehen, und die Großbritannienreise wies von Anfang bis Ende alle Anzeichen einer Generalprobe für die Auslandsreisen eines künftigen Staatsführers auf. Gorbatschows Besuch in Kanada war von der Presse kaum zur Kenntnis genommen worden, weil ihn niemand kannte, doch zum Zeitpunkt der Reise von 1984 bestand kein Zweifel mehr, daß er zu den zwei oder drei Männern gehörte, die als Tschernenkos Nachfolger in Frage kamen.

Die britische Presse hatte sich auf einen recht förmlichen Besuch vorbereitet, der von antisowjetischen Demonstrationen gestört werden könnte. Aber nachdem Gorbatschow und Raissa – er in einem gutgeschnittenen Anzug und leutselig lächelnd, sie ziemlich attraktiv und wie selbstverständlich den Platz an seiner Seite einnehmend – gemeinsam am Flugplatz Heathrow aus ihrer Maschine gestiegen waren, fanden die Journalisten von der Fleet Street während des restlichen Besuches keine Ruhe mehr. Raissa wurde fast von Menschenmengen erdrückt, als sie Stratford-on-Avon besichtigte und in dem feudalen Londoner Warenhaus Harrod's ihre American Express Gold Card (ohne Kreditbegrenzung) hervorholte. Raissa war zwar auch nach Kanada eingeladen worden, hatte jedoch damals nicht reisen können. Damit bot der Besuch in England ihr erstmals Gelegenheit, die Rolle der sowjetischen First Lady zu spielen (obwohl Gorbatschow noch gar nicht an der Macht war).

Gorbatschow verblüffte die gewöhnlich nicht leicht zu beeindruckenden Briten mit Hinweisen auf C. Northcote Parkinson, den Verfasser einer satirischen Studie über bürokratische Gewohnheiten („Ich habe eine Neuigkeit für Sie", sagte er zu einem britischen Industriellen, „er ist jetzt in Moskau"), und mit der Erklärung, er habe den Roman *Korridore der Macht* des verstorbenen britischen Schriftstellers C. P. Snow gelesen. Außerdem erfreute er seine Gastgeber durch humorvolle Kommentare zu an sich ernsten Themen. Im Lesesaal des Britischen Museums, wo Karl Marx den größten Teil seiner Forschungsarbeit für *Das Kapital* und andere Werke durchgeführt hatte, witzelte Gorbatschow: „Leute, die Marx nicht mögen, sollten das Britische Museum für sein Werk verantwortlich machen." Aber er zeigte sich auch von einer barscheren Seite, als ein konservativer Parlamentsabgeordneter ihn wegen der Verfolgung religiöser Gruppen in der Sowjetunion zur Rede stellte. Gorbatschow erwiderte brüsk: „Regieren Sie Ihre Gesellschaft, und lassen Sie uns die unsere regieren. Ich könnte Ihnen ein paar Tatsachen über die Verletzung von Menschenrechten im Vereinigten Königreich nennen. Zum Beispiel verfolgen Sie ganze Gemeinschaften, ganze Nationalitäten." Seine Worte, die sich vermutlich auf die britische Rolle in Nordirland bezogen, fanden wenig Anklang bei seinem Publikum. Doch wie immer bewies Gorbatschow sein Geschick, auf Stimmungen sensibel zu reagieren, und milderte seine Bemerkung dadurch ab, daß er später beim Lunch mit dem Abgeordneten erläuterte: „Die Wahrheit ergibt sich aus hitziger Diskussion."

Bei diesem Besuch hätte Gorbatschow den Eindruck hinterlassen können, lediglich eine besser gekleidete und charmantere Version jener sowjetischen Polterer zu sein, die man bei früheren Anlässen in Großbritannien kennengelernt hatte. Aber Margaret Thatcher wertete den Gast entscheidend auf. Nach stundenlangen heftigen Diskussionen und scharfen Auseinandersetzungen mit Gorbatschow erklärte sie: „Ich mag Mr. Gorbatschow. Mit ihm kann man ins Geschäft kommen." Als sie im Sommer 1987 zur Erwiderung von Gorbatschows Besuch nach Moskau reiste, zogen sich die Debatten noch länger hin und wurden manchmal sehr gespannt, wenn auch, wie ein britischer Beobachter meinte, niemals unhöflich. „Gorbatschow scheint politische Diskussionen als völlig normal anzusehen", kommentierte ein britischer Vertreter, der mit den Gesprächen vertraut war.

Wie andere westliche Offizielle staunten auch die britischen Amtsträger darüber, wie extrem vereinfachend

Gorbatschows Ansichten werden konnten, wenn es um die Vereinigten Staaten ging. Einmal diskutierte er über den „militärisch-industriellen Komplex" und schien fest davon überzeugt, daß der amerikanische Präsident sich seine Handlungen von den Waffenherstellern diktieren lasse.

Eine der Stationen der Reise war Chequers, der offizielle Landsitz britischer Premierminister. Margaret Thatcher wollte sich mit Gorbatschow in einem weniger formellen Rahmen als in No. 10 Downing Street unterhalten. Die beiden setzten sich zu einer dreieinhalbstündigen Diskussion zusammen. Raissa streifte indessen im oberen Stockwerk des Hauses durch die lange Galerie; sie war fasziniert von der wertvollen Sammlung literarischer Erstausgaben und anderer Objekte, etwa den Briefen Napoleons.

Gorbatschow mußte seinen Besuch in Großbritannien abbrechen, weil Verteidigungsminister Dmitri Ustinow gestorben war. Der ZK-Sekretär kehrte nach Moskau zurück, nachdem er die Briten regelrecht bezaubert hatte.

Bis zum Tode Tschernenkos im folgenden März widmete er sich nun der sowjetischen Wirtschaft und versuchte, sich den radikalen Änderungen zu stellen, die notwendig schienen, um die Sowjetunion über das nächste Jahrzehnt hinaus funktionsfähig zu machen. Vielleicht weil er eingesehen hatte, daß das westliche Wirtschaftsmanagement und Verteilungssystem dem sowjetischen überlegen war, gab sich Gorbatschow besonders ernst, als er Ende 1984 vor dem Zentralkomitee sprach. Er erklärte seinem Publikum: „Wir können keine Weltmacht bleiben, wenn wir unser eigenes Haus nicht in Ordnung bringen." Drei Monate später war er in der Position, in der er die Last dieser Aufgabe übernehmen mußte.

Fünftes Kapitel

Der Reformer

Entblößten Hauptes folgten alle Beamten dem Sarge ... [Sie] beschäftigten sich nicht einmal mit der Erörterung jener praktischen Fragen, die meistens das Gesprächsthema der Leidtragenden bei Beerdigungen zu bilden pflegen. Ihre Gedanken waren vielmehr nur auf ihre eigenen Angelegenheiten gerichtet: Sie überlegten, wie der neue Generalgouverneur sein möge, wie er seine Aufgaben anfassen und sich ihnen gegenüber verhalten werde.

Nikolai Gogol, *Die toten Seelen*, 1842

Am 13. März 1985 versammelten sich die führenden Politiker der Sowjetunion im Säulensaal des Kreml zu einer weiteren Beerdigung auf dem Roten Platz, der vierten in achtundzwanzig Monaten. Konstantin Tschernenko, der kaum länger als ein Jahr die Kommunistische Partei geleitet hatte, folgte Leonid Breschnew, Juri Andropow und Dmitri Ustinow auf die bolschewistische Begräbnisstätte an der Kremlmauer. Aber diesmal mischte sich in die würdevolle Schwermut der offiziellen Trauerfeier eine unterschwellige Spannung, die Vorahnung eines tiefgreifenden Wandels, denn an der Spitze der Prozession war der forsche neue Generalsekretär Michail Gorbatschow zu sehen.

Wie Gogols Trauernde dachten die anderen Funktionäre in dem Trauerzug an jenem Tage vielleicht kaum an den abgezehrten Leichnam im Sarg. Statt dessen überlegten sie wahrscheinlich, wie sich der neue Generalsekretär verhalten und sie mit ihm auskommen würden. Wenn sie die Antworten gekannt hätten, würden sie vielleicht die nur achtundvierzig Stunden zuvor getroffene Entscheidung bedauert haben, das jüngste Mitglied des Politbüros in das führende Amt der Sowjetunion zu berufen. Denn innerhalb von zwölf Monaten sollte Gorbatschow die selbstzufriedene, bürokratisierte Welt über den Haufen werfen, die sie während der Breschnew-Ära aufgebaut hatten. Einige würden in Ungnade fallen, andere in den Ruhestand versetzt werden, und noch andere würden sich verzweifelt an den wenigen ihnen noch verbliebenen Privilegien der Macht festklammern. Sie und das ganze Land würden in den berauschenden und verwirrenden Tumult von *glasnost* und *perestroika* eintauchen. Es waren Wörter, deren Bedeutung an jenem naßkalten Märznachmittag sogar Sowjetbürgern kaum geläufig war, von der Außenwelt ganz zu schweigen.

Den meisten Berichten zufolge gab es so viele Vorbehalte gegen Gorbatschow, daß ihm der Posten des Generalsekretärs fast noch entglitten wäre. Daß er sich bei einer hastig am 10. März einberufenen Sitzung des Politbüros, die bis zum nächsten Morgen dauerte, durchsetzte, hatte er seinem Glück und seinem politischen Geschick zu verdanken. Eine wesentliche Voraussetzung für Gorbatschows Nominierung war die zufällige Abwesenheit von drei wichtigen Politbüromitgliedern: Wladimir Schtscherbizki, der ukrainische Parteiführer, war in San Francisco; Witali Worotnikow, ein farbloser Regierungsadministrator, hielt sich in Jugoslawien auf; und der Kasachstaner Parteivorsitzende Dinmuchamed Kunajew befand sich auf dem Weg von seiner Heimatstadt Alma-Ata nach Moskau. Zwei von ihnen sollten unter Gorbatschow zu leiden haben: Kunajew wurde wegen seiner langjährigen korrupten Herrschaft in Kasachstan schmachvoll entlassen, während Schtscherbizki sich wiederholte Kritik gefallen lassen mußte und von dem neuen Parteichef nur halbherzig auf seinem Posten geduldet wurde. Von den drei Abwesenden hätte sich wohl allenfalls Worotnikow in jener entscheidenden Kraftprobe im Kreml für Gorbatschow ausgesprochen.

Aber Gorbatschows Wahl kam nicht nur durch eine für ihn günstige Abwesenheit bestimmter Politbüromitglieder zustande. Die politischen Manöver, mit denen man sich auf Tschernenkos Tod vorbereitet hatte, waren komplex und machiavellistisch. Gorbatschow hatte während der längsten Zeit von Tschernenkos Krankheit praktisch als Zweiter Sekretär gedient, und er war während der öffentlichen Diskussionen, die den Wahlen vom 24. Februar 1985 zum Obersten Sowjet der RSFSR vorausgingen, im Politbüro sichtlich der Primus inter pares. Dies allerdings bot noch keine Gewähr für seine Nomierung. Abgesehen von Außenminister Andrej Gromyko hatte Gorbatschow keine eindeutigen Anhänger im Politbüro. Mehr noch, Tschernenko hatte bei seinen letzten öffentlichen Auftritten angedeutet, daß ihm Viktor Grischin, der mächtige Chef der Moskauer Parteiorganisation, als Nachfolger am liebsten sei.

Es ist eine interessante Frage, weshalb Grischin das höchste Amt verwehrt blieb. Laut Berichten, die nie bestätigt wurden, doch durchaus plausibel klingen, teilte das KGB dem Politbüro mit, daß peinliche Unterlagen existierten, die Grischins Bestechlichkeit während seiner Jahre als Moskauer Parteivorsitzender belegten. Dies könnte ausgereicht haben, Grischins Wahl zu verhindern. Wer stellte diese Unterlagen zur Verfügung und weshalb? Der KGB-Vorsitzende Viktor Tschebrikow gilt wegen seiner langen Zusammenarbeit mit dem verstorbenen Juri Andropow als einer der Hauptverdächtigen. Sollte diese Vermutung richtig sein, ist die Frage nach dem Weshalb relativ leicht zu beantworten: Es gab eine Absprache zwischen Tschebrikow und Gorbatschow. Dafür spricht, daß Gorbatschow als Generalsekretär den KGB-Vorsitzenden nicht ablöste und ihm sogar rasch die volle Politbüromitgliedschaft zuerkannte.

Wahrscheinlich schlug Grigori Romanow, der langjährige Leningrader Parteichef, Grischin während jener nächtlichen Politbürositzung vor. Er hätte für jeden anderen gestimmt, nur nicht für Gorbatschow, seinen Hauptrivalen in den letzten Monaten vor Tschernenkos Tod. Jedenfalls ist es kaum vorstellbar, daß jemand den arroganten und unbeliebten Romanow vorgeschlagen haben könnte, dessen Rücksichtslosigkeit als Leningrader Parteichef beunruhigend sein mußte.

Die Auswahl des Kandidaten durch das Politbüro war nur der erste Schritt. Am folgenden Tag kamen etwa zwei Drittel der dreihundert ZK-Mitglieder zusammen. Sie mußten Gorbatschows Nominierung bestätigen, was keineswegs eine Selbstverständlichkeit war. Dem Zentralkomitee gehörten zahlreiche Männer und Frauen an, die in der Breschnewschen Tradition aufgewachsen waren, und daß sie den Emporkömmling Gorbatschow unterstützten, war durchaus nicht sicher. Dies zeigte im nachhinein die offizielle Bekanntmachung, daß die Wahl *jedinoduschno* (einmütig) statt *jedinoglasno* (einstimmig) getroffen worden sei. Im Grunde wurde Gorbatschow durch allgemeinen Konsens gewählt, vielleicht ohne jede förmliche Abstimmung oder – falls doch eine stattfand – mit Enthaltungen oder, was äußerst ungewöhnlich gewesen wäre, sogar mit Gegenstimmen. Bei der Wahl des Generalsekretärs geht es normalerweise nicht darum, daß Genosse X mit Genossen Y wetteifert – die kommunistische Lehre weist ein solches Verfahren zurück –, sondern es geht um Stimmen für Personen, die nach umfassender Diskussion und normalerweise nach der Herausbildung eines Konsens vorgeschlagen werden.

Daß dieser Konsens offenbar nicht mühelos erreicht wurde, zeigt die Bezeichnung *jedinoduschno*. Den Ausschlag zugunsten von Gorbatschow scheint eine bemerkenswerte Rede von Gromyko gegeben zu haben. Der kühle und normalerweise leidenschaftslose Außenminister zeigte sich bei dieser Gelegenheit bemerkenswert engagiert. Gromyko improvisierte eine Rede, die wegen einer einzigen, vielsagenden Charakterisierung berühmt werden sollte: „Genossen, dieser Mann hat ein nettes Lächeln, aber er hat Zähne aus Eisen." Dann versicherte er den Mitgliedern, daß Gorbatschow den Anforderungen auf Gromykos eigenem Fachgebiet, der Außenpolitik, gerecht werde. „Vielleicht ist es mir etwas klarer als anderen Genossen, daß er sehr gut und sehr rasch das Wesen jener Entwicklungen durchschauen kann, die sich außerhalb unseres Landes, auf der internationalen Bühne, vollziehen. Ich selbst war oft überrascht von seiner Fähigkeit, den Kern eines Problems schnell und präzise zu erkennen und die richtigen Schlußfolgerungen im Interesse der Partei zu ziehen." Die Tatsache, daß der grantige alte Außenminister es für nötig hielt, die versammelten Mitglieder so ungewöhnlichen Überredungskünsten auszusetzen, deutet darauf hin, wie schmal Gorbatschows Mehrheit gewesen sein muß.

Gromykos Bemerkungen sind in der Sowjetunion nie der breiten Öffentlichkeit bekanntgemacht worden. Überhaupt hat es kaum eine öffentliche Diskussion darüber gegeben, wie knapp der Sieg war, durch den Gorbatschow an die Macht gelangte. Aber im Januar 1987 veröffentlichte die Wochenzeitschrift *Ogonjok* Überlegungen des Geschichtsdramatikers Michail Schatrow über den Prozeß des politischen Wandels in der Sowjetunion. Schatrow, ein politisch scharfsinniger Bühnenschriftsteller mit guten Beziehungen, interpretierte die Geschehnisse folgendermaßen:

„März 1985 – dies war ein Kampf nicht um die Macht, sondern für eine Idee, für die Notwendigkeit und Möglichkeit einer demokratischen Erneuerung des Landes, ein Kampf um die Rückkehr zu den Ideen des Oktober [der bolschewistischen Revolution]. Gab es eine Alternative? Vom Standpunkt der grundlegenden Interessen des Sozialismus aus gab es nie eine. Aber wir dürfen nicht vergessen, daß im realen Leben eine Alternative existierte. Parolen wie ‚Laßt uns Moskau in eine beispielhafte kommunistische Stadt verwandeln', die häufig Lügen, Korruption und andere Folgen eines Mangels an Demokratie überdecken, wären vielleicht im ganzen Lande aufgetaucht. Wir dürfen diese Bedrohung nicht vergessen, die im März real existierte und, jedenfalls auf längere Sicht, zu der Rückkehr ‚unbegrenzter Macht' hätte führen können. Die Probleme, welche das Land ersticken lassen, konnten entweder auf den Wegen der Demokratisierung gelöst oder mit roher Gewalt unterdrückt werden. Es gab keine dritte Möglichkeit."

Der Hinweis auf Korruption in der sowjetischen Hauptstadt macht mehr als deutlich, daß Gegner Gorbatschows versucht haben müssen, die Kandidatur Grischins zu fördern. Die abrupte „Pensionierung" Romanows in den Monaten nach Gorbatschows Machtübernahme scheint zu bestätigen, daß er an den Manövern zur Unterstützung Grischins beteiligt war. Tschebrikows Rolle ist schwerer zu erkennen; im März 1985 war er noch ein nicht stimmberechtigtes Mitglied des Politbüros.

Tschernenkos Leiche war kaum erkaltet, da inszenierte Gorbatschow bereits ein verblüffendes außenpolitisches Festival: Es begann eine ganze Serie von persönlichen Begegnungen mit den Würdenträgern, die gekommen waren, um dem Toten die letzte Ehre zu erweisen. Sie alle reisten beeindruckt ab. Vizepräsident George Bush, der höchste US-Repräsentant bei der Beisetzung, sagte, sein fünfundachtzig Minuten dauerndes Gespräch mit dem neuen Generalsekretär habe ihm Hoffnung gemacht, „daß wir in Genf Fortschritte erzielen und die Spannung allgemein mindern können". Der französische Präsident François Mitterrand schätzte Gorbatschow als einen „ruhigen, gelösten Mann" ein. Der kanadische Premierminister Brian Mulroney meinte, er habe „offensichtlich das Kommando", und Bundeskanzler Helmut Kohl bemerkte, daß man bei Gorbatschow nicht das Gefühl habe, „einer tibetanischen Gebetsmühle zuzuhören". Der pakistanische Herrscher General Mohammed Zia ul-Haq hätte vielleicht lieber einer Gebetsmühle zugehört als der Standpauke, die Gorbatschow ihm wegen der Unterstützung der afghanischen Rebellen durch Pakistan hielt. Alle stimmten jedoch mit dem überein, was Margaret Thatcher nach ihrer Moskauer Begegnung mit ihm bekräftigt hatte: Er sei ein Mann, mit dem man ins Geschäft kommen könne.

Der neue Generalsekretär war auch bemüht, seinem eigenen Volk zu zeigen, daß es nun einen dynamischen Führer hatte, der ihm weniger distanziert gegenüberstand als seine Vorgänger. Sein Image war das eines bescheidenen und aufrichtigen Mannes. Keine gigantischen Porträts von ihm selbst oder anderen Mitgliedern des Politbüros durften in der Stadt aufgehängt werden. Man baute die berüchtigten zehn Meter hohen Plakate mit den „Ganovenvisagen" des Politbüros ab, welche die Hauptstraßen beherrscht hatten. Noch im Monat der Beisetzung Tschernenkos erschien Gorbatschow in Fabriken, Krankenhäusern und Schulen, wobei ihm Fernsehkameras und Mengen überraschter und ihn bewundernder Bürger folgten.

Gorbatschows Selbstdarstellung als Mann des Volkes wurde auf eine harte Probe gestellt, als den Sowjetbürgern seine Absicht klar wurde, der am häufigsten gebrauchten und mißbrauchten Droge des Landes, dem Alkohol, starke Beschränkungen aufzuerlegen. Mit einem radikalen Erlaß vom 16. Mai 1985 ordnete er erhebliche Kürzungen in der Wodkaproduktion an, erhöhte die

Geldstrafen für Trunkenheit in der Öffentlichkeit, reduzierte die Zahl der Alkoholverkaufsstellen und verkürzte ihre Öffnungszeiten; außerdem hob er das Mindestalter für den Alkoholkonsum von achtzehn auf einundzwanzig Jahre an. Über Nacht bildeten sich lange Schlangen vor Spirituosenläden, und überall im Lande kursierten gegen Gorbatschow gerichtete Witze, die allerdings meist einen gutmütigen oder sogar freundschaftlichen Tonfall hatten. Man bezeichnete ihn als den „Mineralwasser-Sekretär" und nannte ihn nicht *Gensek* (Abkürzung von „Generalsekretär"), sondern *Gensok* (russisch *sok* bedeutet „Saft").

Gewiß waren viele Männer über den Alkoholmangel verbittert, aber von Frauen, die sich über die Trinkerei ihrer Männer ärgerten, wurde die Anti-Alkohol-Kampagne im allgemeinen begrüßt. Auch zahlreiche Industriefunktionäre unterstützten das Programm, da sie aus Erfahrung wußten, wie sehr der Alkoholismus die Produktion beeinträchtigte. Andere betrachteten die Kampagne als ein langfristiges Unternehmen, das erst nach ein oder zwei Generationen Ergebnisse zeitigen würde. „Diese Politik wird nicht in diesem Jahr oder im nächsten Jahr oder auch in zehn Jahren erfolgreich sein", sagte ein islamischer Diplomat, der die Kampagne billigte. „Sie wird erfolgreich sein, wenn die nächste Generation nicht mehr mit der Vorstellung aufwächst, daß jede Zusammenkunft sich in ein Trinkgelage zu verwandeln hat. Dies ist eine Politik für die Zukunft."

Viele Ärzte und Soziologen erkannten allerdings früh, daß drakonische Gesetze und eine halbe Prohibition nur kurzfristig wirksam sein würden. In der Tat wurde innerhalb von Monaten nach Gorbatschows Einschränkungen wegen der verbreiteten Schwarzbrennerei der Zucker knapp, und jedes Fläschchen billigen Kölnischwassers im Lande war verkauft. „Die Alkoholiker bekommen ihren Wodka immer noch", sagte ein sowjetischer Funktionär der mittleren Ebene. „Vielleicht kostet er sie mehr und ist schwerer aufzutreiben, aber sie bekommen ihn weiterhin. Wir übrigen wollen nicht so viel Zeit mit Schlangestehen verschwenden, und deshalb sind wir diejenigen, die zu leiden haben." Gorbatschow hat nicht in seiner Entschlossenheit nachgelassen, dem nationalen Gelage ein Ende zu setzen, aber er hat gestattet, in regelmäßigen Abständen die Verkaufszeiten auszuweiten, um denen entgegenzukommen, die nur eine Flasche Wein für eine Geburtstagsfeier kaufen möchten.

In den ersten Monaten seiner Amtszeit kümmerte Gorbatschow sich allerdings weniger um die Trinker als um sein eigenes Überleben in einer gefährlichen politischen Arena. Er leitete ein „Großreinemachen" in Partei und Regierung ein, das bald die Ausmaße einer Säuberung annahm; Tausende von überalterten Bürokraten mußten in Pension oder, in einigen Fällen, wegen Bestechlichkeit ins Gefängnis gehen. Es war eine beunruhigende Zeit für die alten Provinzfürsten der Breschnew-Ära, die ihre nationalen und regionalen Liegenschaften wie Feudalherren des alten Zarenreiches regiert hatten und selten durch Einmischung Moskaus gestört worden waren, solange sie ihren Tribut entrichteten und dafür sorgten, daß das Volk ruhig blieb. Die ersten Anzeichen kommender Schwierigkeiten tauchten im Mai 1985 auf, als der neue Generalsekretär einen seiner öffentlichen Abstecher nach Leningrad unternahm. In einer Rede vor Parteiaktivisten warnte er: „Wir alle müssen unsere Einstellung ändern, vom Arbeiter bis hin zum Minister. Jeder, der dazu nicht bereit ist, muß uns eben aus dem Weg gehen." Später fand ein berühmter Moskauer Journalist eine passende Analogie für die Änderungen, die Gorbatschow der Sowjetunion bringen wollte: „Dies ist ein Tanzabend in einer Gesellschaft, die nie getanzt hat", sagte Witali Korotitsch, Chefredakteur der Zeitschrift *Ogonjok*. „Und in einer multinationalen Diskothek wie dieser werden sehr viele Leute einander auf die Zehen treten."

Gorbatschow trat Hunderttausenden auf die Zehen. Bei seiner Machtübernahme begann die Partei gerade ihre öffentliche Diskussion, mit der sie sich auf den XXVII. Parteitag am Anfang des Jahres 1986 vorbereitete. Gorbatschow benutzte diese Gelegenheit, um eine unblutige Säuberung unter den „Kadern", den hauptamtlichen Funktionären der Partei, durchzuführen. Daneben löste er Dutzende hochrangiger Minister ab oder zwang sie in den Ruhestand. Unter den ersten, die zu gehen hatten, war der Leningrader Parteichef Grigori Romanow, Gorbatschows Rivale in der mitternächtlichen Politbürositzung nach Tschernenkos Tod. In der Hauptstadt kursierten Skandalgerüchte über Romanow, und Funktionäre, die zu Gorbatschows Anhängern gehörten, leiteten die Gerüchte an ausländische Diplomaten und Journalisten weiter, so daß sie sich mit Hilfe ausländischer Rundfunksender unter der Bevölkerung verbreiteten. Es hieß, Romanow sei ein Trinker und Rowdy, der seine Autorität mißbraucht und seine Untergebenen in Leningrad schikaniert habe. Eine Geschichte besagte, er habe der berühmten Leningrader Eremitage befohlen, für das Hochzeitsbankett seiner Tochter eine Kollektion kostbaren Sèvresporzellans zur Verfügung zu stellen. Die Gesellschaft sei außer Rand und Band geraten, und betrunkene Gäste hätten mehrere Stücke des Tafelgeschirrs zerschmettert. Die Geschichte paßte gut zu seinem Namen: Die Romanows waren die Zarendynastie, welche die Bolschewiki in der Oktoberrevolution stürzten. Mitte des Sommers war der Mann, der nun „der letzte der Romanows" genannt wurde, seinerseits gestürzt, das heißt „aus Gesundheitsgründen" in den Ruhestand geschickt worden. Diesmal besagten die Gerüchte, er habe sich wegen Alkoholismus ins Krankenhaus begeben müssen.

Romanow war eines der bekanntesten politischen Opfer Gorbatschows, aber nicht das einzige. Bis zum Beginn des Parteitags waren sechzig Prozent der rund hundert höchsten Regierungsmitglieder abgelöst worden. In manchen Republiken, etwa in Kasachstan, amtierten in mehr als der Hälfte der Verwaltungsgebiete neue Erste Parteisekretäre. Gorbatschow befreite auch die Streitkräfte von einigem Ballast. Er zeigte sowohl Entschlossenheit wie Überredungskunst, als er Offiziere wie Admiral Sergej Gorschko (siebenundsiebzig Jahre alt), den Begründer der modernen Flotte des Landes, und General Alexej Jepischew (neunundsiebzig Jahre alt), den Chef der militärpolitischen Verwaltung, ablöste. Die Leichtigkeit, mit der Gorbatschow diese alten Soldaten und Seeleute in den Ruhestand schickte, zeigte, wie recht Gromyko gehabt hatte: Dieser Genosse hatte Zähne aus Eisen.

Auch der Erfinder dieses Bonmots sollte bald den Biß jener Zähne spüren. Unter Gromyko war das Außenministerium seit langem ein unangreifbares, unabhängiges Machtzentrum gewesen, das von der Parteibürokratie kaum behelligt wurde. Aber es war auch ein Bollwerk der konservativen Vetternwirtschaft, die sowjetische Entsprechung des englischen „Old-Boy-Systems". Von allen Institutionen der Sowjetmacht schien keine unzugänglicher für ernsthafte Reformen als das Außenministerium. Doch im Juli 1985 wurde Gromyko bei einer Sitzung des Obersten Sowjets von Eduard Schewardnadse abgelöst, dem liebenswürdigen weißhaarigen Politbüromitglied aus Georgien. Schewardnadse hatte praktisch keine diplomatische Erfahrung, aber das Ministerium und das Ausland sollten bald merken, daß sich hinter dem äußerlich unbekümmerten Georgier ein fähiger Administrator und fairer Verhandlungsführer verbarg, der das Ministerium und mit ihm die sowjetische Außenpolitik völlig umgestaltete.

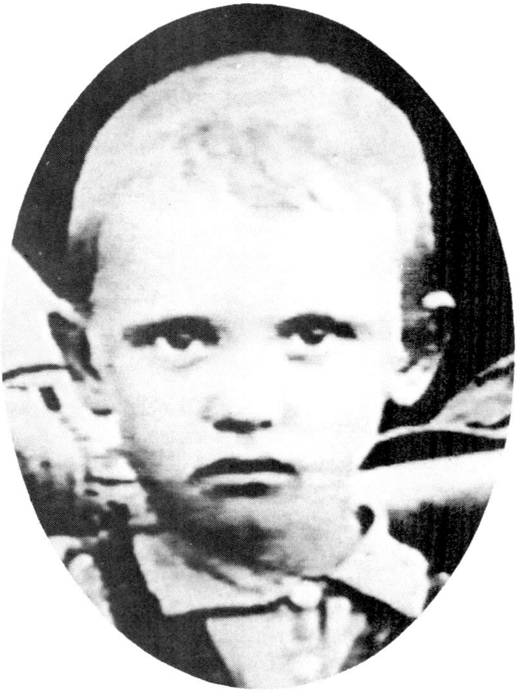

„Mischa" Gorbatschow im Alter von vier Jahren
Gostelradio

Mit den Großeltern in Priwolnoje, um 1935
Gostelradio

oben links: *Vater Sergej Andrejewitsch Gorbatschow, Ende der vierziger Jahre*
Gostelradio

oben rechts: *Mutter Maria Pantelejewna, 1987*
Gostelradio

rechts: *Michail mit 19 Jahren*
Gostelradio

Michail und Raissa zur Zeit ihrer Hochzeit im Jahre 1954
Gostelradio

Als Student an der Moskauer Staatsuniversität,
Anfang der fünfziger Jahre
Gostelradio

Bei einem Besuch in der DDR im Jahre 1966 erhält Gorbatschow ein Halstuch von einem Jungen Pionier
ADN-Zentralbild

Familienporträt, wahrscheinlich aus den siebziger Jahren
Von links: *Mutter Maria Pantelejewna, Tochter Irina, Michail, Raissa, Schwiegersohn Anatoli*
Richardson + Steirman

Das Haus in der Dserschinski-Straße in Stawropol, in dem die Gorbatschows bis 1978 wohnten.
Rudi Frey – TIME

Michail und Raissa im Urlaub in der Sowjetunion, etwa 1986
Richardson + Steirman

rechts: *mit der Enkelin in Moskau, 1985*
V. Kusin – TASS

unten: *Tochter Irina mit ihrem Mann Anatoli auf dem Roten Platz, 1987*
Boris Jurtschenko – Associated Press

Beim Hummeressen in Ottawa während des Kanada-Besuches 1983
Courtesy Hon. Eugene F. Whelan, P. C.

Gorbatschow in Frankreich im Jahre 1985: offizielle Begrüßung durch den französischen Staatspräsidenten Mitterrand
APN

Michail Gorbatschow im Gespräch mit Arbeitern der Moskauer Lichatschow-Autowerke, 1985
W. Musseljan / E. Pessow – TASS

Während des Gipfeltreffens in Genf mit einer Delegation amerikanischer Friedensanhänger, 1985
TASS

Beim XI. SED-Parteitag im April 1986 mit DDR-Staatschef Erich Honecker
APN

Mit einer rumänischen Folkloregruppe in Bukarest, 1987
A. Tschumitschew / J. Lisunow – TASS

Wie ein westlicher Politiker gibt sich Gorbatschow 1987 in Bukarest ganz volksnah
A. Tschumitschew / J. Lisunow – TASS

Beim Besuch in der Tschechoslowakei im April 1987 wird Gorbatschow von der Prager Bevölkerung freudig begrüßt
J. Abramotschkina – APN

Gorbatschow begrüßt die Mannschaft eines Atom-U-Bootes beim Besuch eines Marine-Stützpunktes in Seweromorsk, nördlich von Leningrad, 1987
V. Kusin / N. Malyschew / A. Tschumitschew – TASS

Der ehemalige Mähdrescherfahrer Michail Gorbatschow prüft das Getreide auf der Kolchose Borez in der Nähe von Moskau, 1987
A. Tschumitschew / J. Lisunow – TASS

Abrüstungsgespräche in Reykjavik, Oktober 1986
J. Lisunow / A. Tschumitschew – TASS

Zur Vorbereitung des Washingtoner Gipfels hält sich US-Außenminister George Shultz im Oktober 1987 in Moskau auf
S. Gunejewa – APN

Lächeln für die Photographen während des erfolgreichen Gipfeltreffens im Dezember 1987 in Washington
Diana Walker – TIME

Eine ungeplante, aber publikumswirksame Begegnung mit der Washingtoner Bevölkerung während des Gipfeltreffens 1987
J. Lisunow – TASS

Die beiden First Ladies Raissa Gorbatschowa und Nancy Reagan während des Moskauer Gipfeltreffens im Mai 1988
dpa/AFP

Gipfeltreffen in Moskau, Mai 1988: Das sowjetische Staatsoberhaupt Andrej Gromyko, Parteichef Michail Gorbatschow und US-Präsident Ronald Reagan
dpa/epa

Auf dem 19. Allunionskongreß der KPdSU Ende Juni / Anfang Juli 1988 wird Gorbatschow – zum Teil nach heftigen Diskussionen – in seinem Reformkurs bestärkt
dpa/epa

Armenier fordern auf einer Kundgebung in Moskau kurz vor der Allunions-Parteikonferenz im Juni 1988 mehr Autonomie und Demokratie

dpa/epa

Mitglieder der litauischen Volksfront auf einer Versammlung im Oktober 1988

dpa/TASS

Gorbatschow bei einem Besuch in Tallin, der Hauptstadt von Estland, Februar 1988
dpa/TASS

Demonstranten fordern während einer Tagung des Obersten Sowjet der Sowjetrepublik Estland im November 1988 größere Unabhängigkeit von Moskau
dpa/epa

Michail Gorbatschow mit dem polnischen Parteichef Wojciech Jaruzelski während eines Besuches in Warschau, Juli 1988
dpa/epa

Staatsbesuch von Bundeskanzler Helmut Kohl in Moskau, Oktober 1988
dpa/Martin Athenstädt

Gorbatschow vor der UNO-Vollversammlung in New York, Dezember 1988
dpa/AFP

Mit dem amerikanischen Präsidenten Ronald Reagan und dessen Nachfolger George Bush vor der New Yorker Freiheitsstatue, Dezember 1988

dpa/AFP

Armenier, die aufgrund des eskalierenden Nationalitätenkonfliktes aus Aserbeidschan in die Nachbarrepublik Armenien flüchten
dpa/epa

Michail Gorbatschow mit seiner Frau Raissa und Ministerpräsident Nikolai Ryschkow in Leninakan (Armenien) kurz nach dem verheerenden Erdbeben im Dezember 1988
APN

Im Mai 1988 beginnt die Sowjetunion mit dem Abzug ihrer Truppen aus Afghanistan
dpa/epa

Sowjetische Soldaten in Afghanistan wenige Tage vor Beendigung des Rückzugs, Februar 1989
dpa/epa

Großdemonstration zugunsten des abgesetzten Moskauer Parteichefs Boris Jelzin, der für den Kongreß der Volksdeputierten kandidiert

dpa/epa

Der sowjetische Physiker und Nobelpreisträger Andrej Sacharow bei der Stimmabgabe zur Wahl des Volksdeputiertenkongresses im März 1989

dpa/epa

Gromyko, die eisigste Gestalt des Kreml, wurde mit dem Ehrenamt des Präsidenten (offiziell: Vorsitzender des Präsidiums des Obersten Sowjets) abgefunden. Zu den wichtigsten Aufgaben des sowjetischen Präsidenten gehören Ordensverleihungen und der Vollzug diverser Einweihungen. Mit anderen Worten, Gromyko wurde elegant aus der Außenpolitik entfernt. Aber er behielt seinen Sitz im Politbüro ebenso wie die vielen Privilegien, an die er sich während seiner langjährigen Machtausübung gewöhnt hatte. Dieser Schachzug machte potentiellen Gegnern auch deutlich, daß Gorbatschow nicht nur zu strafen, sondern auch zu belohnen versteht.

Während Gorbatschow sich auf seinem neuen Posten allmählich sicherer fühlte, schienen seine Pläne sich über die Gegenwart hinaus bis zum Jahr 2000 zu erstrecken, in dem er noch im Amt sein könnte. Einige seiner Ziele legte er Ende August 1985 in einem ungewöhnlichen Interview mit *Time* dar. Bei einer zweistündigen Unterhaltung im Kreml mit den Redakteuren der Zeitschrift und in ausführlichen Antworten auf schriftlich eingereichte Fragen ließ Gorbatschow ein nahezu messianisches Drängen erkennen, was Rüstungskontrolle und sowjetisch-amerikanische Beziehungen betraf. „Die Situation in der heutigen Welt ist äußerst kompliziert, sehr gespannt", sagte er. „Ich würde mich nicht scheuen, sie explosiv zu nennen." Bei anderer Gelegenheit benutzte er eine Metapher, die er später oft wiederholen sollte: „Die Zeit vergeht, und es könnte zu spät sein. Der Zug hat vielleicht bereits den Bahnhof verlassen . . . Wir müssen den politischen Willen und die Weisheit aufbringen, diesen Prozeß abzubrechen, und damit beginnen, Waffen zu vernichten sowie die Beziehungen zwischen der Sowjetunion und den Vereinigten Staaten zu verbessern und zu kräftigen."

Es liegt auf der Hand, daß sein Drängen vornehmlich von seiner Sorge um die Sowjetwirtschaft bestimmt war.

Die Wirtschaft war in einem schlimmen Zustand. Noch 1975 machte die sowjetische Produktion etwa achtundfünfzig Prozent der US-Produktion aus. Aber bis 1984 war sie auf vierundfünfzig Prozent gesunken, und seitdem hat sie sich wahrscheinlich weiter verringert. In seinem Interview mit *Time* skizzierte Gorbatschow Pläne zum Einsatz von „Instrumenten wie Gewinn, Preisgestaltung, Kreditaufnahme und Autarkie von Betrieben", um die Wirtschaft wiederzubeleben. Er schloß mit der Bemerkung: „Denken Sie über eines nach: Welche äußeren Bedingungen benötigen wir, um unsere innenpolitischen Pläne verwirklichen zu können? Ich überlasse Ihnen die Antwort auf diese Frage."

In den folgenden Monaten erläuterte Gorbatschow bei verschiedenen anderen Gelegenheiten ein Fünfzehnjahresprogramm für Umgestaltungen in der Sowjetunion und auf der ganzen Welt – ein Programm, das auf eine neue kommunistische Vision für das einundzwanzigste Jahrhundert hinauslief. Es war bescheidener als frühere Prophezeiungen, daß die Sowjetunion reicher als Amerika sein werde – ein Versprechen, das auf wohl denkwürdigste Weise von Nikita Chruschtschow gegeben wurde: Er sagte im Jahre 1961 zuversichtlich voraus, die Pro-Kopf-Produktion der UdSSR werde jene der USA bis zum Jahre 1970 übertreffen. Gorbatschows Programm war zudem weniger bedrohlich als die marxistische Idee der Weltrevolution. Seine Vision war ehrgeizig, aber sie ging nicht über die Träume eines Praktikers hinaus. Zu ihr gehörten:

1. Ein Rüstungskontrollplan, der die Beseitigung von Kernwaffen bis zum Ende des Jahrhunderts vorsah und im Jahre 1987 das erste Abkommen der Supermächte über das Verbot einer ganzen Gruppe von nuklearen Waffen ermöglichen sollte.
2. Eine alle Bereiche umfassende Erweiterung der Redefreiheit mit dem Schwerpunkt auf seiner berühmten

glasnost-Politik sowie eine beispiellose Lockerung auf dem Gebiet der Künste und des Journalismus.

3. Reformen der Bürgerrechte, darunter die Freilassung zahlreicher politischer Gefangener, Erleichterung von Auslandsreisen und eine Revision des sowjetischen Strafrechts.

4. Wirtschaftsreformen – das *perestroika*-Programm –, die größeren Nachdruck auf individuelle Anreize und auf die Wirkung von Markteinflüssen legen, wodurch die notorisch stockende Ökonomie angeheizt werden sollte.

5. Allmähliche Schritte in Richtung auf eine stärkere „Demokratisierung" in der Sowjetgesellschaft, darunter die Wahl von Managern durch Arbeiter und geheime Abstimmungen auf niedrigeren Ebenen der Kommunistischen Partei.

6. Eine völlige Neugestaltung der sowjetischen Außenpolitik und des Propagandaapparats mit dem Ziel, das öffentliche Image der Sowjetunion und ihre Beziehungen zur übrigen Welt erheblich zu verbessern.

Gorbatschow verfolgte diese Ziele vornehmlich mit Hilfe seiner beträchtlichen Fähigkeiten im Bereich der Kommunikation. Es gelang ihm mit überraschender Leichtigkeit, die Aufmerksamkeit, wenn auch nicht immer die Billigung, einer mißtrauischen Welt zu erringen, vor allem die einer oft feindseligen US-Regierung. Er bewies großes Geschick darin, den richtigen Zeitpunkt und den richtigen Ort für die Bekanntgabe seiner vielen Rüstungskontrollinitiativen zu wählen. Zum Beispiel nutzte er den vierzigsten Jahrestag des Abwurfs der Atombombe auf Hiroschima dafür, ein einseitiges Moratorium zur unterirdischen Erprobung von Kernwaffen zu erklären und die USA zu dem gleichen Schritt aufzufordern. Die Regierung Reagan weigerte sich standhaft, auf die Herausforderung einzugehen, aber Gorbatschow weitete das Moratorium trotzdem erst um drei und dann noch einmal um vier Monate aus.

Der Waffenkontrollplan war, trotz seines propagandistischen Ziels, unzweifelhaft flexibel und genügte, das Genfer Gipfeltreffen zwischen Gorbatschow und Reagan zustande zu bringen. Diese Begegnung ist eher ihrer Atmosphäre als ihrer Ergebnisse wegen bemerkenswert, aber vielleicht ging es vor allem um die Atmosphäre. In Genf fand das vertrauliche „Gipfeltreffen am Kamin" statt, symbolisiert von dem Bild der beiden mächtigsten Männer der Welt, die in einem bescheidenen Häuschen vor einem lodernden Feuer sitzen und einander einzuschätzen versuchen. Was sie herausfanden, dürfte keinen der beiden überrascht haben: starke Überzeugungen, die von einem starken Willen gestützt wurden. Reagan beharrte unversöhnlich auf der Notwendigkeit seines *Star-Wars*-Programms. Gorbatschow wies es genauso unerschütterlich zurück. „Es ist nicht plausibel", sagte er. „Es resultiert aus Gefühlen, aus einem Traum. Wer kann es kontrollieren? Wer kann es überwachen? Es eröffnet ein Wettrüsten im All ... Weshalb können Sie uns nicht glauben, wenn wir sagen, daß wir keine Waffen gegen Sie einsetzen werden?" Reagan erwiderte: „Ich kann dem amerikanischen Volk nicht mitteilen, daß ich Sie beim Wort nehmen möchte, wenn *Sie* kein Vertrauen zu *uns* haben."

Immerhin bestätigte der Austausch, daß Gorbatschow – um Margaret Thatchers Wort abzuwandeln – ein Mann war, mit dem Reagan ins Geschäft kommen konnte. Genf führte zu Reykjavik, und Reykjavik führte zu Washington und zum INF-Vertrag. Für weitere Abkommen wurde der Grundstein gelegt.

Mittlerweile setzte Gorbatschow seine fast monatlichen Rüstungskontrollinitiativen fort. Einige seiner Ideen bedeuten nur geringfügige Verschiebungen der sowjetischen Position und wurden ausschließlich aus Propagandagründen präsentiert. Aber wie schon in seinem *Time*-Interview ließ er einen Willen zur Rüstungskontrolle erkennen, der, ob aufrichtig oder nicht, die öffentliche Meinung für ihn einnahm. Nach jedem Gipfeltreffen entsandte er seine Emissäre, um die sowjetischen Vorschläge zu „verkaufen“. Die Taktik hatte Erfolg: Das „Gorbi-Fieber“ fegte mit solcher Kraft über die Welt hinweg, daß Gorbatschow bei Meinungsumfragen in Westeuropa manchmal mehr Popularität und Hochachtung zuteil wurde als dem US-Präsidenten. Gorbatschow erzielte sogar Erfolge in Osteuropa, wo der seit der Nachkriegszeit hier und dort bestehende Groll gegen die Sowjets widerwilliger Bewunderung und teilweise sogar aufrichtiger öffentlicher Zuneigung für diesen neuen Generalsekretär Platz machte.

Die Bewunderung war bisweilen unverdient. Viele von Gorbatschows Leistungen reichten nicht an seine erklärten Ziele heran, was manchmal ganz in seinem Sinne war. Der in Washington unterzeichnete INF-Vertrag hätte lange zuvor abgeschlossen werden können, wenn die ursprüngliche amerikanische „Nullösung“ in Europa und strenge Verifizierungsverfahren von den Sowjets akzeptiert worden wären und wenn Gorbatschow nicht mehr als ein Jahr darauf verschwendet hätte, INF und andere Aspekte der Rüstungskontrolle zu koppeln, wieder zu entkoppeln und von neuem zu koppeln.

Das Lob, das ihm für Verbesserungen auf dem Gebiet der Menschenrechte gezollt wird, ist verfehlt, wenn man bedenkt, daß seine Maßnahmen hinter denen zurückbleiben, die von westlichen Industrienationen erwartet und verlangt werden. Die sowjetische Wirtschaft, ein riesiges und brüchiges Gebäude aus bürokratisierten Ministerien und engstirniger zentraler Planung, kann nicht durch Ideen reformiert werden, die kaum mehr als Stückwerk sind. Gorbatschows „Demokratisierung“ ist nur ein schwacher Abglanz des von Jefferson geprägten Begriffs. Er ist kein Mann, der Opposition, ob loyal oder nicht, gegen die „Führungsrolle“ der Kommunistischen Partei toleriert. Und seine Außenpolitik hat sich weitgehend nur dem Stil, nicht der Substanz nach verändert: Noch muß erst bewiesen werden, daß das langfristige sowjetische Ziel einer panmarxistischen Welt aufgegeben wurde.

Doch in den ersten Jahren seiner Amtszeit weckte Gorbatschow Aufregung und Optimismus, was die Zukunft der Sowjetunion und der Länder in ihrem Machtbereich betrifft. Er änderte die Basis für die Ost-West-Beziehungen, indem er die Sowjetunion für eine mißtrauische Welt – und für das Land selbst – glaubwürdiger werden ließ. Wie *Ogonjok*-Chefredakteur Korotitsch bemerkte: „Es wird immer jemand im Westen behaupten, daß wir die Welt betrügen wollen. Aber für uns kommt es nicht darauf an zu beweisen, daß es uns fernliegt, die ganze Welt zu betrügen. Für uns kommt es darauf an, so zu leben, daß wir uns nicht selbst betrügen."

Die Notwendigkeit, den Selbstbetrug zu beenden, brachte die auffälligste, erfolgreichste und spektakulärste von Gorbatschows Neuerungen hervor: *glasnost.* Das Wort wird gewöhnlich mit „Offenheit" übersetzt, aber es bedeutet gleichzeitig mehr und weniger. Mehr, weil es auch Publizität und damit die Forderung einschließt, daß Tatsachen aktiv an die Öffentlichkeit gebracht werden sollten. Weniger, weil *glasnost* als Werkzeug der Partei betrachtet wird, als Mittel, mit dem die Partei das Land effektiver regieren kann. Der Begriff ist bestenfalls entfernt mit der westlichen Vorstellung von Freiheit des Wortes oder der Presse verwandt. Aber als politisches Ziel und als Idee hat *glasnost* die Weltanschauung und die Selbsteinschätzung der Sowjetunion tiefgreifend verändert.

Gorbatschow deutete kurz nach seiner Amtsübernahme an, daß er eine geistige Belebung und eine gewisse Demokratisierung als wesentlich für die wirtschaftliche Erneuerung betrachte. In der Tat sieht er *glasnost* als einen Ersatz für das Mehrparteiensystem. Dies betonte er 1986, ein Jahr nachdem er sein Amt angetreten hatte, vor einer Schriftstellerversammlung, und er führte diesen Gedanken in späteren Reden weiter aus. Im Juli 1986 sagte er in Wladiwostok: „Wir haben keine Oppositionsparteien, Genossen . . . Deshalb sind [Kritik und Selbstkritik] wesentlich für das normale Funktionieren sowohl der Partei wie der Gesellschaft."

Diese Worte treffen nachweisbar zu, aber sie werden in der Sowjetunion, wo *glasnost* sich nur sukzessive durchsetzt, nicht allgemein akzeptiert und verstanden. Die *glasnost*-Politik wäre beinahe schon an ihrer ersten Prüfung gescheitert. Zu ihr kam es am 26. April 1986, als Einheit 4 des Kernreaktors in Tschernobyl, 120 Kilometer von Kiew entfernt, außer Kontrolle geriet und explodierte, so daß eine gigantische Wolke radioaktiver Partikel in die Atmosphäre geschleudert wurde. Damals sagten Gorbatschow und seine Handlanger kein Wort, warnten weder ihre eigenen Bürger im Fallwind der Katastrophe noch die Nachbarländer, deren Bewohner Furcht und Unsicherheit erlebten, als sie endlich von den Ausmaßen des bis dahin schlimmsten Reaktorunfalls aller Zeiten erfuhren. Sogar nachdem Meßgeräte in Schweden die ersten schokkierenden Hinweise auf ein gewaltiges Unglück in der Sowjetunion registriert hatten und Gerüchte von Massentod und Massenvernichtung über die Welt hinweggefegt waren, verschanzten die Sowjets sich hinter der nichtssagenden Bekanntmachung, daß sich ein Unfall ereignet habe, dessen Auswirkungen nun unter Kontrolle gebracht würden. Nur allmählich und widerwillig veröffentlichten sowjetische Regierungsvertreter Einzelheiten, welche die Gerüchte verstummen ließen. Und einige sowjetische Massenmedien, ausgerüstet mit ihrer neuen Waffe, der *glasnost*, begannen, der Katastrophe mit bewundernswertem Eifer nachzugehen.

Gorbatschow selbst hingegen hielt sich offensichtlich

nicht an seine Prinzipien und an seinen Anspruch der Aufrichtigkeit. Es war ein Versagen seiner Führerschaft, das bis heute unerklärt geblieben ist. Achtzehn Tage lang war diese sonst so souverän wirkende Medienpersönlichkeit einfach nicht mehr da. Gorbatschow verschwand von der Bildfläche und hatte weder dem sowjetischen Volk noch der übrigen Welt etwas über Tschernobyl mitzuteilen. Erst am 14. Mai erschien er, in einem dunklen Anzug, auf dem Fernsehschirm und hielt eine eher defensive als erklärende Rede. Er beklagte sich bitter darüber, daß „wir es mit einem wahren Berg von Lügen, äußerst betrügerischen und böswilligen Lügen, zu tun hatten", wofür er nicht das sowjetische Versäumnis, rechtzeitige Meldungen über den Unfall herauszugeben, sondern den Wunsch „gewisser westlicher Politiker" verantwortlich machte, „die Sowjetunion zu diffamieren". Es war keine rühmliche halbe Stunde für ihn.

Aber es handelte sich um die einzige bedeutende Fehlleistung seit seiner Machtübernahme, um die einzige Gelegenheit, bei der es Gorbatschow nicht gelang, das Beste aus einer schlechten Situation zu machen. Nach dieser Krise schien er sich wieder zu fangen. Als wolle er den Fehler von Tschernobyl ausgleichen, wandte er sich einem ähnlich diffizilen Problem zu: dem sowjetischen Umgang mit den Menschenrechten. Er zeigte sich ungewöhnlich sensibel für die häufige Kritik an der sowjetischen Unterdrückung von Dissidenten – zum Teil vielleicht, weil er mit einigen Vorbehalten übereinstimmte. In seiner Rede in Wladiwostok hatte er erklärt: „Wer versucht, frische Stimmen, gerechte Stimmen nach alten Maßstäben und Ansichten zu unterdrücken, muß in die Schranken gewiesen werden ... Wir haben ein Gesetz: Jene Personen, die Verfolgungen wegen Kritik organisieren, können strafrechtlich belangt werden."

Diese Überlegungen veranlaßten Gorbatschow offenbar, das Jahr 1986 mit einer außergewöhnlichen Geste zu beenden. An einem Dezemberabend tauchten plötzlich Techniker in der Wohnung des Physikers Andrej Sacharow auf, um ein Telefon anzuschließen. Der Bürgerrechtler und Nobelpreisträger war fast sieben Jahre zuvor seiner freimütig geäußerten Meinungen wegen in die geschlossene Stadt Gorki verbannt worden. Der verblüffte Sacharow erfuhr bald, weshalb er so unerwartet ein Telefon erhalten hatte: Am nächsten Tag um fünfzehn Uhr rief Gorbatschow ihn an. Die beiden Männer plauderten kurz miteinander, und Gorbatschow teilte dem Physiker mit, er dürfe nach Moskau zurückkehren, um seine „patriotische Arbeit" zu tun. Gorbatschow stellte keine Bedingungen, und als Sacharow ein paar Tage später im Triumph nach Moskau zurückkehrte, zögerte er nicht zu erklären, daß die Sowjetunion ihre Truppen aus Afghanistan abziehen solle. Eine solche Bemerkung war auch der Anlaß für seine Verbannung gewesen, aber jetzt war er in der Lage, seine Erklärung ohne Störung durch die Geheimpolizei abzugeben.

Ein guter Grund für die Freilassung Sacharows bestand vielleicht darin, daß die Ideen des Nobelpreisträgers sich in vieler Hinsicht mit denen Gorbatschows überschneiden. Zum Beispiel bedauerte der Generalsekretär die Tatsache des Krieges in Afghanistan und stimmte Sacharows Einwänden wahrscheinlich uneingeschränkt zu. Bedeutsamerweise hat auch Sacharow die amerikanische Strategische Verteidigungsinitiative (*Strategic Defense Initiative:* SDI) kritisiert, wenn auch aus anderen Gründen als amtliche sowjetische Sprecher. Letzten Endes waren Sacharows Ideen offenbar in Gorbatschows Augen nicht so schädlich wie der Makel, den das Ansehen der Sowjetunion in der Öffentlichkeit durch die Verbannung des Dissidenten erlitt. Sacharows Freilassung war gleichermaßen der Akt eines pragmatischen Politikers wie der eines humanitären Staatsmanns.

Immerhin fügte diese Maßnahme sich in eine Reihe

ähnlicher Handlungen ein. Hunderte von Menschen, die Strafen in Gefangenenlagern und in der Verbannung abbüßten, wurden im Rahmen einer umfassenden Amnestie für „politische" Verbrechen – sie reichten von angeblicher antisowjetischer Agitation bis hin zur Unterrichtung der hebräischen Sprache – freigelassen. Viele der prominentesten politischen Häftlinge durften emigrieren, während andere die Aktivitäten fortsetzten, die sie ursprünglich ins Gefängnis gebracht hatten. Zum Beispiel war Sergej Grigorjanz unter anderem deshalb verurteilt worden, weil er eine Dissidentenzeitschrift herausgab. Nach seiner Freilassung im Februar 1987 gründete er sofort eine neue Zeitschrift, diesmal mit dem passenden Titel *Glasnost*. Grigorjanz und seine Kollegen wurden zwar daraufhin von der Polizei unter Druck gesetzt, aber es gelang ihnen, mehrere Nummern ihrer Zeitschrift zu produzieren, und sie befinden sich immer noch in Freiheit.

Einer der heikelsten Bereiche, welche die *glasnost* zur Selbsterforschung erschlossen hat, ist die stalinistische Vergangenheit des Landes. Schon wenige Monate nach Gorbatschows Machtantritt begannen sowjetische Künstler und Schriftsteller, die Schichten des Schweigens, der Täuschung und der Euphemismen über die nachrevolutionäre Periode des Landes abzutragen und das zu füllen, was Gorbatschow die „leeren Seiten der Geschichte" genannt hat. Seit langem unterdrückte Manuskripte kamen aus Schreibtischschubladen hervor, und verbotene Filme wurden aus Studioarchiven geholt. Die Menschen, welche die Wahrheit ihrer Geschichte nur vom Hörensagen oder durch westliche Rundfunksender kannten, verschlangen gierig alle Informationen. Die Zensur ist unter Gorbatschow zwar nicht abgeschafft, doch auf Tabuthemen wie militärische Geheimnisse, Pornographie und direkte Angriffe auf die sozialistische Grundlage der Sowjetgesellschaft beschränkt worden.

Allerdings bleibt der mächtige Einfluß von Selbstzensur und Nachzensur. Es ist zweifelhaft, ob direkte Kritik an einzelnen Sowjetführern, besonders an Gorbatschow selbst, die Öffentlichkeit erreichen würde, wenn die Partei nicht einverstanden wäre. (Im Falle der heftigen Kritik an dem gestürzten Moskauer Parteiführer Boris Jelzin oder der Anprangerung des entehrten kasachischen Parteiführers Kunajew hatte sie keine Einwände.) Einige Herausgeber sind wegen politischer Berichterstattung gerügt worden, die über die für die Führungspitze akzeptablen Grenzen hinausging, und solche Warnungen dürften eine lähmende Wirkung auf ihre künftige Arbeit gehabt haben.

Nichtsdestoweniger eröffnete sich ein weiter Themenbereich – weit genug, um Schriftsteller, Filmemacher und Redakteure auf Jahre hinaus zu beschäftigen. Schon jetzt haben Sowjetbürger Werke wie den Film *Pokajanije* (Sühne) des Regisseurs Tengis Abuladse sehen können. In dem Film wird ein brutaler Märchenlanddiktator gezeigt, der Lawrenti Berija, Stalins Geheimpolizeichef, ähnelt und sich benimmt wie ein provinzieller Stalin. Eduard Schewardnadse sah und genehmigte den Film im Jahre 1983, als er Parteichef in Georgien war, doch der Streifen wurde zurückgezogen, bevor er die Öffentlichkeit erreichen konnte. Erst nachdem Gorbatschow Generalsekretär geworden war und Schewardnadse zu seinem Außenminister ernannt hatte, gelangte *Pokajanije* in die Filmtheater. Eine weitere bahnbrechende Arbeit war Juris Podnieks Dokumentarfilm *Legko-li byt molodym?* (Ist es leicht, jung zu sein?), in dem das Unvermögen der sowjetischen Gesellschaft, ihre Jugend an sich zu binden, scharf angegriffen wird. Die Auseinandersetzung mit Themen wie Drogen, Entfremdung, Habsucht, Pazifismus und der psychischen Not von Veteranen des Afghanistankriegs wäre unter Gorbatschows Vorgängern wahrscheinlich als subversiv verboten und der Regisseur vermutlich inhaftiert worden, sofern er es überhaupt geschafft hätte, den Film zu drehen.

Die Tatsache, daß der Film produziert und – noch überraschender – für das ganze Land freigegeben wurde, demonstriert Gorbatschows Erkenntnis, daß die Kommunistische Partei Gefahr läuft, ihre jüngere Generation zu verlieren, und sie nur durch schmerzhafte Ehrlichkeit zurückgewinnen kann. „Gorbatschow begreift, daß die Partei den Kontakt zur Bevölkerung, besonders zur Jugend, verloren hat", sagte ein westlicher Diplomat, der auf sowjetische Innenpolitik spezialisiert ist. „Er versucht, die Sprache der Jugend zu finden, um den Kontakt wiederherzustellen."

Die Blüte der Filmindustrie hatte ihre Entsprechung im Verlagswesen. Unter Gorbatschows *glasnost*-Politik kamen endlich neue Romane über den Stalinismus ans Tageslicht – einige waren seit mehr als zwei Jahrzehnten unterdrückt worden. Anatoli Rybakows Roman *Deti Arbata* (Die Kinder des Arbat), der von der ersten Welle der Stalinschen Säuberungen zwischen 1934 und 1937 erzählt, sollte 1966 und dann wieder 1977 herauskommen, wurde aber beide Male zurückgezogen. Erst 1987 erschien das Buch dann endlich. Ein anderer lange Zeit unterdrückter Roman, der unter Gorbatschow erscheinen konnte, war Wladimir Dudinzews *Belyje odeschdy* (Weiße Kleidung), eine Schilderung der Zwangsmaßnahmen, die in der Stalinzeit gegen die Wissenschaft der Genetik ergriffen wurden. Diese Bücher waren bereits geschrieben und brauchten nur aus der Schublade hervorgeholt zu werden. Andere sind gerade im Entstehen und versprechen eine Renaissance der russischen Literatur – es sei denn, der Vorhang der Zensur wird von neuem zugezogen.

Auch Presse und Fernsehen machten unter der *glasnost*-Politik einen tiefgreifenden Wandel durch. Ermutigt von Gorbatschow und seinen Propagandaberatern, begannen Zeitungen, auf lokaler Ebene eine nie für möglich gehaltene Ineffizienz und Bestechlichkeit aufzuspüren. Überraschend schnell lernten Journalisten und Herausgeber, mit der Energie und dem Engagement ihrer westlichen Kollegen zu arbeiten. Mehrere Zeitungen, etwa die regionale Moskauer *Sowetskaja Rossija* und die in mehreren Sprachen erscheinenden *Moskau News*, erwarben sich den Ruf, furchtlos Skandale aufzudecken. Bisweilen schien der redaktionelle Eifer jedoch eher mit politischen Rachegelüsten verbunden zu sein. *Sowetskaja Rossija* stellte bewundernswerte Nachforschungen über den empörenden Zustand des Moskauer Wohnungsbaus an und sammelte Material über strafbare Handlungen, das schließlich den Sturz von Gorbatschows altem Rivalen Viktor Grischin, dem Ersten Sekretär des Moskauer Parteikomitees, herbeiführte. Wäre Grischin ein Verbündeter Gorbatschows gewesen, so hätte *Sowetskaja Rossija* sich wahrscheinlich weniger kühn verhalten. Tatsächlich wurde der Herausgeber durch Beförderung auf einen höheren Posten belohnt, nachdem Grischin aus dem Wege geräumt war, und die Zeitung verlor bald den Hang, Skandale aufzudecken.

Doch andere Blätter und Journalisten haben den Kreuzzug gegen die Bestechlichkeit fortgesetzt und beschäftigen sich weiterhin damit, die leeren Seiten der Geschichte zu füllen. Die Wochenzeitschrift *Ogonjok* hat sich so heiklen Themen wie dem Krieg in Afghanistan, Jugendbanden und verbotenen Dichtern zugewandt. Im Laufe eines Jahres veröffentlichte die Zeitschrift eine Anthologie von Dichtern des zwanzigsten Jahrhunderts, darunter vielen Autoren, deren Werk jahrzehntelang totgeschwiegen oder überhaupt nie in der Sowjetunion veröffentlicht worden war. Zu den bis dahin vergrabenen Schätzen gehörten auch Gedichte Iwan Bunins, der 1933 als erster Russe den Nobelpreis für Literatur erhalten hatte und dessen Werke in seiner Heimat lange verboten waren.

Denkwürdigerweise wurde auch der Literaturnobelpreis von 1987 einem im Exil lebenden russischen Dichter, Iossif Brodski, verliehen. Aber die Tage waren vorbei, in denen ein solches Ereignis als Beleidigung der Sowjetunion und praktisch als ein antisowjetischer Akt des Preisträgers angesehen worden wäre (wie 1958, als der Schriftsteller Boris Pasternak gezwungen wurde, den Preis abzulehnen). Im Gegenteil bestand die sowjetische Reaktion in der Gorbatschow-Ära darin, daß man Brodski für sich reklamierte und die Veröffentlichung seines Werkes in der Literaturzeitschrift *Nowy mir* vorsah. In einer solchen Atmosphäre war es auch möglich, Pasternak zu rehabilitieren, so daß *Nowy mir* seinen Roman *Doktor Schiwago* im Jahre 1988 endlich abdrucken konnte. Doch es gibt auch Gegenbeispiele: Selbst unter Gorbatschow ist es der Sowjetunion nicht möglich, sich mit Alexander Solschenizyn abzufinden. Der Verfasser des *Archipel GULag* bleibt weiter im Exil in den Vereinigten Staaten, und seine Werke – abgesehen von seiner Novelle *Ein Tag im Leben des Iwan Denissowitsch*, die während des „Tauwetters“ der frühen sechziger Jahre erschien – dürfen in seiner Heimat nicht erscheinen.

Allem Erreichten zum Trotz sind die sowjetischen Intellektuellen nicht bereit, ihre Erfolge nur Gorbatschow und der Parteiführung als Verdienst anzurechnen. „Glasnost ist nicht etwas, was von oben kommt“, sagte der Dichter Jewgeni Jewtuschenko. „Es ist kein Geschenk. Schon seit Stalins Tod haben wir für *glasnost* gekämpft. Wir haben einige Siege errungen und viele Niederlagen erlitten, und es gab Zeiten, in denen wir unveröffentlichte *glasnost*, *glasnost* ohne Stimme, besaßen.“ Dies war ein Wortspiel, denn *glasnost* leitet sich von dem russischen Wort *golos* (Stimme) ab. „Viele von denen, die nun an der Regierung sind, waren in den

Fünfzigern junge Männer, die auf der Galerie standen, während ich Gedichte vortrug", fuhr Jewtuschenko fort. „Gorbatschow selbst ist ein Mann meiner Generation, und er studierte in den fünfziger Jahren in Moskau. Auch er war ein Mann der Galerie."

Jewtuschenko räumt ein, daß die sowjetische Einstellung zur künstlerischen Freiheit immer noch ungewiß sei. Ein Rückschlag sei möglich. „Es macht den mittelmäßigen Gestalten in der Bürokratie heute große Mühe, sich all diese Kritik anzuhören", erläuterte er. „Diese Sesselhocker sind unzufrieden. Das Verhältnis zwischen der politischen Macht und den Schriftstellern ist stets von Wettbewerb und Spannung bestimmt gewesen. Früher sagte man, Rußland habe zwei Zaren: einen im Winterpalais und einen in Jasnaja Poljana [Lew Tolstois Wohnsitz]." Die Unsicherheit der sowjetischen Politik ist einer der Gründe dafür, daß Jewtuschenko das Zeitalter der *glasnost* skeptisch als eine „Vor-Renaissance" und noch nicht als eine Renaissance im Bereich der Künste und Literatur bezeichnet. „Wir sind die Erben großer Kunst, großer Musik, großer Literatur, und in Anbetracht dessen sollten wir bescheiden sein."

Jewtuschenko und viele andere Intellektuelle sind fest davon überzeugt, daß der Stillstand in der sowjetischen Wirtschaft eine direkte Folge des Stalinismus und der Weigerung sei, mit ihm abzurechnen. Eine wirtschaftliche Erneuerung könne nur von einer geistigen Erneuerung bewirkt werden. „Die Beziehung zwischen *glasnost* und wirtschaftlichem Wiederaufbau ist die gleiche wie zwischen der Luft und dem Boden", sagte Jewtuschenko. „Die Luft kann rasch aufgefrischt werden, aber danach dauert es sehr lange, bis auch der Boden aufgefrischt ist."

Rybakow, der Autor des Romans *Die Kinder des Arbat*, äußerte sich ganz ähnlich. Der Stalinismus „zerstörte Initiative und unabhängiges Denken und schuf eine Furcht vor dem Risiko. Er brachte einen gewaltigen bürokratischen Apparat hervor, der es gewohnt ist, nur auf Befehl von oben zu handeln." Der erste Schritt zur Wiederherstellung der Wirtschaft bestehe darin, die von Stalin geschädigte Psyche des gesamten Landes zu heilen: „Wir müssen dafür sorgen, daß sich alle auf jeder Stufe der sozialen Leiter frei und mutig und kompetent fühlen, Entscheidungen zu treffen. Dann – und nur dann – werden sich bedeutende Wirtschaftsreformen einstellen." Akte wie die Freilassung Andrej Sacharows aus der Verbannung seien lebenswichtig für die Heilung der nationalen Psyche. „Die Entscheidung im Falle Sacharow leitete sich nicht aus politischem Opportunismus ab, sondern sie ist ein Teil des Wandlungsprozesses, der stattfinden muß. Wir benötigen Menschen, die frei das Wort ergreifen und, was wichtiger ist, frei arbeiten. In diesen Zeiten ist es unmöglich, eine Person ihrer Meinungen wegen nach Gorki zu verbannen." Rybakow selbst wurde 1933 wegen „antisowjetischer Agitation" für drei Jahre in die Verbannung geschickt; außerdem entzog man ihm das Recht, in rund drei Dutzend Großstädten zu wohnen, obwohl er im Zweiten Weltkrieg als Held ausgezeichnet worden war. Er durfte erst in den späten fünfziger Jahren, nach seiner Rehabilitierung, in Moskau leben. Die Veröffentlichung seines Buches war für ihn gleichzeitig eine Ehrenrettung.

Die Atmosphäre wird auch durch eine Reihe von unter Gorbatschow eingeleiteten juristischen Reformen gereinigt werden. Dazu gehört die Aufhebung besonders fragwürdiger Teile des Strafrechts, etwa des Artikels über „antisowjetische Agitation und Propaganda", der am häufigsten benutzt wurde, um Dissidenten in den GULag zu schicken. Auch Strafmaßnahmen wie Verbannung, einige Beschränkungen der Religionsausübung und die Anwendung der Todesstrafe in manchen Bereichen, besonders bei Wirtschaftsverbrechen, sollen abgeschafft werden. Die sowjetischen Behörden haben bereits grundlegende Änderungen vorgenommen, was die Vorschriften für zwangsweise psychiatrische Behandlung betrifft; ein entscheidender Schritt besteht darin, „spezielle" psychiatrische Krankenhäuser nicht mehr dem Innenministerium, sondern dem Gesundheitsministerium zu unterstellen.

Zu Gorbatschows am wenigsten bekanntgewordenen Reformen gehört eine geringfügige, doch folgenreiche Lockerung im Bereich des fundamentalsten Menschenrechts: des Rechtes, die Sowjetunion zu verlassen. Insgesamt neuntausend sowjetische Juden durften im Laufe des Jahres 1987 emigrieren – die höchste Zahl seit 1979, die gleichzeitig um ein Vielfaches über der von 1986 liegt, als nur 943 Menschen ausreisen durften. Auch die Gesamtzahl von Emigrationen ist angestiegen. Mehr als zwanzigtausend Bürger – darunter Juden, Armenier, Volksdeutsche und andere – konnten das Land im Jahre 1987 verlassen (im Vorjahr waren es nur fünftausend). Was in der Öffentlichkeit weniger stark beachtet wird: Tausende von Sowjetbürgern erhielten die Genehmigung, ihre Familie im Ausland zu besuchen. Das Konsulat der amerikanischen Botschaft ist wie nie zuvor von Visaanträgen überschwemmt worden, und die Fluggesellschaften meldeten einen starken Anstieg der Zahl der in den Westen reisenden sowjetischen Passagiere.

Eine andere neue und überraschende Entwicklung besteht darin, daß man Spitzensportlern und bedeutenden Kulturschaffenden die Arbeit im Ausland erleichtert. Sie haben nun die Freiheit, Auftritte im Ausland zu arrangieren, solange die Reisen ihre beruflichen Verpflichtungen in der Sowjetunion nicht behindern und solange der Sowjetstaat dadurch nicht finanziell belastet wird. Damit gilt dieses Vorrecht nur für hochrangige Künstler und Sportler, die im Westen stattliche Honorare beziehen. Aber wenigstens ist es eine Änderung der früheren Praxis, die ein langwieriges bürokratisches Genehmigungsverfahren im Kulturministerium erforderte – ein so mühsamer und häufig erfolgloser Prozeß, daß sich nur wenige Künstler und Sportler darauf einließen. Unter den neuen Vorschriften wird die Erlaubnis fast automatisch erteilt, wenn den planerischen und finanziellen Einschränkungen nachgekommen wird. Sowjetische Eishockey- und Fußballspieler haben bereits Verträge mit westlichen Profimannschaften abgeschlossen, und es kommt nun häufig vor, daß Künstler und Schriftsteller im Ausland auftreten. Zum Beispiel unterzeichnete Maja Plissezkaja, die Primaballerina des Bolschoi-Balletts, einen Vertrag als künstlerische Direktorin des Spanischen Nationalballetts in Madrid. Andererseits durften auch frühere Überläufer, etwa der berühmte Tänzer Rudolf Nurejew, zu Besuchen in ihre Heimat zurückkehren, in der sie einst als Verräter beschimpft worden waren.

Die Änderungen gingen zum Teil auf Vorschriften zurück, die Anfang 1987 wirksam wurden. Viele Kritiker meinten, daß die neuen Regeln nur die früher übliche Praxis bestätigten, und sagten sogar eine Erschwerung von Auslandsreisen für Sowjetbürger voraus. Die neuen Vorschriften legen fest, daß Sowjetbürger sich engen Familienangehörigen – Ehegatten, Eltern oder Geschwistern – im Ausland anschließen oder sie zumindest besuchen dürfen. Die Behörden müssen über Visaanträge innerhalb eines Monats, in Notfällen sogar innerhalb von drei Tagen entscheiden. Eine wichtige Ausnahme gilt für Personen, die angeblich Zugang zu Staatsgeheimnissen hatten – womit die Verweigerung von Ausreisevisa für eine Reihe prominenter jüdischer Dissidenten begründet wird. Aber wie stets in der Sowjetunion ist der Buchstabe des Gesetzes weniger wichtig als der Geist derjenigen, die das Gesetz vollstrecken. Unter Gorbatschow ist den Administratoren ein Hauch von Großzügigkeit verordnet worden. Es gibt immer noch Fälle von willkürlichen Aktionen der Behörden, und potentielle Emigranten werden von ehemaligen Freunden und Arbeitskollegen – ein Ausreiseantrag führt gewöhnlich zum Verlust des Arbeitsplatzes – weiterhin als Parias behandelt. Aber überwiegend hält man die neuen Vorschriften ein. Heute sind mehr Bürger in der Lage, mit den Füßen gegen – oder für – Gorbatschows Sowjetunion abzustimmen.

Das nahezu unheimliche Geschick des Generalsekretärs, scheinbare Katastrophen zu seinem Vorteil zu nutzen, zeigte sich an der Verhaftung und zeitweiligen Inhaftierung des amerikanischen Nachrichtenkorrespondenten Nicholas Daniloff von der Zeitschrift *U. S. News and World Report*. Der Fall Daniloff besaß alle Kennzeichen einer mißlungenen KGB-Operation, eines absurden Schwindels, der aus Rache für die Verhaftung eines sowjetischen UN-Angestellten durch das FBI inszeniert worden war. Das Problem war, daß Daniloffs Festnahme eine ungeschriebene Regel verletzte, die man seit Stalins Zeiten eingehalten hatte: die Regel, Journalisten nicht als Schachfiguren in den Spionagespielen der Supermächte zu benutzen. Sie war aus der offensichtlichen Tatsache erwachsen, daß die Verhaftung von Reportern eine schlechte Presse garantiert – eine Tatsache, die sich auch in diesem Fall bestätigte. Aber statt sich zu verschanzen, rückte Gorbatschow rasch vor und feilschte mit der Regierung Reagan. Mit erstaunlicher Leichtigkeit gelang es ihm – und seinem fähigen Außenminister Schewardnadse –, Daniloffs Freiheit als Faustpfand für den Reykjavik-Gipfel zu benutzen, also für das Treffen auf neutralem Boden, das Gorbatschow seit sechs Monaten angestrebt hatte und das vom Weißen Haus unverwandt abgelehnt worden war.

Gorbatschow hatte eine Glückssträhne. Sogar den mißlungenen Höhepunkt des Reykjavik-Gipfels, bei dem die beiden Staatsmänner einem Ja zu *dem* Rüstungskontrollabkommen des Jahrhunderts immerhin nahekamen, verstand er zum eigenen Vorteil zu nutzen. Es ist schwer zu sagen, ob Gorbatschow bewußt geplant hatte, die Amerikaner zappeln zu lassen und ihnen dann den Preis in letzter Sekunde vorzuenthalten, doch war er offensichtlich darauf vorbereitet, daß Reykjavik zu keinem Abkommen führen würde. Sofort schickte er seine Diplomaten um die Welt, um die Amerikaner für das Scheitern verantwortlich zu machen. Noch kurz vor seinem Abflug, knapp zwei Stunden nach dem Abbruch der Gespräche, erläuterte Gorbatschow in einer Pressekonferenz die sowjetische Argumentation. Er präsentierte eine sorgsam begründete Erklärung, in der es hieß, nicht Präsident Reagan sei an dem Scheitern schuld, sondern der „militärisch-industrielle Komplex", der ihn in seiner Gewalt habe. Es war eine Erklärung, die sowohl eine scharfsinnige Einsicht in die Popularität des Präsidenten als auch Gorbatschows schiefe Einschätzung der amerikanischen Entscheidungsprozesse enthüllte.

Was die Entscheidungsprozesse in seinem eigenen Land angeht, so ist Gorbatschows „Demokratisierung" beispielhaft für ein politisches Denken, das demokratische Elemente enthalten mag, aber von lebenslanger Erfahrung mit einer kommunistischen Politik geprägt ist, die jede Freiheit mit einem Dickicht von Regeln und Kontrollen umgibt. 1987 sagte er in einer wichtigen Rede: „Ein Haus kann nur von jemandem in Ordnung gebracht werden, der sich als Besitzer des Hauses fühlt. Arbeiter und Kolchosbauern haben durchaus Interesse daran, wer den Betrieb, die Werkstatt, die Abteilung und die Brigade leitet. Da das Wohlergehen des Kollektivs von den Fähigkeiten der Leitenden abhängt, sollten die arbeitenden Menschen auch reale Möglichkeiten haben, den Wahlprozeß zu beeinflussen und die Aktivitäten der Gewählten zu kontrollieren."

Doch bei genauerer Betrachtung erweist sich, daß Gorbatschows spezifische Vorschläge alles andere als demokratisch sind. Er verlangte, mehrere Kandidaten aufzustellen, aber nur für die Nominierung, nicht für die eigentliche Wahl. Und er räumte gleichzeitig ein, daß gewählte Regierungsorgane wenig Macht besitzen: „Ihre Arbeit ist oft eine Formalität. Nur zweitrangige Angelegenheiten oder sogar Fragen, die man schon im voraus entschieden hat, werden diskutiert."

Von größerer Bedeutung für die Regierung des Landes sind Gorbatschows Ansichten zur geheimen Wahl von Parteifunktionären. Er erklärte, daß Parteisekretäre auf Bezirks-, Stadt-, Regions- und Republikebene von Mitgliedern des Parteikomitees gewählt werden sollten, die sich in geheimer Abstimmung zwischen mehreren Kandidaten entscheiden. Bisher wurden Sekretäre gewöhnlich von örtlichen Parteihonoratioren ausgesucht und dann ohne Mitbewerber den Komitees präsentiert, wo man durch Handzeichen für oder gegen sie stimmte. Natürlich waren stets nur wenige Komiteemitglieder bereit, durch Opposition den Unwillen ihrer Vorgesetzten zu erregen.

Die vorgeschlagene geheime Abstimmung bringt jedoch nur der Kommunistischen Partei ein gewisses Maß an Demokratie, also nur der herrschenden Elite von rund achtzehn Millionen Mitgliedern unter einer Gesamtbevölkerung von mehr als 280 Millionen Menschen. Immerhin hat Gorbatschow wiederholt bekräftigt, daß Demokratisierung lebensnotwendig für die Zukunft der Sowjetunion sei. „Manche Genossen können anscheinend nur schwer verstehen, daß Demokratie nicht bloß eine Parole ist", sagte er. „Sie müssen ihre Ansichten und Gewohnheiten ändern, damit sie sich nicht außerhalb des wirklichen Lebens wiederfinden. Dies ist unser beharrlicher Rat für alle, die immer noch zweifeln und nur langsam vorangehen." Er versprach den Zweiflern, daß seine Reformen das System nicht untergraben würden. „Es geht ganz bestimmt nicht um eine Auflösung unseres politischen Systems. Sozialistische Demokratie hat nichts mit Nachgiebigkeit, Verantwortungslosigkeit und Anarchie gemeinsam."

Wenn Gorbatschow von „Demokratisierung" redet, ermuntert er die Bürger natürlich keineswegs dazu, eigene politische Parteien zu gründen. Der Historiker Moshe Lewin schreibt in seinem Buch *Gorbatschows neue Politik:* „Das Ziel besteht nicht darin, ein republikanisches Vielparteiensystem westlichen Musters aufzubauen, sondern darin, die Beteiligung der Bürger am politischen Leben zu verstärken, politische und andere Freiheiten zu vergrößern und der Partei wieder eine politische statt eine vorwiegend bürokratisch-administrative Rolle zu geben." Lewin, ein US-Experte in Sowjetfragen, meint, Gorbatschow wolle vielleicht auch die Partei zu ihren Ursprüngen zurückführen. „Die bolschewistische Partei, die von Stalin und vom Stalinismus buchstäblich begraben wurde, war eine politische Partei, mit lebhaften Debatten und unterschiedlichen Fraktionen. Die Partei agierte selbst während des Bürgerkriegs auf demokratische Art. Es brauchte mehr als acht Jahre des Kampfes, um die bolschewistische Partei in etwas ganz anderes zu verwandeln."

In gewisser Hinsicht möchte Gorbatschow etwas beweisen, was bisher in der Praxis noch nie gezeigt worden ist: daß Lenin und seine Bolschewiki recht hatten, daß der Kommunismus funktionieren kann. Gorbatschow möchte die Sowjetunion zu einem Land machen, in dem der „Arbeiter sich als Lenker seines eigenen Lebens fühlen, in dem er alle Vorteile der materiellen und geistigen Kultur genießen, in dem die Zukunft seiner Kinder sicher sein, in dem er alles, was für ein ausgefülltes und interessantes Leben notwendig ist, besitzen würde. Sogar Skeptiker wären dann gezwungen einzuräumen: ‚Ja, der Sozialismus ist ein System, das den Menschen dient, ihnen nützt, ihre sozialen und wirtschaftlichen Interessen und ihre geistige Entwicklung fördert'."

Gorbatschows Schlagwort für die Schaffung dieser Art von Sozialismus ist *perestroika*. Es ist ein recht einfaches Wort, aber es hat eine schwere Propagandalast übernehmen müssen. Für manche bezeichnet es eine Rückkehr zu den Grundlagen des Sozialismus, für andere bedeutet es freies Unternehmertum und Marktwirtschaft. Das Wörterbuch definiert es lediglich als „Umgestaltung" – ein so weiter Begriff, daß er alles, von sozialistischer Erneuerung bis hin zum Flirt mit dem Kapitalismus, umfaßt. Vielleicht wählte Gorbatschow ihn gerade aus diesem Grunde. Allerdings sind seine Ideen etwas präziser. Er legte sie in seinem Buch *Perestroika* und, kürzer, am 25. Juli 1987 in einer Rede vor dem Zentralkomitee dar. Fünf Grundprinzipien der *perestroika* werden hervorgehoben:

1. „Eine drastisch erweiterte Unabhängigkeit" der Staatsbetriebe durch „deren Umstellung auf umfassende wirtschaftliche Rechnungsführung und Eigenfinanzierung . . . Die Gewinne eines Kollektives werden im richtigen Verhältnis zu seiner Effizienz stehen."
2. Eine „radikale Reorganisation der zentralen Wirtschaftsführung", so daß sie nachdrücklich von Einmischungen untergeordneter Wirtschaftsorgane in ihre tägliche Arbeit befreit wird.
3. „Radikale Reform [von] Planung, Preisbildung, Finanzierungs- und Kreditmechanismus."
4. Schaffung „neuer Organisationsstrukturen", um die Wissenschaft direkter in die Produktion einzubeziehen und auf dieser Grundlage einen Durchbruch zum Weltqualitätsmaßstab zu erreichen.
5. „Übergang von einem übertrieben zentralistischen Führungssystem . . . auf ein demokratisches"; Entwicklung der Selbstverwaltung; „Förderung von Initiative und schöpferischer Arbeit"; präzise Abgrenzung von Funktionen, fundamentale Änderungen in Arbeitsstil und -methoden von Partei, Regierung und Wirtschaftsorganen.

Wenn man den Wortschwall beiseite schiebt, läuft

vieles von Gorbatschows „neuem Denken" zum wirtschaftlichen Wandel eigentlich nur auf eine Forderung nach härterer Arbeit und vernünftigerem Verhalten hinaus. Er kritisiert die zentrale Planungsbürokratie gnadenlos, aber er hat sie nicht abgebaut. Eines seiner ehrgeizigsten *perestroika*-Projekte bestand darin, daß er 1985 fünf Landwirtschaftsministerien abschaffte und sie durch ein Superministerium namens Agroprom ersetzte, das bürokratisches Gezänk zwischen Bauern, Herstellern von landwirtschaftlichem Gerät und Düngerlieferanten ausschalten sollte. Nach lauter Kritik daran, daß Agroprom noch schwerfälliger als der von ihm ersetzte „Ministerien-Mischmasch" sei, wurde Anfang 1989 bekannt, daß die Behörde wieder aufgelöst werden soll.

Doch andere, umfassendere Reformen setzen sich fort. Eine der neueren heißt *chosrastschot* (wirtschaftliche Rechnungsführung) – ein Prinzip, das am 1. Januar 1988 in sechzig Prozent der sowjetischen Industrie- und Landwirtschaftsproduktion in Kraft trat. Es bedeutet, jedenfalls in der Theorie: Sowjetische Betriebe müssen ihre Geschäfte nun so führen und ihre Bücher so abschließen, daß sie Güter und Dienstleistungen produzieren, die von höherem Wert sind als die in sie eingegangenen Rohstoffe und Arbeitsleistungen. In der kapitalistischen Welt mag dies simpel genug erscheinen, aber für Betriebsleiter, die nie etwas anderes als staatliche Pläne und Festpreise gekannt haben, ist die Idee fremdartig und zuweilen erschreckend. Der Leiter einer Fabrik, die Meßgeräte herstellt, berichtete der *Iswestija*, daß die Unberechenbarkeit der Rohstofflieferungen – ein chronisches Problem im sowjetischen Produktionsprozeß – seinem Betrieb und dessen Arbeitern nun wirkliche Not bescheren werde. Bei ihnen mangele es an vierhundert Tonnen Metallblech. „Es ist äußerst beunruhigend. Was sollen wir tun? Ich schließe nicht aus, daß eine unserer Fabriken im Februar die Arbeit einstellen muß."

Dies ist der springende Punkt. Dürfen Fabriken in einem Arbeiterstaat geschlossen werden? Können Arbeiter entlassen werden? Man hatte die Arbeitslosigkeit in den dreißiger Jahren abgeschafft, und Regierungsvertreter kontern ausländische Klagen über Menschenrechtsverletzungen in der Sowjetunion häufig damit, daß sie das „Recht auf Arbeit" eines jeden Sowjetbürgers hervorheben – eine Garantie, die nur wenige kapitalistische Länder erteilen könnten. Es hat stets eine geringe strukturelle Arbeitslosigkeit – man braucht Zeit, um den Arbeitsplatz zu wechseln – und erhebliche personelle Überbesetzungen in der UdSSR gegeben. Doch unter Gorbatschow könnte das Prinzip der Vollbeschäftigung sich auflösen. Zu Beginn seiner Amtszeit hat er verfügt, daß die in Moskau ansässigen Ministerien bis 1990 sechzigtausend Beschäftigte ausmustern müssen. Die Sowjetpresse berichtete 1987 über die Klagen von 680 Angestellten, die durch die Zusammenlegung von zwei Maschinenbauministerien ihren Arbeitsplatz verloren hatten. Die meisten waren der Ansicht, ungerechten Entlassungen zum Opfer gefallen zu sein. Da die Vollbeschäftigung garantiert ist, gibt es im Grunde keine Arbeitslosenunterstützung. Wer seinen Arbeitsplatz jedoch durch einen Zusammenschluß verliert, kann gewöhnlich mehrere Monatsgehälter einstreichen.

Ministerpräsident Nikolai Ryschkow teilte dem Obersten Sowjet im Jahre 1987 mit, daß dreizehn Prozent der Staatsbetriebe möglicherweise schließen müßten. Wladimir Kostakow, ein sowjetischer Volkswirt, vermutete im Jahre 1986, daß die industrielle Belegschaft bis zur Jahrhundertwende um nicht weniger als neunzehn Prozent verringert werden müsse, um die von Gorbatschow angepeilten Produktivitätsziele zu erreichen. Abel Aganbegjan, der engste Wirtschaftsberater des Generalsekretärs, tendiert ebenfalls dazu, Schließungen und Entlassungen in großem Umfang zu befürworten. „Ich persönlich meine, daß es klug wäre, mehrere tausend Betriebe zu schließen", sagte er 1987. „Nicht einen, nicht zwei nicht hundert. Ich kann mehrere Bergwerke nennen, die unerträgliche Arbeitsbedingungen aufweisen und große Verluste machen. Weshalb existieren sie? Es wäre leichter, sie mit Bulldozern einzuebnen und neue zu bauen, statt sie weiter zu nutzen. Ein Betrieb, der Verluste macht, ist eine Belastung für die Gesellschaft. Er sollte geschlossen werden." Aber war er der Ansicht, daß solche Schließungen tatsächlich stattfinden würden? Er zuckte die Achseln. „Wenn sie stattfänden, wären sie symbolischer Art, damit den anderen zumindest klargemacht wird, daß diese Möglichkeit wirklich besteht."

Bis jetzt hat es ein paar dieser symbolischen Schließungen gegeben – aber nicht in dem Ausmaß, wie es Aganbegjan sich vorstellte und wie es vielleicht sogar von Gorbatschow selbst befürwortet wurde. Das System der wirtschaftlichen Rechnungsführung mag helfen, die ökonomischen Verlierer zu identifizieren, was sowjetische Manager ermutigen könnte, Fabriken zu schließen und Arbeiter zu versetzen, wenn nicht zu entlassen. Dies wäre der Prüfstein für Gorbatschows Absichten.

Sichtbarer als *chosrastschot* in der Industrie sind die weniger anspruchsvollen Reformen in Privatbetrieben und Genossenschaften. Nach den Richtlinien, die 1987 wirksam wurden, darf der Bürger in seiner Freizeit neunundzwanzig verschiedene Arten von Nebenbeschäftigungen verrichten; so darf er tätig sein als Schuhmacher, Innendekorateur, Klempner und Taxifahrer mit einem Privatwagen. Solche Arbeiten wurden auch in der Vergangenheit von Privatpersonen durchgeführt, aber sie waren, formal betrachtet, illegal. Die neuen Richtlinien machen sie legal und natürlich steuerpflichtig. Die Statistiken über ihre Einhaltung sind lückenhaft, aber die sowjetische Nachrichtenagentur TASS meldete, daß 137 000 Moskauer innerhalb der ersten drei Monate nach dieser Verfügung Genehmigungen für private Arbeit erhielten. Durch die Vorschriften sind solche Tätigkeiten leichter erfaßbar geworden, aber es ist nicht festzustellen, ob dadurch mehr Dienstleistungen angeboten werden. Laut offiziellen Schätzungen von 1987 wurden zwischen dreißig und achtzig Prozent kleinerer Reparaturen, etwa von Schuhen, Autos und Haushaltsgeräten, von Privatleuten unterderhand ausgeführt; dieser Schwarzmarkt hatte einen Jahresumsatz von geschätzten sechzehn Milliarden Rubel (etwa fünfzig Milliarden Mark). Während private Taxifahrer, Straßenverkäufer und andere, die einer kaum zu verbergenden Tätigkeit nachgehen, sich in der Regel wohl registrieren lassen, erwarten Experten, daß der größte Teil des alten Schwarzmarktes auch in Zukunft schwarz bleiben wird.

Dagegen ist die Genossenschaftsbewegung offener und auf einigen Gebieten erfolgreicher. Für Genossenschaften gelten andere Regeln als für Privatbetriebe; sie müssen höhere Steuern zahlen und werden strenger reglementiert. Trotzdem haben Genossenschaftsunternehmungen – von kleinen Familienrestaurants bis hin zu relativ großen Fernsehreparaturgeschäften – erhebliche Anfangserfolge zu verzeichnen. Der Prototyp für solche Initiativen war das Café Kropotkinskaja, das erste Moskauer Genossenschaftsrestaurant, das sofort großen Anklang fand, als es vor kurzem eröffnet wurde. Mit seinen einfachen, aber sorgfältig zubereiteten Gerichten, seiner höflichen Bedienung und seiner luxuriösen, vorrevolutionären Einrichtung zog es Tausende von Gästen an. Vielleicht florierte es zu sehr. Man hörte mißgünstige Stimmen, daß die acht Mitglieder der Genossenschaft sich bereicherten, und die *Prawda* kritisierte das Café, weil es während der ersten sechs Monate nur Steuern in Höhe von drei Prozent seiner Einkünfte entrichtete. Die Besitzer entgegneten, daß sie immer noch staatliche Kredite abzahlten und später Steuern in Höhe von vierzig bis fünfzig Prozent aufbringen würden. Die Episode zeigte vor allem, daß Sowjetbürger nach siebzig Jahren des Kommunismus jedem Profit gegenüber mißtrauisch sind und Wohlstand geradezu als Skandal empfinden.

Gorbatschow wiederholt ständig, daß seine Reformen sozialistische Reformen seien und daß die „sozialistische Basis der Gesellschaft nicht untergraben werden wird". Bei einem Treffen mit Medienvertretern wandte er sich Anfang 1988 sowohl gegen Befürworter einer „Super-*perestroika*" – womit er anscheinend Männer wie den Moskauer Parteichef Boris Jelzin meinte, der das Tempo der Reformen als zu langsam bezeichnet hatte – als auch gegen von „rechts" kommende Kritik. „Stimmen von jener Seite behaupten, daß die Grundlagen des Sozialismus unterminiert würden", sagte er. „Damit erhebt sich eine legitime Frage: Wodurch werden sie unterminiert? Etwa durch eine aktivere und selbstbewußtere Beteiligung an der Politik des Landes? Im Gegenteil, der Sozialismus schwächt das Land nicht. Er gewinnt an Kraft und verwirklicht sein Potential mit Hilfe der politischen und gesellschaftlichen Tätigkeit des Volkes in höherem Maße."

Solche Tiraden für den Sozialismus gehören zu dem, was Beobachter an Gorbatschow manchmal erstaunt. Sätze wie diese, die auf dem Papier so bleiern wirken, sind von Überzeugungskraft durchdrungen, wenn er sie mit ausdrucksvollen Augen und bewegten Gesten vorträgt. Er hört sich so an, als meine er es ernst – und wahrscheinlich tut er es auch. „Ich glaube, er hält sich für den Martin Luther King des russischen Sozialismus", kommentierte ein von Bewunderung erfüllter amerikanischer Diplomat nach einer von Gorbatschows Reden. „Er ist überzeugt, daß er die Sowjetunion zu ihren leninistischen Ursprüngen zurückführt."

Ein großer Teil von Gorbatschows Programm für die innere Erneuerung war 1987 in einer Rede vor dem Zentralkomitee enthalten. Er verurteilte die Gewohnheiten der Vergangenheit auf eine Weise, welche die erstarrte Gesellschaft aus ihrem seit Jahrzehnten währenden Breschnew-Schlummer reißen sollte. Nie zuvor hatten Sowjetbürger so deutliche Worte von einem ihrer Parteiführer gehört: „Die Zunahme von Alkohol- und Drogenmißbrauch und eine steigende Zahl von Verbrechen wurden zu Anzeichen für den Verfall der sozialistischen Moral. Mißachtung des Gesetzes, Verfälschung von Berichten, Annahme von Bestechungsgeldern, Kriecherei und Ermunterung zur Speichelleckerei hatten einen verderblichen Einfluß auf die moralische Atmosphäre der Gesellschaft."

Obwohl er ihn nicht beim Namen nannte, bezog Gorbatschow sich eindeutig auf die Herrschaft des verstorbenen Leonid Breschnew, als er die „massenhafte Verteilung von Auszeichnungen, Titeln und Preisen" erwähnte und darauf einging, daß „Bürokratie und Formalismus blühten und extreme Unduldsamkeit jeder Kritik gegenüber entstand". Er fügte hinzu: „In jenen Jahren legte man unehrlichen, aufdringlichen, habgierigen Menschen, die persönlichen Gewinn aus ihrer Parteimitgliedschaft ziehen wollten, keine unüberwindlichen Hindernisse in den Weg."

Gorbatschow hatte die Breschnew-Ära bereits vorher kritisiert, besonders in seiner programmatischen Rede vor dem XXVII. Parteitag im Februar 1986. Aber er hatte sie noch nie so erbittert und kompromißlos an den Pranger gestellt. Die Rede war auch deshalb bemerkenswert, weil sein Publikum hauptsächlich aus ZK-Mitgliedern bestand, die in der Breschnew-Ära gewählt worden waren. Seit dem vorangegangenen Parteitag waren nur zweiundvierzig Prozent der Mitglieder abgelöst worden, womit potentielle Gegner von Gorbatschows Ideen in der Mehrheit blieben. Als er von „Permissivität, mangelnder Disziplin, Trunkenheit, Nischendenken, Provinzlertum und Erscheinungsformen des Nationalismus" sprach, meinte er viele von denen, die vor ihm im Kremlsaal saßen. Die Rede wurde als Herausforderung an die verschwommen definierte „Opposition" aufgefaßt, über die er sich fast seit seiner Machtübernahme beklagt hatte und die seine Führung weiterhin behinderte. „Nicht jeder marschiert im Gleichschritt mit den Anforderungen des Lebens. Es gibt viele, die zögern, die Last der Vergangenheit abzulegen, die eine abwartende Haltung einnehmen und uns Knüppel zwischen die Beine werfen."

Zuweilen klingt Gorbatschow so, als würde er in seinem Kampf gegen die Bürokratie unterliegen. Er sprach geradezu verzweifelt von einer Opposition, die oft angegriffen, aber selten beim Namen genannt werde. „Zwischen den Menschen, welche diese Änderungen wollen, welche von diesen Änderungen träumen, und der Führung gibt es eine Verwaltungsschicht – den Ministerial- und Parteiapparat –, welche diese Änderungen nicht will, welche gewisse Rechte und Privilegien nicht einbüßen möchte", sagte er bei einer Zusammenkunft mit einer Gruppe von Schriftstellern. Gegen eine der größten bürokratischen Einrichtungen, das Staatliche Plankomitee (Gosplan), wütete er: „Für unser Gosplan gibt es keine Behörden, keine Generalsekretäre, kein Zentralkomitee. Dort macht jeder, was er will. Und am besten gefällt es dem Gosplan, wenn jeder zu ihm kommen und es um eine Million Rubel oder zwanzig Traktoren oder vierzigtausend Traktoren bitten muß – wenn jeder zu betteln hat."

Wie sehr Gorbatschow auch über die Opposition wetterte, er war doch gezwungen, um ihretwillen einige seiner Pläne zu mäßigen. In welchem Grade er seine politischen Flanken schützen muß, zeigte sich an dem Fall seines Freundes und politischen Verbündeten, des Moskauer Parteiführers Jelzin. Dieser, ein impulsiver und jähzorniger Politiker, hielt im Oktober 1987 vor dem Zentralkomitee eine außerplanmäßige Rede, in der er sich über einige Mitglieder der politischen Führung beschwerte. Die Rede wurde nie veröffentlicht, doch wurde bekannt, daß er vor allem den konservativen Parteiideologen Jegor Ligatschow angriff. Zwei Wochen später mußte Jelzin sich heftiger „Selbstkritik“ unterwerfen; kurz darauf wurde er wegen eines Herzleidens ins Krankenhaus eingewiesen. (Danach ahnte noch niemand, daß Jelzin ein politisches Comeback gelingen würde: Im März 1989 errang er einen spektakulären Erfolg bei den Wahlen zum Kongreß der Volksdeputierten.)

Gorbatschow selbst – ob aus politischen Gründen oder aus echtem Zorn über Jelzin – führte eine Attacke gegen diesen an und schockierte dadurch viele Moskauer, die Jelzin als einen zähen Kämpfer gegen Korruption und Privilegien betrachtet hatten. Aber Gorbatschow scheint die Episode unversehrt, vielleicht sogar politisch gestärkt überstanden zu haben. Denn trotz seiner Popularität hatte der barsche Jelzin Hunderte von einflußreichen Politikern vor den Kopf gestoßen.

Ungeachtet des bitteren Nachgeschmacks, den die Jelzin-Affäre hinterließ, hat Gorbatschow sich nach und nach eine Mehrheit und sogar eine Konsens im dreizehnköpfigen Politbüro aufgebaut, das die Parteipolitik festlegt. Er hat sowohl im Politbüro als auch im zwölfköpfigen Staatssekretariat, das die Alltagsgeschäfte der Partei führt, einen starken Kern von Anhängern um sich gesammelt. Zu diesen gehören unter anderem sein sorgsam ausgewählter Propagandachef Alexander Jakowlew (der seit 1988 den ZK-Ausschuß für außenpolitische Angelegenheiten leitet); sein außenpolitischer Berater Anatoli Dobrynin; und Lew Saikow, ein Leningrader, der ihn gegen Romanow unterstützte und mit Jelzins Nachfolge belohnt wurde. Die meisten aus der Breschnew-Ära überkommenen Amtsträger sind verschwunden, unter ihnen Geidar Alijew, der wegen seiner Herzkrankheit zurücktrat, und der Verteidigungsminister Sergej Sokolow. Sokolow wurde jäh in den Ruhestand gezwungen, nachdem der junge Westdeutsche Matthias Rust mit seinem einmotorigen Flugzeug ungehindert Hunderte von Kilometern sowjetischen Luftraums durchquert hatte und direkt neben dem Roten Platz gelandet war. Das Rust-Abenteuer, eine ausgesprochen peinliche Angelegenheit für das hochgelobte sowjetische Luftverteidigungssystem, ermöglichte Gorbatschow, das zu vollenden, was er mehr als ein Jahr zuvor begonnen hatte: die Führung der Streitkräfte mit neuen Männern und neuen Anschauungen zu besetzten. Dank Rust war Gorbatschow in der Lage, das Verteidigungsministerium mit seinem Anhänger General Dmitri Jasow zu besetzten.

Ein Mann, der einen derartigen Konsens aufzubauen vermag, ist fähig zu Kompromissen. In einer Rede vom 2. November zur Siebzigjahrfeier der kommunistischen Machtübernahme demonstrierte Gorbatschow dies dadurch, daß er sich weigerte, auf die weniger rühmlichen Episoden der sowjetischen Geschichte einzugehen. Viele hatten gehofft, daß er im Sinne der *glasnost* an Chruschtschows Geheimrede auf dem XX. Parteitag anknüpfen werde, besonders da Gorbatschow so häufig betonte, daß die „leeren Seiten" der sowjetischen Geschichte ergänzt werden müßten. Solche hochgespannten Erwartungen sollten jedoch nicht erfüllt werden. Zum Thema der erzwungenen Kollektivierung benutzte Gorbatschow eine Wendung, die komisch hätte wirken können, wenn nicht von schrecklichen Verbrechen und entsetzlichem Leid die Rede gewesen wäre. Den Blick auf eine Menge steinerner, zumeist bejahrter Gesichter gerichtet, erklärte er im Kongreßpalast des Kreml: „Es muß offen ausgesprochen werden: In dem neuen Stadium mangelte es an einer rücksichtsvollen leninistischen Einstellung gegenüber den Interessen des arbeitenden Bauerntums." Es war eine seltsame Beschreibung einer Zeit, die von brutaler Enteignung, Verhaftungen, Mord und Hunger gekennzeichnet war. Genauso zimperlich behandelte Gorbatschow die blutigen Säuberungen der dreißiger Jahre, bei denen Millionen Menschen, darunter ein großer Teil der Parteiführung, in einer Orgie von Verhaftungen, Denunzierungen, Schauprozessen und Hinrichtungen ausgelöscht wurden. „Ganz offensichtlich war es das Fehlen einer angemessenen Demokratisierung in der Sowjetgesellschaft, das den Persönlichkeitskult, Gesetzesbrüche, die willkürlichen Unterdrückungsmaßnahmen der dreißiger Jahre ermöglichte. Ich sage es deutlich – dies waren reale Verbrechen, die von Machtmißbrauch herrührten. Viele tausend Menschen innerhalb und außerhalb der Partei wurden pauschaler Unterdrückung ausgesetzt. Das, Genossen, ist die bittere Wahrheit."

Die Wahrheit war vielmehr, daß nicht Tausende, sondern Millionen nicht bloß von Stalins NKWD „unterdrückt", sondern erschossen oder durch Zwangsarbeit und Hunger in den Tod getrieben worden waren. Das Politbüromitglied Alexander Jakowlew, Gorbatschows Hauptberater in Propagandafragen, bestätigte, daß die sowjetische Führung einer wirklich aufrichtigen Darstellung der Parteigeschichte noch nicht gewachsen ist. Als man ihn nach Gorbatschows Offenheit befragte, gab er heftig zurück: „Warum meinen Sie, daß seine Rede wahrheitsgetreuer gewesen wäre, wenn er nicht von Tausenden, sondern von Millionen gesprochen hätte? Ich weiß, daß im Westen hartnäckige Gerüchte umgehen . . ., aber ich glaube, viele Gerüchte lasten auf dem Gewissen bestimmter Leute."

Jakowlew wie Gorbatschow mögen gute Gründe haben, sich unbehaglich zu fühlen, wenn das Thema Stalin allzu aufrichtig behandelt wird, denn er war ein Mann, den man sie während ihrer Entwicklungsjahre zu lieben und zu bewundern lehrte. „Ich kann sagen, daß ich aufgrund meines Alters in den zwanziger und dreißiger Jahren keine aktive Rolle spielte", erläuterte Jakowlew, der acht Jahre älter als Gorbatschow ist. „Aber ich nahm am Krieg teil, und ich schäme mich nicht meines damaligen Glaubens und meiner Überzeugung, daß Stalins Führerschaft gerecht war."

Immerhin öffnete Gorbatschows Rede auf behutsame Weise ein schmales Fenster in einer notorisch undurchdringlichen Mauer der Geschichte. Er nannte mehrere Namen, die hohen sowjetischen Funktionären nicht mehr über die Lippen gekommen waren, seitdem man ihre Träger in den zwanziger und dreißiger Jahren zu „Unpersonen" gemacht hatte. Einige wurden positiv erwähnt. Gorbatschow rechnete es dem 1938 nach seiner Verurteilung erschossenen Nikolai Bucharin hoch an, daß er leninistische Ideale verteidigt und seine politischen Irrtümer eingeräumt habe. Der Generalsekretär äußerte sich nicht im gleichen Sinne über Leo Trotzki, der „übermäßige Ansprüche auf die Spitzenstellung in der Partei erkennen ließ und dadurch vollauf Lenins Meinung bestätigte, daß er ein allzu selbstgefälliger Politiker sei, der stets zu Schwankungen und Betrügereien neige". Nichtsdestoweniger war es das erste Mal in der modernen Geschichte, daß ein sowjetischer Parteiführer Trotzkis Namen erwähnte, und schon diese Tatsache ist von Bedeutung für sowjetische Historiker, Schriftsteller und Künstler. Dadurch, daß Gorbatschow in der Öffentlichkeit, wenn auch euphemistisch, von den Verbrechen der Stalin-Ära und von einigen herausragenden Gestalten der sowjetischen Geschichte sprach, gab er anderen, die solche Themen freizügiger behandeln wollen, gleichsam seinen Segen.

Von einiger Wichtigkeit war auch seine Ankündigung, daß man eine Spezialkommission gründen werde, welche die Parteigeschichte studieren und neu schreiben solle. Zumindest werden sowjetische Intellektuelle nun eine Gelegenheit und ein Forum erhalten, einen bis jetzt tabubehafteten Themenkomplex zu diskutieren. „Wir müssen dies tun", sagte Gorbatschow. „Um so mehr, als es sogar heute noch Versuche gibt, sich von schmerzlichen Sachverhalten in unserer Geschichte abzuwenden, sie zu vertuschen, vorzutäuschen, daß nichts Besonderes geschehen ist." Er machte keine genauen Angaben darüber, wer der Kommission angehören und wann sie ihre revidierte Parteigeschichte veröffentlichen wird. Aber er deutete an, daß das Gremium Zugang zu einigen der verschlossenen Archive bekommen wird, die Beweismaterial für Stalins Verbrechen enthalten. Gorbatschow fuhr fort: „Manchmal heißt es, Stalin habe von vielen der Unrechtstaten gar nichts gewußt. Uns zur Verfügung stehende Dokumente zeigen, daß dies nicht zutrifft. Die Schuld, die Stalin und seine unmittelbare Umgebung vor der Partei und vor dem Volk für ihre pauschalen Unterdrückungsmaßnahmen und für ihre Unrechtstaten zu tragen haben, ist enorm und unverzeihlich. Dies ist eine Lektion für alle Generationen." Und es sei eine Lektion besonders für seine eigene Generation, die „Kinder des XX. Parteitags".

Während Gorbatschow in seine Rolle als Weltstaatsmann hineinfand, stellte sich praktisch jeder, ob in der Sowjetunion oder im Ausland, die Frage: Kann er sich an der Spitze halten? Oder genauer gesagt: Können orthodoxer Kommunismus und verwurzelter Konservatismus bewirken, daß die *glasnost* sich in ein weiteres kurzlebiges „Tauwetter" auflöst? Wird die *perestroika* sich totlaufen und die Form halbherziger Maßnahmen annehmen, welche die oft angekündigte *perestroika* der frühen Breschnew-Jahre kennzeichneten?

Seinem Charakter und seiner Gewohnheit nach hat das Sowjetsystem immer mit Hilfe von Einschüchterung und Gewalt funktioniert. Gorbatschow erklärt den Herrschern wie den Beherrschten nun, daß es schlecht funktioniert. Aber ist Gorbatschow bereit, bei seiner Reform des Systems seine Genossen in eine Zukunft zu führen, in der Gewalt und Einschüchterung von Zustimmung und Wettbewerb abgelöst werden? Werden sie ihm folgen, wenn er es versucht? Und wenn ja, wird die dann entstehende Gesellschaft immer noch die Sowjetunion sein? Marxisten verweisen seit langem genußvoll auf die „Widersprüche" in anderen politischen Systemen. Nun zwingt Gorbatschow sie, sich einigen quälenden Widersprüchen in ihrem eigenen System zu stellen. Ob – und wie – er diese Widersprüche lösen kann, ist eine der wichtigsten Fragen des Jahrzehnts, vielleicht sogar unseres Zeitalters.

Sechstes Kapitel

Ein Tag im Leben des Michail Sergejewitsch

Im Frühwinter geht die Sonne in Moskau nicht vor neun Uhr auf. Aber die Moskauer sind weder durch Dunkelheit noch durch Kälte abzuschrecken. Nach den trüben, feuchten Herbsttagen freuen sie sich geradezu auf den Beginn des Winters. Die Stunden des Tageslichts sind zwar kürzer geworden, doch jeder neue Schneefall überzieht die gewöhnlich graue und schmutzige Hauptstadt mit einer sauberen, schalldämpfenden Watte. Trotz der Kälte sind die Straßen voll von Menschen, und die Eisverkäufer machen ein gutes Geschäft. Die Dunkelheit, die schon um vier Uhr nachmittags einsetzt, verringert das Tempo nicht. Im Sommer, wenn die Sonne nie unterzugehen scheint, verlängert sich das emsige Treiben. Im Juli sind die Durchschnittstemperaturen in Moskau ungefähr so hoch wie in Paris, die Eisverkäufer haben einen noch höheren Umsatz als im Winter, die Parks sind noch ein wenig voller, die Aktivitäten mannigfaltiger. Aber welche Jahreszeit es auch sein mag, in den Straßen Moskaus herrscht immer viel Betrieb.

Michail Gorbatschow ist fast ein Einheimischer, denn er wohnt seit 1978 ständig in der Hauptstadt und hat als Student fünf Jahre dort verbracht. Sommers wie winters gehen die Lichter bei den Gorbatschows früh an. Die „Erste Familie des Staates“ hat eine Wohnung zwei Häuserblocks westlich vom Kreml, aber es ist nicht dieselbe wie die der Breschnews, Andropows oder Tschernenkos, denn es gibt keine offizielle Residenz für den Generalsekretär, die sich zum Beispiel mit dem amerikanischen Weißen Haus vergleichen ließe.

Häufiger allerdings halten die Gorbatschows sich in ihrer Datscha an der Rubljow-Chaussee auf, in einem der westlichen Vororte der Stadt, wo die Lichter dann ebenfalls früh brennen. Der Begriff *datscha* kann in der Sowjetunion vieles beschreiben: von der Laube eines Arbeiters bis hin zum vorrevolutionären Palast eines hohen Parteifunktionärs. Einige dieser Residenzen gehören den Bewohnern, aber die imposanteren sind meist Staatseigentum. Wer hier wohnt, hat die Datscha seinem Posten zu verdanken und kann zur Räumung gezwungen werden, wenn er sein Amt verliert.

Seit Stalins Tagen haben sowjetische Parteiführer eine oder mehrere der besseren staatlichen Datschas benutzen können. So stand Leonid Breschnew eine Datscha zur Verfügung, die schon Stalin und Chruschtschow gedient hatte und knapp außerhalb Moskaus, in Ussowo, lag, sowie eine Jagdhütte in Sawidowo, 110 Kilometer nordwestlich von Moskau. In seinem Buch *Die Russen* gibt der Journalist Hedrick Smith einen Breschnew-Witz wieder: Kurz nachdem dieser Generalsekretär geworden war, ließ er seine bejahrte Mutter aus ihrem Heim in Dneprodserschinsk nach Moskau einfliegen, damit er ihr seine neue Domäne zeigen konnte. Nachdem er sie durch das Anwesen in Ussowo geführt hatte, flog er in seinem privaten Hubschrauber rasch mit ihr nach Sawidowo. Dort, im Bankettsaal mit dem riesigen Kamin, fragte er sie schließlich: „Sag mir, Mama, wie findest du es?" Sie schaute sich in der prunkvollen Umgebung um und antwortete: „Gut und schön, Leonid, aber was machst du bloß, wenn die Roten zurückkommen?"

Gorbatschows Datscha ist geheimnisumwittert. Sie liegt in einem Bereich, zu dem ein internationales Zeichen den Zutritt verbietet. Sicherheitsfahrzeuge patrouillieren in der Nachbarschaft. Die gesamte Zone nördlich der Rubljow-Chaussee ist Ausländern nicht zugänglich, vermutlich weil dort so viele Residenzen hoher Funktionäre liegen. Einige ausländische Besucher sind auf Gorbatschows Datscha eingeladen worden, so der indische Regierungschef Rajiv Gandhi und seine in Italien geborene Frau Sonja. Überhaupt scheinen die Gandhis nicht nur offizielle, sondern auch persönliche Freunde der Gorbatschows zu sein. Da Raissa, wie berichtet wird, ungern Gäste empfängt, haben nur wenige Außenstehende das Innere der beiden Moskauer Gorbatschow-Residenzen gesehen, über deren Größe oder Einrichtung keine Einzelheiten bekannt sind.

Im Jahre 1978, als Gorbatschow nach Moskau berufen wurde und das Amt des ZK-Sekretärs für Landwirtschaft übernahm, traten er und Raissa in ein üppiges, stark abgestuftes System von Privilegien und Vergünstigungen ein, zu dem unter anderem die offizielle Datscha gehört. Außerdem verfügen Mitglieder der Moskauer Elite (und die ihnen entsprechenden Funktionäre in anderen Städten, wenn auch in bescheidenerem Maßstab) über besondere Wohnungen, eine eigene ärztliche Versorgung und andere Vorteile, die durchschnittlichen Sowjetbürgern nicht zugänglich sind. Dieses System offizieller Privilegien wurde unter Stalin eingeführt, blühte unter Breschnew und wird von Gorbatschow gerade beschnitten. Eine von Gorbatschows Reformen bestand darin, die Sondergeschäfte für Angehörige der Bürokratie abzuschaffen. Hinter diesem Schritt verbirgt sich die Theorie, daß diejenigen, welche die sowjetische Wirtschaft kontrollieren, das Schlangestehen um minderwertige Waren und den Umgangston mürrischer Verkäuferinnen aus eigener Erfahrung kennen sollten.

Den Gorbatschows sind seit ihrer Rückkehr nach Moskau solche Ärgernisse wohl erspart geblieben. Wie andere hohe Kreml-Familien lassen sie sich ihre Lebensmittel vermutlich ins Haus liefern – eine Gewohnheit, die in westlichen Städten verbreitet, aber in der Sowjetunion fast unbekannt ist. Hedrick Smith schreibt: „Das sowjetische Privilegiensystem funktioniert nach einem ausgeklügelten Protokoll: Die Vorrechte werden je nach Rang der Betreffenden zugeteilt. Die Leute an der Spitze, führende Mitglieder des Politbüros der KPdSU, Angehörige des mächtigen Zentralkomitees, Minister und die kleine Gruppe der hohen Funktionäre, die den Obersten Sowjet, also das Parlament, leiten, erhalten die *kremlewskij pajok* oder Kremlration – Luxusnahrungsmittel für die ganze Familie – gratis . . . Wert, Qualität und Umfang der Rationen richten sich immer nach dem Rang der Empfänger." Gorbatschow hat verfügt, daß die Empfänger von Kremlrationen den vollen Preis bezahlen, der erheblich mehr betragen kann als die hundert bis hundertzwanzig Rubel, welche eine durchschnittliche vierköpfige Familie im Monat für Lebensmittel ausgibt. Aber die Begünstigten erhalten immer Nahrungsmittel von einer Qualität, die gewöhnliche Bürger zu keinem Preis erkaufen können.

Gerechterweise muß gesagt werden, daß die Gehälter der Führungspersönlichkeiten, die diese Nation von mehr als 280 Millionen Menschen regieren, nach westlichen Maßstäben äußerst bescheiden sind. Gorbatschows Gehalt wird nicht bekanntgegeben, aber es beläuft sich wahrscheinlich auf nicht mehr als die monatlichen neunhundert Rubel (rund 3150 Mark), die Breschnew verdient haben soll. Um einen Vergleich zu ermöglichen: Der amerikanische Präsident erhält zweihunderttausend Dollar im Jahr plus fünfzigtausend Dollar Spesen, einhunderttausend Dollar für Reisekosten und zwanzigtausend Dollar für Bewirtungen sowie andere Vergünstigungen, die sich mit denen des sowjetischen Generalsekretärs vergleichen lassen.

Ebenso wie Zehntausende von amerikanischen Geschäftsleuten, Akademikern, Geistesarbeitern, Sportlern und Künstlern mehr verdienen als der Präsident, so ist auch der Generalsekretär der Kommunistischen Partei der Sowjetunion keineswegs der bestbezahlte Arbeiter des Arbeiterstaates. Sowjetische Schriftsteller und Künstler können Tantiemen in Höhe von zwanzigtausend Rubel im Jahr einnehmen. Die höchsten offiziellen Gehälter werden nicht an Parteifunktionäre, sondern an Facharbeiter in gefährlichen oder fernen Standorten bezahlt, etwa an die Beschäftigten sibirischer Goldwerke, die siebenhundert bis 1200 Rubel monatlich erhalten. Aber es gibt kaum etwas, für das sie ihr Geld ausgeben können, abgesehen von teuren Urlaubsreisen innerhalb des Landes oder auf dem Schwarzmarkt angebotenen elektronischen Geräten. Infolge des allgemeinen Mangels an Konsumartikeln, hochwertigen Nahrungsmitteln und Kleidungsstücken haben Personen, die monatlich über siebenhundert Rubel verdienen, mehr Geld, als sie verbrauchen können. Nicht Bargeld, sondern Privilegien sind für ein komfortables Leben erforderlich.

Ein wichtiges Statussymbol in der Sowjetunion ist das Auto mit Chauffeur. An der Spitze der Pyramide findet man den SIL, einen riesigen, handgefertigten Luxuswagen, der umgerechnet mehr als 170 000 Mark kostet. Etwa zwei Dutzend der höchsten Funktionäre scheint ein SIL zuzustehen. Danach kommt die Tschaika, eine geräumige Limousine, die gewöhnlich für Kabinettsminister, hohe Militärs und auf Besuch weilende ausländische Würdenträger vorgesehen ist; Ausländer können den Wagen für rund 150 000 Mark kaufen. Der Anblick einer Tschaika, die in der für offizielle Wagen reservierten Mittelspur durch eine Moskauer Hauptstraße braust, ist jedem Bewohner der Hauptstadt so gegenwärtig, daß man den Mittelstreifen als „Tschaika-Spur“ bezeichnet. An der dritten Stelle der Automobil-Elite steht der Wolga, eine viertürige Limousine, die zehn Jahre alten amerikanischen Wagen der Mittelklasse ähnelt. In Moskau sind Wolgas fast immer schwarz, während viele Provinzfunktionäre eine weiße Lackierung vorziehen.

Stalin fuhr meist in einer Kolonne aus fünf Autos, wobei er selbst manchmal einen amerikanischen Packard benutzte. Chruschtschow verringerte die Kolonne auf vier Gefährte. Breschnew behielt diese Zahl bei. Falls er geplant hatte, sie weiter zu verkleinern, so überlegte er es sich wahrscheinlich anders, als ein verärgerter Leutnant im Januar 1969 am Kremltor einen Schuß auf die Kolonne abgab.

Nachdem Gorbatschow das Amt des Generalsekretärs übernommen hatte, bezeichneten ihn die Moskauer bewundernd als *skromny* (bescheiden), weil er nur einen SIL und eine wenig auffällige Wolga-Limousine für seine Sicherheitspolizisten benutzte. Gewöhnlich blieb er auch innerhalb der Geschwindigkeitsbegrenzung von achtzig Stundenkilometern, im Gegensatz zu Breschnew, dessen Kolonne mit mehr als hundertdreißig Stundenkilometern über die Mittelspur fegte. Doch im Laufe der Zeit wuchs Gorbatschows Autokolonne, wohl aus dem Grund, weil dies seine persönliche Sicherheit erhöhte. Es gibt – allerdings unbestätigte – Gerüchte über Versuche, ihn zu ermorden. Wie auch immer, die Sicherheitsmaßnahmen wurden wahrscheinlich Anfang 1986 verstärkt. Ein untersetzter, kräftiger Mann mit nach hinten gekämmtem spärlichem Haar, der Chef seiner persönlichen Leibwache, taucht von da an auf den meisten Fotos neben ihm auf.

1988 wurde der Generalsekretär bereits in einer Phalanx von vier SILs befördert: Einer, aus dessen Seitenfenstern Sicherheitsbeamte blicken, fährt mit aufgeblendeten Scheinwerfern voran, ihm folgt der Wagen, in dem Gorbatschow sitzt, dann kommt wieder eine mit Sicherheitsbeamten gefüllte Limousine und schließlich ein mit Vorhängen abgeschirmter, vor Antennen starrender SIL. Dieser letzte Wagen ist offensichtlich schwerer als die anderen; vermutlich handelt es sich um ein Fernmeldeauto mit der Ausrüstung, die man benötigt, um militärische Alarmbereitschaft auszulösen oder sogar den Abschuß von Kernwaffen anzuordnen.

In der Sowjetunion ist die Leidenschaft für Automobile nicht geringer als in anderen Staaten. Breschnew zum Beispiel besaß und fuhr eine Reihe teurer ausländischer Wagen – darunter einen Rolls-Royce –, meist Geschenke ausländischer Regierungen. Gorbatschow ist offenbar weniger von Autos fasziniert; wahrscheinlich hat er nie ein eigenes besessen. Da er in seiner Jugend einen Mähdrescher gefahren hat, dürfte er jedoch einen Führerschein haben. Zweifellos fuhr er als junger Komsomolfunktionär seinen staatlichen Wagen selbst, wenn er in der Region Stawropol unterwegs war, wohingegen sein täglicher Weg ins Büro zu Fuß zurückgelegt wurde. Nach seiner Rückkehr nach Moskau im Jahre 1978 – ihm stand vom ersten Tag an ein Dienstwagen zur Verfügung – wurde er nie auf dem Beifahrersitz neben dem Chauffeur gesehen, im Gegensatz zu vielen anderen hohen Sowjetfunktionären, die glauben, auf diese Weise ihre Solidarität mit der Arbeiterklasse demonstrieren zu müssen.

Wie die Moskauer Autokolonne ist auch das Gefolge angewachsen, das Gorbatschow auf Auslandsreisen mitnimmt. Er startet und landet in Wnukowo II, einem Flughafen in den Außenbezirken Moskaus, der hochrangigen Reisenden vorbehalten ist. Seine Maschine ist eine Iljuschin 62, das am häufigsten benutzte Zivilflugzeug in der Sowjetunion und in Osteuropa. Es ist der britischen VC-10 nachempfunden, die in den sechziger Jahren für die Zivilluftfahrt verwendet wurde, und ähnelt auch Präsident Reagans Boeing 707.

Als Gorbatschow im Oktober 1985 in Paris eintraf, wurden drei SILs für ihn eingeflogen: der eine für ihn selbst, der Fernmeldewagen und ein dritter für den sowjetischen Botschafter und andere hohe Funktionäre.

Einer der SILs hatte eine Panne, so daß die Passagiere des dritten Autos auf französische Citroëns ausweichen mußten. Deshalb brachte man zum Genfer Treffen mit Ronald Reagan vier SILs mit; der vierte dürfte als Reservewagen gedient haben. Für das Treffen in Reykjavik, eher eine Arbeitssitzung als ein regelrechter Gipfel, benötigte man nur drei SILs. Für das Washingtoner Gipfeltreffen im Dezember 1987 hingegen sparten die Sowjets nicht an der Ausrüstung: Gorbatschows Kolonne enthielt nicht weniger als acht SILs. Darunter war auch der Fernmeldewagen, der wie immer etwa fünfzig Meter hinter den anderen herrollte.

Nach amerikanischen Maßstäben ist das Gefolge Gorbatschows bei seinen Auslandsreisen gering. In Genf zählte es etwa 140 Personen, darunter befanden sich ein Pressekorps von ungefähr dreißig Reportern sowie zwei Dutzend Experten – Wissenschaftler, Abrüstungsspezialisten und ähnliche Fachleute –, deren Hauptaufgabe darin zu bestehen schien, westlichen Journalisten den sowjetischen Standpunkt klarzumachen. Im Vergleich dazu brachte Reagan mehr als fünfhundert Amerikaner mit nach Genf, die mehreren tausend Journalisten, die über das Ereignis berichteten, nicht eingerechnet. Beim Washingtoner Gipfeltreffen näherte sich Gorbatschows Gefolge jedoch amerikanischen Dimensionen: Rund zweihundert Personen begleiteten den Generalsekretär. Allein das sowjetische Pressekorps bestand aus mehr als fünfzig Journalisten.

Einen typischen Tag im Leben des Michail Sergejewitsch verbringt dieser natürlich nicht im Ausland, sondern in Moskau. Wie einst als Bauernjunge in Stawropol steht er immer noch früh auf, liest die führenden sowjetischen Tageszeitungen und wahrscheinlich einige offizielle Dokumente und fährt dann ins Büro. Wenn er sich auf der Datscha aufhält, kann man seine Autokolonne spätestens um neun Uhr – eine Viertelstunde früher als die Breschnews – auf dem Kutusow-Prospekt in Richtung Kreml fahren sehen.

Gorbatschow hat mindestens zwei offizielle Büros, eines im Kreml und das andere im ZK-Hauptquartier, einem Gebäudekomplex am Staraja-Platz, der etwa drei Häuserblocks vom Kreml entfernt ist. Beide Büros machen den kahlen, unbewohnten Eindruck von Konferenzzimmern, und sie werden hauptsächlich zum Empfang von Besuchern benutzt. Die Räume sind ähnlich eingerichtet: helle Seidentapeten, Porträts von Marx und Lenin, die auf einen langen, mit grünem Fries überzogenen Tisch hinunterstarren. Der Tisch ist von rund zwanzig Stühlen umgeben. An seiner einen Seite steht ein großer heller Holzschreibtisch mit vier oder fünf cremefarbenen Telefonen. Ein amerikanischer Journalist, der mehrere Male in jedem der beiden Zimmer gewesen ist, berichtet, daß er nie eines der Telefone habe klingeln hören.

Gorbatschows Hauptarbeitszimmer liegt im ZK-Hauptquartier. Die höchsten Parteisekretäre haben Büros im vierten Stockwerk; der Korridor ist mit orientalischen Läufern ausgelegt und weist eine Reihe von großen Doppeltüren auf, neben denen die Namen der Betreffenden in eleganten schwarzen Lettern auf weißem Untergrund angebracht sind. Gorbatschow benutzt einen Bürokomplex im vorderen Teil des Korridors. Dazu gehört ein geräumiges, repräsentatives Empfangszimmer, das durch eine Doppeltür mit einem als Sekretariat benutzten Vorzimmer verbunden ist. Hinter dem Vorzimmer liegt das Allerheiligste, Gorbatschows allen Blicken entzogenes Arbeitszimmer.

Ausländer dringen nicht hierher vor; dies ist nur den allerhöchsten Sowjetfunktionären vorbehalten. Besucher in Gorbatschows früheren Arbeitszimmern in Moskau und Stawropol berichten jedoch, daß er den Geschmack typischer sowjetischer Bürokraten für schweres Mobiliar oder für die üblichen Batterien von Flaschen und Gläsern und anderes Zubehör nicht teilt. Daß er Wert legt auf einen leeren Schreibtisch, mag seinem Ordnungssinn zuzuschreiben sein, den er bekanntermaßen schon als Student an den Tag legte.

Er verbringt seinen Tag, wie emsige Manager überall auf der Welt, vornehmlich mit Konferenzen und Telefongesprächen. Man nimmt an, daß sich Gorbatschow mehr als seine Vorgänger auf das Telefon verläßt – eine Neigung, die seinem Sinn für effizientes Arbeiten entspricht. Zum Beispiel wählte er das Telefon, um sich mit Andrej Sacharow im fernen Gorki in Verbindung zu setzen, als er das Exil des Physikers beendete. Ein anderer Generalsekretär hätte einfach einen Abgesandten nach Gorki geschickt oder Sacharow zu einem Gespräch nach Moskau geladen.

Nach westlichen Maßstäben sind gewöhnliche sowjetische Telefonleitungen recht primitiv. Die Verbindungen in Moskau sind nicht immer zuverlässig, und die Qualität von Ferngesprächen ist oft unglaublich schlecht. Aber Gorbatschow hat ein eigenes Fernmeldeamt mit hochwertigen Leitungen zwischen seinem Büro und der zentralen Moskauer Vermittlung. Außerdem werden seine Ferngespräche wahrscheinlich über ihm vorbehaltene Satellitenverbindungen geleitet. Mehrere größere sowjetische Organisationen – etwa das Verteidigungsministerium und die Akademie der Wissenschaften – betreiben äußerst zuverlässige Kommunikationssysteme sowohl für akustische wie für visuelle Datenübertragung. Wahrscheinlich unterhält die Kommunistische Partei ein ähnliches System.

Die einzige regelmäßige Konferenz, an der der Generalsekretär teilnimmt, ist die wöchentliche Politbürositzung, die jeden Donnerstagnachmittag in einem speziellen Konferenzzimmer im Kreml stattfindet. Daneben nimmt Gorbatschow an periodischen Zusammenkünften des zwölfköpfigen Parteisekretariats teil, die er allerdings nicht selbst zu leiten scheint, und sitzt dem auf äußerste Geheimhaltung bedachten Verteidigungskomitee vor, dem neben ihm vier oder fünf andere Spitzenfunktionäre angehören.

Es heißt, das Gorbatschow in einem Konferenzraum besonders gut zur Geltung komme, weil er hier sowohl sein phänomenales Detailgedächtnis wie seine persönliche Herzlichkeit unter Beweis stellen könne. Er gibt allen das Gefühl, daß er genau weiß, wer sie sind, daß er sich in ihrem Arbeitsgebiet auskennt und daran interessiert ist. Ein Mitarbeiter erläutert: „Er kann eine ganze Seite mit Informationen auf einmal herunterrasseln."

Der Generalsekretär hält engen Kontakt zu einem halben Dutzend seiner wichtigsten Berater, mit denen er sich jeden Tag persönlich und telefonisch bespricht. Es kommt vor, daß einer dieser Männer täglich mehrere Anrufe des Generalsekretärs erhält mit der Bitte um Informationen zu diesem oder jenem Thema. In außenpolitischen Fragen verläßt Gorbatschow sich fast ausschließlich auf Anatoli Dobrynin und Außenminister Schewardnadse. Was die Innenpolitik betrifft, wendet er sich meist an das Politbüromitglied Alexander Jakowlew. Ministerpräsident Nikolai Ryschkow ist ein Spezialist für Wirtschaftsfragen, und Jegor Ligatschow ist seit 1988 (als Nachfolger Viktor Nikonows) der Agrarexperte des Sekretariats.

Der sowjetische Parteichef hat nur selten mit Funktionären mittleren Ranges zu tun. Weniger wichtige Kremlberater dürfen manchmal an Konferenzen mit Politbüromitgliedern teilnehmen, aber sie kommen kaum je mit dem Generalsekretär allein zusammen. Einer dieser Funktionäre, der bei solchen Treffen mit Gorbatschow zugegen war, berichtet: „Er ist kein Mann, den man ‚Mischa' nennen würde, aber andererseits läßt er mit sich reden. Unter uns sagen wir, daß es ihm nicht auf chinesisches Zeremoniell ankommt. Man braucht nicht dauernd einen Kotau zu machen, muß sich nicht ständig ihm zu Füßen werfen."

Gorbatschow hat seinen Terminkalender fest unter Kontrolle, im Unterschied zu Breschnew, der in seinen späteren Jahren von einer Veranstaltung zur anderen geführt wurde und bisweilen nur ahnte, mit wem er sich traf und weshalb. „Gorbatschow entscheidet, wen er empfängt und wen nicht, und er hält nichts von Begegnungen, die nur der Form halber stattfinden", sagt ein hoher Vertreter des Außenministeriums. „Er legt Wert auf Originelles. Als er zum Beispiel hörte, daß eine Gruppe amerikanischer Russischlehrer in Moskau war, lud er sie sofort zu einem Treffen ein, das ihm sehr viel Spaß machte. Am liebsten sind ihm Begegnungen, bei denen ein wirkliches Gespräch, ein wirklicher Informationsaustausch zustande kommt. Förmliche Veranstaltungen, bei denen alle nur steif dasitzen, langweilen ihn."

Gorbatschow beruft des öfteren Sitzungen hoher Vertreter verschiedener Berufsstände oder Industriesparten ein. Ungefähr einmal im Monat berät er sich mit Landwirtschafts-, Industrie- oder Verteidigungsfunktionären. Er hat sich mindestens zweimal mit wichtigen sowjetischen Chefredakteuren getroffen. Die Sitzungen dauern häufig fünf oder sechs Stunden, und Gorbatschow fordert die Anwesenden auf, ihre Meinung frei zu äußern. Manchmal macht er spitze Bemerkungen. Bei einer Begegnung mit Sozialwissenschaftlern, die der US-Historiker Moshe Lewin beschrieb, klagte Gorbatschow, daß der Unterricht in vielen sozioideologischen Disziplinen „langweilig, formal, bürokratisch" geworden sei. Von nun an solle man etwas „nicht Schablonenhaftes" *(ne kasjonnoje)* anbieten.

Eines der auffälligsten Elemente von Gorbatschows Führungsstil besteht darin, daß er häufiger als jeder seiner Vorgänger sein Büro verläßt, um mit gewöhnlichen Bürgern zusammenzutreffen. Diese Ausflüge in die Provinzen finden regelmäßig etwa alle zwei Monate statt. Bei solchen Gelegenheiten leitet er in der Regel ein oder zwei Sitzungen mit führenden örtlichen Persönlichkeiten aus Politik, Bürgergruppen und Industrie. Die Begegnungen, die gewöhnlich im Fernsehen gezeigt werden, geben einen Hinweis darauf, wie er wahrscheinlich seine geschlossenen Sitzungen im Kreml leitet. Er geht auf verschiedene regionale oder nationale Probleme ein und unterbricht sich oft, um zu fragen: „Stimmt das nicht?" oder „Habe ich nicht recht?", wobei das Publikum meist mit einem beifälligen Murmeln reagiert.

Im August 1987 besuchte er zum Beispiel den agrarindustriellen Komplex im Ramenski-Bezirk bei Moskau. Eifrige Funktionäre der Sowchose Saworowo hatten eigens eine Treppe bauen lassen, um ihrem hohen Gast die Kränkung zu ersparen, über einen abgetretenen Hügel auf die Kartoffelfelder unterhalb der Hauptstraße klettern zu müssen. Die Mühe hätten sie sich sparen können. Als die Kremldelegation in schwarzen SIL-Limousinen eintraf, stieg Gorbatschow aus, warf nur einen Blick auf die nagelneue Holzkonstruktion, winkte verächtlich ab und stapfte in seinem ordentlich gebügelten grauen Anzug den steilen Hang hinunter, so daß sein überraschtes Gefolge hinter ihm herlaufen mußte. Dieses muntere Zwischenspiel erheiterte nicht nur die fünfköpfige Kartoffelbauerbrigade, die geduldig am Rande eines gepflügten Feldes auf den Generalsekretär wartete, sondern auch Millionen anderer Sowjetbürger, die sich die abendliche Nachrichtensendung *Wremja* (Die Zeit) ansahen.

Das sich anschließende Gespräch war kennzeichnend für Gorbatschows Stil. Der einstige Mähdrescherfahrer verfiel in das melodische Russisch seiner Heimatregion Stawropol und versuchte, den eingeschüchterten Kartoffelbauern durch ein wenig Konversation ihre Befangenheit zu nehmen. Er erkundigte sich nach der allgemeinen Stimmung in Saworowo.

„Gut", „Alles geht seinen gewohnten Gang", erwiderten die Männer, die mit schmutzbefleckten Mützen und khakifarbener Arbeitskleidung wie Soldaten bei einer Militärparade neben einer Reihe gut gepflegter landwirtschaftlicher Maschinen Position bezogen hatten.

Sie hätten Gorbatschow keinen besseren Aufhänger bieten können. Es war eine wenig originelle Antwort, die er immer wieder hörte. Wie immer hielt der Generalsekretär eine schlagfertige Erwiderung bereit, die zu einem wichtigen Leitmotiv seiner Straßengespräche geworden ist: „Wissen Sie, ich höre immer dieselbe Antwort", sagte Gorbatschow grinsend. „Gut. Normal. Ausgezeichnet." Dann verschwand das verschmitzte Funkeln aus seinen braunen Augen, und er kam auf die *perestroika,* sein Programm zur Umgestaltung der Sowjetwirtschaft, zu sprechen: „Probleme gibt es immer. Und im Moment haben wir eine ganze Menge davon. Wenn das nicht der Fall wäre, hätten wir nicht mit Ihnen so große Aufgaben in Angriff genommen."

Der Besucher aus dem Kreml hatte offensichtlich einiges im Sinn, was er diesen Landarbeitern mitteilen wollte. „Haben Sie hier alles – außer Wodka?" fragte er, womit er auf seine Kampagne gegen den Alkoholismus anspielte. Die Bauern murmelten pflichtschuldig, daß alle zufrieden seien, und Gorbatschow ließ die üblichen Formalitäten fallen, um sich einem heiklen Punkt zu widmen, der, wie er wußte, sowohl sein Publikum auf dem Feld als auch das vor den Fernsehschirmen beschäftigte. Nein, es gebe eigentlich keinen Grund, zufrieden zu sein. Das Zentralkomitee habe Briefe erhalten, in denen von Versorgungsschwierigkeiten, besonders von Zuckermangel, die Rede sei. Ein Bauer nahm seinen Mut zusammen und erklärte, es sei gerade die Zeit, in der man Marmelade und Gelee herstelle, und es herrsche große Nachfrage nach Zucker. Gorbatschow benutzte den Anlaß, seinen Fernsehvortrag über die Gefahren des Alkoholismus zu halten.

„Ich möchte Ihnen etwas sagen, und die Korrespondenten werden es dem ganzen Land mitteilen", begann Gorbatschow und senkte die Stimme, damit sein Tonfall nicht allzu schneidend wirkte. Der Parteichef blickte sich, nach Bestätigung suchend, zu einem seiner Mitarbeiter um und sagte, er habe sich mit ein paar Fakten und Zahlen vorbereitet. Dann deklamierte er aus dem Gedächtnis statistische Angaben über den Zuckerverbrauch in den USA und Westeuropa, um seine Argumentation zu untermauern, daß der jährliche Pro-Kopf-Verbrauch in der Sowjetunion inzwischen zehn Kilo über den medizinisch zu vertretenden Normen liege. Die Ursache? Selbstgebrannter Wodka. Privatleute hätten in großen Mengen Zucker aufgekauft, um selbst Wodka zu brennen und auf diese Weise seine strengen Vorschriften zum Alkoholverbrauch zu umgehen. „Wir wollen ehrlich miteinander reden. Ist es nicht an der Zeit, mit dem Brennen von Wodka Schluß zu machen? . . . Solche Leute gehören in die Zeiten, in denen es noch Dinosaurier gab." Die Kartoffelbauern lachten.

Wie sorgfältig Gorbatschow Publikum, Szenerie, Botschaft und Medium während des Besuches in Saworowo aufeinander abstimmte, zeigt ausdrucksvoll sein Kommunikationstalent. Der frühere KGB-Chef Juri Andropow hatte als erster erkannt, daß es nach der Isolation in den letzten Jahren Breschnews nun für den herrschenden Zirkel an der Zeit war, hinter den Zinnen des Kremls hervorzukommen und sich unter das Volk zu mischen. Andropow starb, bevor er allzuviel Gelegenheit gehabt hatte, dieses Prinzip in die Praxis umzusetzen. Immerhin machte er einen Besuch in der Moskauer Sergo-Ordschonikidse-Werkzeugmaschinenfabrik, wo er ein ziemlich gestelztes Gespräch mit Arbeitern führte, das die *Prawda* pflichtgetreu aufzeichnete.

Ohne Zeit zu verlieren, setzte Gorbatschow fort, was Andropow begonnen hatte. Im April 1985, einen Monat nachdem er Generalsekretär geworden war, fuhr er in den von Industrieansiedlungen geprägten Moskauer Proletarski-Bezirk, um Supermärkte zu besuchen, mit Arbeitern im Lichatschow-Lastwagenwerk zu plaudern, mit Lehrern in der Schule Nr. 514 über Computerausbildung zu diskutieren und mit dem Personal des städtischen Krankenhauses Nr. 53 über die Notwendigkeit von Gehaltserhöhungen zu sprechen. Er fand sogar Zeit zu einer Tasse Tee bei einem jungen Moskauer Ehepaar, an dessen Wohnungstür er einfach geklingelt hatte.

In den Abendnachrichten wurden nur Standfotos jenes ersten Spaziergangs im Proletarski-Bezirk gezeigt. Bei späteren Reisen, von Kiew bis Chabarowsk und von den sibirischen Ölfeldern in Tjumen bis zu den Weizenfeldern Kasachstans, waren Fernsehkameras zugegen, während Gorbatschow seine Fertigkeiten in improvisierten Begegnungen mit Bürgern weiterentwickelte – Bürgern, die sich entweder als eingeschüchtert und schweigsam oder aber als brutal aufrichtig erwiesen. Der Generalsekretär erging sich oft in kurzen Standpauken, die wie angeregte *Prawda*-Leitartikel klangen, aber er bewies auch eine natürliche Begabung dafür, jeder Situation etwas Humoristisches abzugewinnen.

Er zeigte sich schlagfertig, als Bauern in der Kasachstaner Region Zelinograd das unbeständige Wetter für niedrigere Ernteerträge verantwortlich machten. „Genossen“, sagte Gorbatschow, „das Wetter wird sich in unserem Land in den nächsten hundert Jahren nicht ändern. Regen oder kein Regen, wir brauchen die Ernte trotzdem.“ Nachdem zornige Verbraucher ihn in der fernöstlichen Stadt Komsomolsk mit Klagen über alles mögliche eingedeckt hatten, von dem Mangel an Möbeln und Kinderkleidung bis hin zur Obst- und Gemüseknappheit, erwiderte Gorbatschow: „Wir haben viele Probleme –

einen ganzen Haufen sogar. Was wir hier benötigen, ist ein großer Bulldozer!" Als er im April 1987 in der Tschechoslowakei eintraf, badete er bereits mit der Selbstsicherheit eines erfahrenen westlichen Politikers in der Menge und wurde mit dem Ruf *„Druschba! Druschba!"* (Freundschaft! Freundschaft!) von den sonst eher russenfeindlichen Bewohnern Prags begrüßt.

Wie Gorbatschows Bestreben, die Sowjetwirtschaft zu modernisieren, auch ausgehen mag, er hat jedenfalls für eine dramatische Wendung im Verhältnis des Kreml zur Öffentlichkeit gesorgt. Lenin war vorausschauend genug, den gewaltigen Einfluß zu erkennen, den die damals noch junge Filmindustrie als Propagandawerkzeug haben würde, aber er war in erster Linie ein leidenschaftlicher Redner im Stil des neunzehnten Jahrhunderts. Stalin, von kleinem Wuchs und mit einem starken georgischen Akzent, förderte seinen Personenkult, indem er wie eine stumme Statue im Mittelpunkt sorgfältig gruppierter politischer Bilder erschien.

Nikita Chruschtschow faszinierte den Westen – und verursachte bei einigen seiner weltgewandteren Landsleute peinliche Gefühle – durch seine derben Bauernsprichwörter, seine Drohungen mit dem Finger und seine Schuhklopfereien, doch waren dies die überzeichneten Gesten eines Schmierenkomödianten aus der Provinz. Was machte es auch aus, wenn der temperamentvolle sowjetische Parteichef sich dem Format eines Fernsehschirms weniger gut anpaßte als sein Gipfelpartner John F. Kennedy? Damals besaßen schließlich nur zweiundzwanzig von tausend sowjetischen Haushalten ein Fernsehgerät. In den beiden nächsten Jahrzehnten erhöhte sich die Zahl von Fernsehgeräten pro tausend Menschen in der Sowjetunion um mehr als das Zehnfache auf 249, aber die alternde Kremlführung zögerte, das volle Potential der Medienrevolution zu nutzen. Breschnew, Andropow und Tschernenko hatten gute Gründe, den forschenden Blick der Fernsehkamera zu vermeiden. Allzuoft fing sie die von Kortison aufgeschwemmten Gesichter, die schlurfenden Schritte und den pfeifenden Atem kranker Männer ein.

Ganz anders bei Gorbatschow. Er weiß, daß er bei Gesprächen mit Ölarbeitern in Tjumen oder Weizenbauern in Kasachstan eine Botschaft aussendet, die von Karelien bis zur Halbinsel Kamtschatka gehört und gesehen werden kann, und deshalb hat er Funk und Fernsehen gezielt zu einer Kanzel für die *perestroika* gemacht. Er hat keine Scheu vor der Kamera und kennt die simple Wahrheit, daß man sich vor dem Objektiv am besten darstellt, wenn man es zu ignorieren scheint.

Gorbatschows rundes Gesicht, sein leichtes Doppelkinn und der kahle Schädel mit ein paar widerspenstigen grauen Strähnen haben etwas beruhigend Normales an sich. Mit Ausnahme des portweinfarbenen Muttermals auf seiner Stirn hat er keine besonderen Kennzeichen, etwa buschige Augenbrauen oder Warzen oder eine Knollennase, die Karikaturisten anregen könnten. Es sind die Augen, welche diesen sanften Zügen Tatkraft verleihen und das strahlende Lächeln bewirken, das sich genauso plötzlich in einen verärgerten, funkelnden Blick verwandeln kann. Er weiß, wie wichtig die Augen sind. Wenn Gorbatschow mit einer Menschenmenge plaudert, sagt er gelegentlich, er brauche einem anderen nur in die Augen zu schauen, um dessen Aufrichtigkeit zu erkennen. Zuschauern in Prag teilte er mit, daß die Augen nicht lügen könnten.

Russisch ist eine Sprache, die mit den Händen, hochgezogenen Augenbrauen, einem gelegentlichen Kopfschütteln oder einem Achselzucken gesprochen werden muß. Gorbatschow ist ein Meister solcher Gesten. Er durchschneidet die Luft wie mit einem Karatehieb oder dreht die Hände umeinander wie die Flügel einer Windmühle. Manchmal streckt er sie, die Handflächen nach oben, in einer Geste der Verletzlichkeit nach vorn, um sie einen Moment später wild zu ballen. Im Sommer 1987 machte er eine Fahrt durch das ländliche Moskau und führte im Saal der Starnikowski-Kolchose ein Gespräch mit Viehzüchtern. Dabei verließ er, um dem Publikum ungehindert antworten zu können, seinen Platz auf der Tribüne und setzte sich auf den Rand des vor ihm stehenden Tisches. Es war eine kleine, doch aufschlußreiche Geste. Seine siechen Vorgänger hatten ein massives Pult benötigt, um sich daran festzuhalten.

Gorbatschows vorbereitete Reden mögen Westlern, die an politische Erklärungen mit sorgfältig formulierten Aphorismen gewöhnt sind, lang, dogmatisch und eintönig erscheinen. Aber obwohl zwischen den glatten marxistisch-leninistischen Platitüden nur wenige rhetorische Glanzlichter sind, ist Gorbatschow im Vergleich mit seinen Vorgängern ein ausgezeichneter Redner. Sowjetbürger stellten ihren Fernsehapparat ab, wann immer Breschnew oder Tschernenko das Podium betraten, doch Gorbatschow hören sie zu – und dies, obwohl seine Worte häufig überraschend schonungslos sind. Zum Beispiel redete er im November 1987 in der Stadt Murmansk davon, daß die Subventionierung der Lebensmittelpreise beendet werden müsse, denn Backwaren seien so billig, daß „man Kinder sehen kann, die mit einem Brotlaib Fußball spielen".

Er ist kein Mann, der in vagen Allgemeinplätzen schwelgt. Im Juni 1987 sprach Gorbatschow vor dem Zentralkomitee und kritisierte mehrere hohe Minister und Parteiführer, darunter den Chef des mächtigen Staatlichen Plankomitees. In derselben Rede lobte er private Kartoffelbauern und Viehzüchter namentlich für ihre Beiträge zur *perestroika.* Bisweilen lassen seine Ideen an Lincoln denken. In seiner Rede zum siebzigsten Jahrestag der bolschewistischen Revolution sprach Gorbatschow von der Notwendigkeit, in der UdSSR ein Gefühl für „Selbstregierung" zu entwickeln, „eine Regierung des Volkes, vom Volk selbst im Interesse des Volks ausgeübt".

Seine rhetorische Ausbildung an der Juristischen Fakultät der Moskauer Staatsuniversität kommt wahrscheinlich am besten zur Geltung, wenn Gorbatschow ohne einen vorbereiteten Text spricht. Am Ende seiner Kolchosbesuche im Ramenski-Bezirk hielt er örtlichen Parteiaktivisten eine improvisierte Rede, in der er seine *perestroika*-Politik anpries: „Wir sprechen miteinander, sehen einander in die Augen, und ich möchte noch einmal sagen: Es darf kein Zaudern geben. Wir müssen entschlossen umgestalten. Wir alle müssen uns selbst umgestalten."

Gorbatschow ist natürlich kein marxistischer Peter der Große, der die Parteigetreuen zwingen will, sich im modernen Sinne gleichsam die Bärte abzuschneiden und westliche Kleidung anzulegen. Aber er zeigt manchmal eine fast boshafte Ungeduld bei hohlen Zeremonien und schwülstigen Reden. Er neigt dazu, Unerwartetes zu tun und zu sagen, was Funktionäre nicht selten in Verwirrung stürzt.

Während seines Besuches bei den Leningrader Ostseewerften im November 1987 trat er nach einem kurzen Begrüßungsempfang mit dem Betriebsleiter zu einer kleinen Gruppe draußen versammelter Parteiaktivisten und Arbeiter, um mit ihnen zu plaudern. „Ich habe schon Zeit gefunden, euren Direktor zu kritisieren", verkündete er fröhlich, während der Mann, der die Zielscheibe seines Spottes bildete, unbehaglich grinsend neben ihm stand. Später, als Gorbatschow die Werft besichtigte und ein Arbeitersprecher in einer monotonen Begrüßungsrede dem Wunsch Ausdruck gab, daß die *perestroika* sich noch rascher entwickeln möge, unterbrach der Generalsekretär ihn mit einem scherzhaften *„Dawai! Dawai!"* („Zur Sache! Zur Sache!"). Die Menge brach in Gelächter aus, und der überraschte Sprecher verlor die Fassung, so daß er seine auswendig gelernten Zeilen nicht zu Ende bringen konnte.

Zu den vielen Unwägbarkeiten der Gorbatschow-Ära gehört die Frage, ob er der Verlockung widerstehen kann, seine Popularität zum Aufbau eines eigenen Personenkults zu benutzen. Bisher hat es den Anschein. Beim XXVII. Parteitag im Jahre 1986 wurde Gorbatschow ungeduldig, als ein prominenter sowjetischer Filmregisseur ihn wiederholt beim Namen nannte. Als der Mann „Ihnen, Michail Sergejewitsch, für Ihre brillante Lektion" noch einmal danken wollte, unterbrach Gorbatschow ihn schließlich mit den knappen Worten: „Wir wollen aufhören, Michail Sergejewitsch zu deklinieren!" Das Publikum lachte und applaudierte. Einem weithin erzählten Scherz zufolge rief der neue Generalsekretär den *Prawda*-Herausgeber Viktor Afanasjew an, um diesen zu fragen, ob er die Werke Lenins zur Hand habe. Als der Herausgeber dies bejahte, forderte Gorbatschow ihn angeblich auf: „Seien Sie so gut, in Zukunft *ihn* zu zitieren – und nicht mich."

Seine offizielle Biographie weist jedoch einige vorhersehbare hagiographische Tupfer auf. In einem Porträt des sowjetischen Parteichefs – erschienen in einer Sammlung seiner Reden, die in den USA unter dem Titel *Gorbachev: Mandate for Peace* (1987) herauskam – heißt es überschwenglich, daß „Michail Gorbatschows natürliche Gaben, sein forschender Geist, seine Selbstdisziplin und Energie und seine Heimatliebe bereits in seiner Kindheit hervorragten". Als Komsomolfunktionär sei er fähig gewesen, „Menschen durch seine Brillanz zu fesseln . . . Die Originalität seiner Gedanken und sein Charme zogen andere zu ihm hin." Vielleicht sollte man in künftige Auflagen Gorbatschows eigene Einschätzung derjenigen aufnehmen, die gesteigerten Wert auf ihr eigenes gutes Image legen. Der Generalsekretär erklärte Dorfbewohnern in der Kolchose Borez (Kämpfer) in der Nähe Moskaus: „Es ist schlimm, wenn man sieht, daß jemand nicht allzu schwer arbeitet, aber besonders elegant und bezaubernd sein möchte. Da stellt sich die Frage, was man mit einer solchen Person anfangen soll. Die Menschen merken am ehesten, wenn jemand den Kontakt mit dem Kollektiv und der Gesellschaft zu verlieren beginnt."

Gorbatschow selbst kann man schwerlich vorwerfen, er sei elegant und bezaubernd – auch wenn seine Kleidung sorgfältig ausgewählt, konservativ und vielleicht recht teuer ist. Er ließ mehrere seiner gutsitzenden Anzüge im Ausland, in Italien und Großbritannien, anfertigen. Ein Schneider, der früher für die angesehene Firma Gieves und Hawkes in der Londoner Saville Row arbeitete, erzählte einem Bekannten, er habe 1984 bei dem Besuch Gorbatschows in Großbritannien dessen Maße für zwei Anzüge genommen. Diese seien kurz darauf nach Moskau geliefert worden. Anzüge bei Gieves and Hawkes kosten mindestens 1050 bis 1200 Mark, was für viele Sowjetbürger mehreren Monatsgehältern entspricht.

Bis vor einigen Jahren schenkten sowjetische Männer ihrer Kleidung kaum Aufmerksamkeit, und jede Neigung, auf derartige Äußerlichkeiten zu achten, galt lange als frivol und unmännlich. Eines der Kennzeichen der Gorbatschow-Ära besteht darin, daß plötzlich überall auf der Welt sowjetische Repräsentanten erscheinen, die jünger und gebildeter als ihre Vorgänger sind – und deren Anzüge sitzen.

Der Generalsekretär trägt eine Tausend-Dollar-Rolex aus Gold und rostfreiem Stahl am linken Handgelenk. Bei seinem Besuch in Paris im Jahre 1985 waren seine Schuhe so neu, daß nicht einmal die Sohlen abgestoßene Stellen hatten – ein Hinweis darauf, daß die Schuhe möglicherweise während der Reise gekauft worden waren. Gorbatschow schickt seine Hemden und Unterwäsche wahrscheinlich in eine spezielle Wäscherei beim Moskauer Hotel Ukraina, die hohe Funktionäre bedient. Er bevorzugt weiße, kräftig gestärkte Hemden, die vermutlich aus sowjetischer Produktion stammen, doch er könnte auch einige von seinen Reisen mitgebracht haben. Ein Teil seiner Kleidung ist unzweifelhaft russisch: seine eintönigen, metallisch wirkenden Krawatten.

An einem typischen Arbeitstag macht sich der Generalsekretär abends gegen sechs Uhr von seinem Büro nach Hause auf. Gelegentlich werden die donnerstäglichen Politbürositzungen überzogen, und seine Autokolonne steuert erst gegen neun Uhr oder noch später auf dem Kutusow-Prospekt nach Westen, in Richtung Datscha. An Tagen, an denen er zur üblichen Zeit abfährt, nimmt er sich Arbeit mit nach Hause. Er macht einen langen Sommerurlaub – 1987 ungefähr fünf Wochen –, von dem er einen Teil vermutlich in seiner Heimatregion verbringt, die ja zahlreiche Ferienorte besitzt. Auch im Urlaub tauschen er und seine Mitarbeiter regelmäßig Arbeitspapiere aus. In der Zeit vor dem Washingtoner Gipfeltreffen arbeiteten fast alle im Politbüro sieben Tage pro Woche. Unter normalen Umständen hat Gorbatschow eine Sechstagewoche; nur am Sonntag ruht er sich aus.

Über seine Freizeitbeschäftigungen weiß man wenig, abgesehen von seinen Theaterbesuchen mit Raissa. Der Parteichef sprach 1987 mit einem Interviewer der italienischen Zeitung *L'Unità* über dieses Thema. „Was Freizeit betrifft", sagte er, „so habe ich im Moment keine – und das gilt nicht nur für mich, sondern für alle Mitglieder der sowjetischen Führung. Dies ist nicht normal, aber die Zeiten bringen es mit sich – eine Situation, die revolutionären Verhältnissen darin ähnelt, daß sie von jedem einzelnen große Opfer verlangt." Offenbar merkte er, daß er sich zu umständlich ausgedrückt und die Frage nicht richtig beantwortet hatte, denn er schloß mit den

Worten: „Wie Sie sehen, sind wir bei unserem Gespräch über Erholung und Freizeit nicht weit gekommen."

Die Gorbatschows haben eine Tochter, die im Jahre 1959 geborene Irina; sie ist Ärztin, mit einem Mediziner verheiratet und hat anscheinend zwei Kinder. Der Grad, bis zu dem die Gorbatschows das Privatleben ihrer Familie hüten, läßt sich daran ermessen, was man alles nicht weiß: Irinas neuen Namen (nur der Vorname ihres Mannes, Anatoli, ist enthüllt worden); den Namen der ersten Enkelin (er wird unterschiedlich, mal mit Oxana und mal mit Xenia, wiedergegeben, doch Vertreter westlicher Nachrichtendienste halten den letzteren für korrekt); ihr Alter (sie wurde wahrscheinlich im Jahre 1980 geboren); das Geschlecht und die Namen eines zweiten Enkelkindes (Gorbatschow teilte dem früheren US-Präsidenten Jimmy Carter, der Moskau im Sommer 1987 besuchte, stolz mit, daß gerade eines geboren worden sei, ging aber nicht auf Einzelheiten ein).

Überhaupt ist für einen Mann, der an der Spitze einer der beiden Supermächte steht – und der ein neues Maß an Offenheit in amtliche sowjetische Verlautbarungen aller Art gebracht hat –, relativ wenig über seine persönlichen Gewohnheiten oder seinen Tagesverlauf bekannt. Aber die UdSSR ist eben kein westliches Land, in dem das Privatleben in der Öffentlichkeit stehender Personen – ob Politiker oder Künstler – der Presse ausgeliefert ist. Viele Sowjetbürger sind nicht besonders neugierig, was diesen Aspekt Gorbatschows betrifft, und manche würden solche Neugier sogar für unziemlich halten.

Doch den Moskauern, die die auffallende Kolonne von vier SILs in der Abenddämmerung westwärts über den Kutusow-Prospekt jagen sehen, dem Datschagelände entgegen, wäre es zu verzeihen, wenn sie sich Gedanken über den Tagesverlauf ihres Generalsekretärs und Staatspräsidenten machten. Hat er bei seinen Plänen, die Sowjetgesellschaft umzugestalten, mehr Offenheit in die

Regierung einzubringen und die Lebensqualität des durchschnittlichen Arbeiters zu verbessern, Fortschritte erzielt? Vielleicht würden diese Hauptstadtbewohner auch gern wissen, welchen Lebensstandard Gorbatschow am Ende seiner Heimfahrt genießen wird – und ob auch sie eines Tages in den Genuß einiger der Annehmlichkeiten kommen werden, die der Partei- und Staatschef genießt.

Siebtes Kapitel

Raissa

Michail Gorbatschow und seine Frau Raissa saßen 1984 am Ende ihres Besuches in Großbritannien – damals wurde der Westen zum erstenmal auf den künftigen sowjetischen Parteichef aufmerksam – zusammen mit Margaret und Denis Thatcher beim Diner. Nach mehreren Tagen triumphaler Öffentlichkeitsarbeit war Gorbatschow verständlicherweise mitteilsam. Das Gespräch wandte sich dem Thema der Arbeiterklasse zu, und er verkündete: „In der Sowjetunion gehören wir alle zur Arbeiterklasse."

„Nein, wir nicht", unterbrach ihn seine Frau. „Du bist Jurist."

Gorbatschow lenkte hastig ein. „Vielleicht hast du recht", gab er zu. „Vielleicht ist es bloß ein soziologischer Begriff."

Von allen denkwürdigen Ereignissen des Besuches war dieser kurze Dialog möglicherweise am eindrucksvollsten. Es war verblüffend genug, daß die Frau eines sowjetischen Politbüromitglieds ihrem Ehemann in der Öffentlichkeit widersprach. Daß sie es vor einem ausländischen Regierungschef tat, war beispiellos. Und daß ihr sogar die nachsichtige Duldung ihres Mannes zuteil wurde – nun, dies war ein Zeichen dafür, daß eine Welt, die sich daran gewöhnt hatte, die Frauen sowjetischer Spitzenpolitiker zu ignorieren, nicht umhinkommen würde, Raissa Maximowna Gorbatschowa Beachtung zu schenken, denn sie ist eine Frau, die ihre eigenen Ansichten hat und nicht beabsichtigt, sich im Schatten ihres Mannes zu verstecken. Seit dem Diner mit den Thatchers ist Raissa immer mehr in eine Rolle hineingewachsen, die im Westen üblich, doch in der UdSSR völlig neu ist: die der First Lady. Gemeinsam mit ihrem Mann nahm sie den Beifall der Menschenmengen von Murmansk bis Bukarest entgegen, hielt mit Nancy Reagan während der Gipfeltreffen Fünf-Uhr-Tees ab, durchschnitt das Band zur Eröffnung einer amerikanischen Gemäldeausstellung in Moskau, plauderte kenntnisreich mit ausländischen Amtsinhabern über Kunst und Literatur und war an der Gründung eines Fonds zur Unterstützung von Nachwuchskünstlern beteiligt. Durch all diese Aktivitäten ist sie zu der wohl am stärksten im Rampenlicht stehenden Sowjetbürgerin seit den Zeiten, da die Frauen nach der Revolution das Land mitgestalteten, geworden.

Allerdings auch zur umstrittensten. Moskau tuschelt über Raissas Vorliebe für Pelze, Schmuck und elegante Kleider, und man spekuliert vage über die politische Macht, die sie angeblich durch ihre Einflüsterungen ausübt. Eine Legende rankt sich um ein Videoband, das Raissa in einem üblen Licht erscheinen lassen und in Moskau kursieren soll. Wie es heißt, zeigt es sie 1984 beim Einkauf in modischen Londoner Geschäften, wobei sie eine American Express Card benutzt. Die Einkäufe und die Kreditkarte sind keine Erfindung, aber Auslandskorrespondenten in Moskau haben niemanden finden können, der das Band wirklich gesehen hat. Immerhin gibt die Hartnäckigkeit der Gerüchte Aufschluß über das öffentliche Mißtrauen, das einige ihrer Moskauer Kritiker veranlaßt, Raissa die „Zariza“, die Zarin zu nennen.

Die Vorwürfe, die Raissa Gorbatschow von machen ihrer Mitbürger gemacht werden, mögen für Westler schwer zu verstehen sein. Viele der geflüsterten Bezichtigungen scheinen allein von männlichem Chauvinismus ausgelöst zu sein – von einem unbestimmten Gefühl, daß es für eine Frau unangebracht, wenn nicht sogar etwas anstößig sei, eine so prominente Rolle zu spielen. So erklärt sich die Klage eines Angehörigen des Außenministeriums darüber, daß Raissa ihren Mann 1986 zum Treffen mit Ronald Reagan in Reykjavik begleitete (Nancy blieb bei jener Gelegenheit zu Hause): „Warum muß sie sich so sehr in den Vordergrund drängen? Wer wählte sie dazu aus, die Sowjetunion zu repräsentieren?" Die Antwort ist recht offensichtlich: ihr Mann, der Generalsekretär.

Andere kritische Bemerkungen spiegeln kleinliche Eifersucht wider. Raissa mag nicht ganz die „Bo Derek der Steppen" sein, wie ein hechelnder britischer Journalist sie 1984 in London nannte, aber sie ist eine schlanke, hübsche Frau mit kastanienbraunem Haar, und sie kleidet sich mit einer Eleganz, welche die Mittel und Träume der meisten Sowjetbürgerinnen übersteigt. Zuweilen kommt ihr Sinn für Mode anderen Russen übertrieben vor. So jener jungen Moskauer Akademikerin, die Anstoß daran nimmt, daß Raissa bei einem kürzlichen Besuch der Gorbatschows in der Hafenstadt Murmansk an ein und demselben Tag in zwei verschiedenen Kostümen erschien: „Das mag für Paris in Ordnung sein, aber nicht für Murmansk, wo man nur einmal im Monat Fleisch und Butter bekommt."

Für viele sowjetische Frauen ist Raissa jedoch eine Quelle der Faszination und sogar der Inspiration. „Unsere anderen Ersten Damen waren nett, aber sie sahen aus wie Großmütter", sagte die neunundfünfzigjährige Irina Salgus, eine Moskauer Lehrerin. „Raissa ist die erste, die wie eine moderne Frau aussieht. Wir alle sind daran interessiert, wie sie sich kleidet. Wenn sie eine Reise macht, sitzen wir vor dem Fernsehapparat, um zu sehen, was sie anhat. Auf diese Weise finden wir heraus, was modern ist. Wir wollen ihr nacheifern." Irina Salgus gab jedoch zu, daß die Frau des Generalsekretärs nicht nur bewundert wird: „Einige Konservative meinen, sie sollte nicht überall an der Seites ihres Mannes erscheinen... Aber die junge Generation ist mit ihr einverstanden. Ja, manche finden, daß sie nicht wie der Generalsekretär auftreten sollte, daß eine Frau ihre Grenzen kennen müßte, aber ich mag sie."

Nach Ansicht einiger Ausländer, die ihr begegnet sind, ist Raissa mit ihrem herzlichen Lächeln und ihrem fast porzellanhaften Teint attraktiver, als sie auf Fotos wirkt. Offensichtlich bereitet ihr der Umgang mit der Menge mehr Mühe als ihrem Mann. Während sie Michail auf einem Staatsgut bei Bratislava an Reihen von Bauern vorbei begleitete, wiederholte sie mit ihrer dünnen, hohen Stimme ständig dieselbe Bemerkung: „Vielen Dank, daß Sie gekommen sind. Vielen Dank, daß Sie gekommen sind." Raissa hält sich gewöhnlich im Hintergrund, wenn ihr Mann sich unter das Volk mischt, aber bringt sich auch selbst ins Spiel, wenn die Situation es erfordert. Als die beiden nach einem Austausch mit einer kleinen Gruppe von Zuschauern, die sich vor einem Prager Kriegsfriedhof versammelt hatten, zu ihrem Wagen zurückkehrten, bemerkte Raissa eine Mutter, die ihren Sohn zu ihnen hinschob. Der Generalsekretär hatte den Kopf abgewandt. Sie rief: „Michail Sergejewitsch" – wie sie ihn in der Öffentlichkeit stets nennt – und bedeutete ihm durch eine Geste, sich umzudrehen. Michail Sergejewitsch gehorchte, und natürlich mußte die Autokolonne ein paar Minuten warten, während er den Jungen in die Arme nahm und nach Moskau einlud.

Sowjetische Redakteure und Fernsehproduzenten wissen, daß Raissa eine umstrittene Gestalt ist, und behandeln sie mit Vorsicht. In der Presse wird sie häufig an der Seite ihres Mannes abgebildet, doch die Bildunterschriften identifizieren sie entweder gar nicht oder beschränken sich auf die kurze Formel: „M. S. Gorbatschow und Gattin." Das sowjetische Fernsehen hielt Gorbatschows

Äußerungen über seine politischen Gespräche mit Raissa offenbar für ein zu heißes Eisen. Tom Brokaw vom amerikanischen Sender NBC fragte den Generalsekretär in einem Interview Ende 1987: „Kehren Sie abends heim und sprechen Sie mit ihr über die nationale Politik, über politische Schwierigkeiten und so weiter in diesem Land?" Gorbatschow antwortete: „Wir sprechen über alles!" Brokaw hakte nach: „Auch über sowjetische Angelegenheiten höchsten Niveaus?" Gorbatschow wiederholte: „Wir sprechen über alles." In der Interviewfassung, die in der UdSSR gezeigt wurde, ließ man Brokaw jedoch nur fragen, ob Gorbatschow mit Raissa über „Angelegenheiten des öffentlichen Lebens" spreche, und die zweite Frage wurde völlig weggeschnitten. Vermutlich wären sowjetische Zuschauer schockiert gewesen zu erfahren, daß Gorbatschow seine Frau nach ihrer Meinung zu „sowjetischen Angelegenheiten höchsten Niveaus" fragt.

Die Auffassung, daß solche Fragen eine Frau – selbst wenn es sich um eine sowjetische First Lady handelt – nichts angingen, liefert einen vielsagenden Hinweis auf die Beziehung der Geschlechter in der UdSSR. Der Frau wurde zur Zeit der bolschewistischen Revolution die völlige juristische und politische Gleichstellung mit dem Mann gewährt, und dieser Grundsatz ist in der sowjetischen Verfassung verankert. Aber in Wirklichkeit ist die Sowjetunion eine von Männern beherrschte Gesellschaft, in der von Frauen noch stärker als in den meisten kapitalistischen Ländern erwartet wird, daß sie sich ihren Männern unterordnen. Allerdings arbeiten sowjetische Frauen außerhalb des Heims in einem Umfang, wie er im Westen unbekannt ist. Diese Entwicklung begann, als durch die erzwungene Industrialisierung der dreißiger Jahre und das Gemetzel des Zweiten Weltkriegs ein Mangel an Arbeitskräften eintrat; damals zog man die meisten Männer im arbeitsfähigen Alter ein, und Millionen starben an der Front. Eine starke Nachfrage nach Arbeitskräften besteht weiterhin. Einigen Schätzungen zufolge sind nicht weniger als fünfundachtzig Prozent aller Frauen zwischen zwanzig und dreißig Jahren ganztägig beschäftigt. Mehr als die Hälfte davon führt Büroarbeiten aus, besonders im Handels- und Dienstleistungsbereich, aber Frauen verrichten auch häufig schwere körperliche Arbeit. In sowjetischen Lebensmittelmärkten sind es Frauen, nicht Männer, die Rindfleischseiten und Kartoffelsäcke schleppen; in den Müllsammelstellen der Häuserblocks sind es Frauen, die Abfall auf Lastwagen schaufeln. Erstmalige Besucher der UdSSR sind stets verblüfft über die Brigaden älterer, gegen die Kälte vermummter Frauen, die das Eis von städtischen Bürgersteigen schaben. Offiziell sind Frauen einige besonders schwere oder gefährliche Arbeiten im industriellen Bereich untersagt, aber das Gesetz scheint nicht immer beachtet zu werden: Im Jahre 1985 schickten Arbeiterinnen in einer Metallhütte einen Brief an die Zeitschrift *Rabotniza* (Die Arbeiterin), in dem sie sich beklagten, daß sie 254 Tonnen Metall pro Schicht zu transportieren hätten.

Trotz des starken Anteils, den sie an der Arbeitsbevölkerung bilden, sind Frauen keineswegs finanziell gleichgestellt. Wie in den meisten Ländern des Westens sind Männer weiterhin die Hauptverdiener; Untersuchungen zeigen, daß Frauen durchschnittlich mindestens dreißig Prozent weniger verdienen als Männer – etwa das gleiche Verhältnis wie in den USA. Mehr als siebzig Prozent sowjetischer Ärzte und Lehrer sind Frauen, aber diese Berufe werden schlecht bezahlt, und in leitenden Positionen im Krankenhaus- und Schulbereich und so weiter sitzen weiterhin fast ausschließlich Männer.

Wie in anderen Gesellschaften tragen sowjetische Frauen die Hauptlast beim Einkaufen, bei der Haushaltsführung und Kindererziehung. Es ist Brauch, daß Männer ihren Müttern, Frauen und Töchtern am Internationalen Tag der Frau (am 8. März, einem beliebten sowjetischen Feiertag) Blumen oder kleine Geschenke überreichen, doch ist es nicht gebräuchlich, daß die Männer bei der Hausarbeit mithelfen. Die Tatsache, daß die sowjetische Frau ganztags arbeitet und fast die gesamte Haushaltsführung auf sich nimmt, beschert ihr ein trostloses Dasein. Der britische Journalist Martin Walker schreibt in *The Waking Giant*, einem 1985 erschienenen Buch über die UdSSR: „Die durchschnittliche sowjetische Frau verbringt ihr Leben in größter Hast. Sie steht früh auf, um das Frühstück zuzubereiten, bringt ihre Kinder zum Tagesheim, geht zur Arbeit, kauft in der Mittagspause oder während der Arbeitszeit ein, fährt zurück, um ihre Kinder abzuholen, eine Abendmahlzeit zuzubereiten und die Wohnung zu putzen."

Das Einkaufen ist eine ständige Sorge. Nur wenige sowjetische Familien besitzen ein Auto, und wenn sie eines haben, wird es kaum von Frauen benutzt. Sowjetische Frauen fahren in überfüllten Bussen und U-Bahnen zu den Geschäften, was bedeutet, daß sie stundenlang schwere Taschen mit sich herumtragen müssen. Die Geschäfte quellen häufig über von drängelnden Menschen, und das merkwürdige Einkaufssystem zwingt die Frauen dazu, dreimal Schlange zu stehen, um eine einzige Ware zu erwerben: In einer Schlange wartet man, um den gewünschten Artikel auszuwählen, in einer zweiten, um zu bezahlen und sich eine Quittung geben zu lassen, und in einer dritten, um die gekaufte Ware abzuholen. Da keine Einkaufstaschen bereitgestellt werden, hat jede sowjetische Frau ein Einkaufsnetz bei sich, das als *awoska* (abgeleitet von *awos*, „vielleicht") bezeichnet wird.

Die Hetze ihres Tagesablaufs läßt sowjetischen Frauen wenig Zeit, an öffentlichen Angelegenheiten teilzuhaben. Nur rund ein Viertel der Parteimitglieder sind Frauen, und die Mitgliedschaft ist unerläßlich, wenn man im öffentlichen Leben Einfluß ausüben will. Andererseits sind Frauen in der Kommunalverwaltung gut repräsentiert; sie stellen etwas mehr als die Hälfte der 2,3 Millionen Abgeordneten in örtlichen Sowjets (Räten). Auf den höheren Ebenen der sowjetischen Bürokratie werden Frauen aber immer seltener. Nur ungefähr fünf Prozent der wichtigeren Parteipositionen, etwa die eines regionalen Ersten Sekretärs, werden von Frauen bekleidet. Im Jahre 1986 war Alexandra Birjukowa die erste Frau seit fünfundzwanzig Jahren, die als einer der elf Sekretäre des Zentralkomitees fungierte (sie ist für Verbrauchsartikel und Leichtindustrie verantwortlich). Seit Jekaterina Furzewa zu Beginn der sechziger Jahre hat es kein weibliches Mitglied des Politbüros gegeben, und unter den Regierungsministern ist keine einzige Frau.

Zu der Generation, welche die bolschewistische Revolution durchführte, gehörten einige weibliche Führungspersönlichkeiten, vornehmlich Alexandra Kollontai, eine beredte Kämpferin für die Emanzipation und die erste Botschafterin der Welt (in den zwanziger Jahren in Norwegen). Nadeschda Krupskaja, Lenins Frau, war Schriftstellerin, Sozialarbeiterin und, unabhängig von ihm, eine eindrucksvolle Politikerin. Josef Stalins zwei Ehefrauen dagegen waren kaum je in der Öffentlichkeit zu sehen, und seitdem sind die Frauen von Kremlführern, mit seltenen Ausnahmen, entschieden im Hintergrund geblieben. Das Image – in dem Maße, wie sie überhaupt ein öffentliches Image hatte – der Gattin des sowjetischen Parteichefs wurde von Nina Chruschtschowa, Viktoria Breschnewa und Anna Tschernenko geschaffen: das einer vierschrötigen, gütigen, unmodern gekleideten *babuschka,* die sich bei den wenigen Gelegenheiten, da man sie überhaupt zu Gesicht bekam, sichtlich unwohl fühlte. Im Jahre 1987 erzählte man sich in Großbritannien einen wenig freundlichen Witz: Raissa Gorbatschowa sei die erste Frau eines sowjetischen Parteichefs, die weniger wiege als ihr Mann. Tatjana Andropowa erreichte vermutlich den Gipfel der Unsichtbarkeit. Bis zum Todestag ihres Mannes Juri im Jahre 1984 waren westliche Beobachter nicht sicher, ob er je verheiratet gewesen war beziehungsweise wenn ja, ob seine Frau noch lebte. Tatjana beseitigte diese Unklarheit, indem sie weinend bei der Beerdigung des Generalsekretärs erschien; es war offenbar der einzige öffentliche Auftritt ihres Lebens.

Raissa Gorbatschowa ist die Vertreterin eines neuen Typs der sowjetischen Frau, der gebildeten Akademikerin. Zum Beispiel ist sie ihrem Mann in intellektueller Hinsicht keineswegs unterlegen, und man hat sogar gehört, wie sie sich mit unangreifbarer Berechtigung rühmte, daß ihre akademischen Leistungen die seinen überträfen. Doch vieles von Raissas Herkunft und ihren frühen Jahren bleibt im dunkeln. Die Sowjetregierung konnte sich erst beim dritten Treffen zwischen Ronald Reagan und Gorbatschow, beim Washingtoner Gipfel Ende 1987, überwinden, eine offizielle „Biographie" der Frau des Generalsekretärs herauszugeben. Doch die Publikation war genau fünf Sätze lang und so skizzenhaft, daß die wenig informative offizielle Biographie ihres Mannes geradezu geschwätzig wirkte.

Heute ist bekannt, daß sie als Raissa Maximowna Titorenko in Sibirien geboren wurde. Zeitweilig spekulierte man, daß sie nichtrussischer Herkunft sein könne, was in der auf ethnische Wurzeln fixierten Sowjetunion stets sehr ernst genommen wird. Damals, Mitte 1987, war dies ein besonders heikles Thema. Krimtataren, die Stalin in den vierziger Jahren nach Sibirien verschleppte, weil er während des Krieges Zweifel an ihrer Loyalität hatte, demonstrierten in Moskau, um eine Rückkehr in ihre Heimat zu erwirken. Einige von Gorbatschows Kritikern deuteten an, er habe die Demonstrationen zugelassen, weil seine Frau mit ihren leicht tatarischen Gesichtszügen eine Krimtatarin sei. Wie um jeden Zweifel an ihrer ethnischen Herkunft zu beseitigen, erwiderte Raissa im November 1987, als man ihr bei den Revolutionsfeierlichkeiten auf dem Roten Platz entsprechende Fragen zurief, daß sie „absolut russisch" sei.

Manche, die sie als Studentin an der Moskauer Staatsuniversität in den fünfziger Jahren kannten, haben den Eindruck, daß sie aus einer privilegierten Familie stamme; ein früherer Student behauptet, ihr Vater sei Professor gewesen. Es gibt sogar Gerüchte darüber, daß er Maxim Titorenko gewesen sein könnte, ein sowjetischer Ökonom der zwanziger Jahre, den Stalin nach Sibirien verbannte. Für diese Theorie gibt es allerdings keine Beweise. Raissas offizielle Biographie teilt mit, daß sie in der sibirischen Stadt Rubzowsk in der Region Altai geboren wurde und daß ihr Vater Eisenbahningenieur war.

Die Biographie des Kreml gibt Raissas Geburtsdatum nicht an, das manchen Berichten zufolge erst in das Jahr 1934 fiel. Diplomaten, die ihre Visaanträge bearbeiteten, bevor Gorbatschow Generalsekretär wurde, behaupten, daß Raissa am 5. Januar 1932 geboren sei. Wie im Falle ihres Mannes verzeichnet die Biographie nicht, ob sie Geschwister hat. Zhores Medwedjew, der sowjetische Biologe, der nun im Exil in Großbritannien lebt (und über seinen Zwillingsbruder Roy in engem Kontakt mit der sowjetischen Politik bleibt) erklärt, Raissa habe eine Schwester, die mit einem Mann namens Schipachin verheiratet sei. In seinem 1986 erschienenen Buch *Der Generalsekretär* schreibt Medwedjew, Schipachin sei ein Kriegsheld gewesen und im Jahre 1965 zum Parteisekretär von Schelesnowodsk ernannt worden, einem Kurort in der Region Stawropol, wo Gorbatschow damals ein aufsteigender Parteifunktionär war. Laut Medwedjew war die Verbindung Gorbatschows mit Schipachin jedoch „letztlich keine große Ehre, denn er verlor 1977 seine Stellung wegen einer Korruptionsaffäre und wurde auf einen untergeordneten Posten versetzt". Medwedjew gibt seine Informationsquelle nicht preis, und anscheinend ist sonst weder in der Sowjetunion noch anderswo irgend etwas über Raissas Familie gedruckt worden.

Anfang der fünfziger Jahre studierte Raissa Philosophie an der Moskauer Staatsuniversität. Ihr gutes Aussehen, ihre Kultiviertheit und Eleganz zogen eine Reihe von Bewunderern an, unter ihnen den ernsten jungen Provinzler Michail Gorbatschow, der Jura studierte und auf derselben Etage wie sie in dem schäbigen Studentenheim Stromynka wohnte. Sie wurde ihrerseits von seiner Aufrichtigkeit, seinen weitgespannten Interessen und dem politischen Geschick angezogen, das er schon damals als Komsomolorganisator bewies. Wie erwähnt, mußte Michail nicht wenige Rivalen um die Aufmerksamkeit der gescheiten und beliebten Raissa aus dem Feld schlagen, aber schließlich festigte sich ihre Freundschaft, und sie heirateten Anfang 1954. Im folgenden Jahr schlossen sie ihr Studium ab und zogen in Michails Heimatregion Stawropol in Südrußland, wo sie während der nächsten dreiundzwanzig Jahre lebten, während er sich im kommunistischen Parteiapparat hocharbeitete.

Selbst in dieser hinterwäldlerischen Umgebung hielt Raissa ihre intellektuellen Interessen aufrecht und baute sich eine eigene Karriere auf. Sie wurde Lehrerin an einer örtlichen Schule und unterrichtete dort während der gesamten Jahre in Stawropol. Gleichzeitig wurde sie zu einer Art Bahnbrecherin der soziologischen Forschung in der UdSSR. Im Jahre 1967 errang sie den Grad eines Kandidaten der Philosophischen Wissenschaften (vergleichbar mit dem Doktorgrad) am Moskauer Staatlichen Pädagogischen Institut durch eine Dissertation mit dem abschreckenden Titel „Die Herausbildung neuer Charakteristika im Lebensalltag der Kolchosbauernschaft (auf der Grundlage soziologischer Untersuchungen in der Stawropoler Region)“. Zhores Medwedjew erklärt die Prozedur, der Raissa sich unterziehen mußte, um ihren

Titel zu erlangen: „In der Sowjetunion ist das Promotionsverfahren außergewöhnlich streng. Zunächst muß die Doktorarbeit in einem öffentlichen ‚Rigorosum' vertreten werden. Ob diese Prüfung als bestanden gilt, wird im Akademischen Rat (der aus zwölf bis fünfzehn Mitgliedern besteht) in geheimer Abstimmung entschieden. Der Rat ernennt außerdem zwei ‚Gegenredner', die nach dem öffentlichen Vortrag des Doktoranden ihre Einwände geltend machen. Die Arbeit selbst ist als Typoskript vorzulegen; eine ausführliche Zusammenfassung wird in einer Auflage von zweihundert Exemplaren gedruckt und mindestens einen Monat vor der Präsentation zwecks Stellungnahme an alle Fakultäten und wissenschaftlichen Einrichtungen verschickt, für die das Thema relevant erscheint. Auch wenn der Akademische Rat einstimmig entschieden hat, ist das Verfahren noch nicht abgeschlossen. Gilt die öffentliche Prüfung als bestanden, dann muß die Dissertation erst noch der ‚Allunions-Kommission für Qualifikationsnachweise' vorgelegt werden, die eine unabhängige Beurteilung vornimmt und im Rahmen einer nichtöffentlichen Expertensitzung die Entscheidung trifft." Dann erst stellt das Ministerium für Hochschulangelegenheiten die Promotionsurkunde aus.

Benutzer der Lenin-Bibliothek in Moskau können im Katalog unter dem Namen „R. M. Gorbatschowa" immer noch einen Verweis auf die Zusammenfassung der Dissertation finden. Experten, welche die Arbeit gelesen haben, finden sie aus mehreren Gründen bemerkenswert. Zum ersten benutzte Raissa Methoden, die damals in der UdSSR noch recht ungewöhnlich waren. Sie versandte Fragebögen, auf die sie dreitausend Antworten erhielt, und führte bei Besuchen auf fünf Kolchosen vertiefende Interviews durch. Außerdem zitierte sie andere Dissertationen, was in der Sowjetunion unüblich ist. Der Journalist und Gorbatschow-Biograph Christian Schmidt-Häuer kommentiert: „So komplex und vielschichtig gehen auch heute nur wenige Doktoranden und Gesellschaftswissenschaftler vor."

Raissa machte keinen Hehl aus den trostlosen Lebensbedingungen in der Landwirtschaft. Sie fand heraus, daß fast allen Wohnhäusern Zentralheizungen, Kanalisation und Wasserleitungen fehlten, obwohl fast die Hälfte der von ihr erfaßten Kolchosmitglieder seit Mitte der fünfziger Jahre bis 1965 in neue oder renovierte Häuser umgezogen war. Sie stellte auch fest, daß das reale Lohngefälle in den Kolchosen weit größer war, als es die offizielle staatliche Doktrin vorsah. Schmidt-Häuer meint: „Mit diesen konkreten Fakten verwies Raissa Gorbatschowa schon sehr früh auf einen von der soziologischen Literatur der Sowjetunion erst viel später akzeptierten Tatbestand: Was Lohn und Bildung betrifft, können die ‚Klassenunterschiede' innerhalb *einer* Klasse größer sein als die Differenzen zwischen den entsprechenden Durchschnittswerten der Arbeiterschaft einerseits und der Kolchosbauernschaft andererseits."

Andere Schlußfolgerungen entsprachen eher dem, was spätere Beobachter als Raissas dogmatischen Marxismus und ihren Hochmut bezeichneten. Ein Amerikaner, der die Dissertation gelesen hat, berichtet, Raissa habe sich verärgert darüber gezeigt, daß die Hälfte der Bauern in den von ihr besuchten Dörfern weiterhin religiöse Feste wie Weihnachten, Ostern und Trinitatis feierten. Auch spielten sie gern Domino, worüber Raissa aus irgendeinem Grunde verstimmt gewesen sei. Sie empfahl „aufgeklärte Zeremonien" sowie Theater- und Kinobesuche, um die Bauern von Religion und Dominospiel abzulenken. Insgesamt schätzt der amerikanische Leser ihre Dissertation als „hochdogmatisch und didaktisch" ein.

Die Arbeit half Raissa unzweifelhaft, einen Höhepunkt ihrer akademischen Karriere zu erklimmen, als die Gorbatschows im Jahre 1978 nach Moskau zurückkehrten. Sie erhielt eine Berufung auf den begehrten Posten eines

Dozenten für marxistisch-leninistische Philosophie an der Moskauer Staatsuniversität. Auch war gewiß nicht von Nachteil, daß sie mit einem Mann verheiratet war, der als Chef der gesamten sowjetischen Landwirtschaft zu einem Angehörigen der nationalen Hierarchie und, innerhalb von zwei Jahren nach ihrer Ankunft, zu einem Mitglied des herrschenden Politbüros befördert worden war. Sie setzte ihre Lehrtätigkeit an der Universität fort, bis Michail 1985 zum Generalsekretär der Kommunistischen Partei ernannt wurde. Dann erst gab sie ihre akademische Karriere auf und übernahm den inoffiziellen Full-time-Job einer First Lady.

Zwar kennt man kaum Einzelheiten, was Raissas Art zu unterrichten betrifft, aber es ist möglich, ein Bild des Milieus zu zeichnen, in dem sie arbeitete. Die Moskauer Staatsuniversität ist das Prunkstück des sowjetischen Bildungssystems und zieht die intelligentesten Studenten aus den einflußreichsten Familien an. Unter den 24 000 Studenten gibt es einige begabte junge Leute aus der Provinz, wie Michail Gorbatschow und Raissa Titorenko in den fünfziger Jahren, aber die überwiegende Mehrheit wird von Söhnen und Töchtern der politischen und intellektuellen Elite gestellt, wobei sehr viele aus der Moskauer Gegend kommen, da die UdSSR ein stark zentralisiertes Land ist. Ab und zu wird ein schwerfälligerer Student aufgrund der Beziehungen seiner Eltern aufgenommen, doch die meisten sind intelligent und fleißig. Sie wissen sehr gut, daß ihre Leistungen an der Universität und die Empfehlungen ihrer Professoren entscheidenden Einfluß auf den Status haben, den sie in ihrem späteren Leben einnehmen werden.

Marxistisch-leninistische Philosophie ist ein Pflichtfach. Jeder Student an jeder Hochschule in der Sowjetunion muß es belegen. Niemand erhält einen akademischen Grad, ungeachtet der Zensuren in anderen Fächern, wenn er nicht die Abschlußprüfung in Marxismus-Leninismus besteht. An der Moskauer Staatsuniversität ist die Fünf die höchste Prüfungsnote. Studenten, deren Zensuren zu einem beliebigen Zeitpunkt unter Vier absacken, verlieren die staatlichen Stipendien für ihre Lebenshaltung. Wer bei der Abschlußprüfung eine schlechtere Note als Vier erhält, kann jedoch trotzdem noch einen akademischen Grad erwerben (Drei ist eine ausreichende Note).

Die Kurse in marxistisch-leninistischer Philosophie haben wenig Ähnlichkeit mit dem Philosophiestudium, wie man es im Westen kennt. Hier werden die Prinzipien des „wissenschaftlichen Sozialismus" unerbittlich eingepaukt; es gibt jeweils einjährige Kurse zum historischen Materialismus, zum dialektischen Materialismus, zur politischen Ökonomie (zu gleichen Teilen über sozialistische und kapitalistische Ökonomie) und einen Lehrgang über die „Geschichte der Kommunistischen Partei der Sowjetunion". An der Moskauer Universität halten die Lehrer Vorlesungen von jeweils zwei Stunden Länge in großen Auditorien mit 150 Studenten. Man führt eine Anwesenheitsliste, und es ist höchst unratsam, nicht zur marxistisch-leninistischen Philosophie zu erscheinen. Die Vorträge werden von wöchentlich stattfindenden zweistündigen Seminaren ergänzt, an denen jeweils dreißig bis fünfunddreißig Studenten teilnehmen. Der Universitätslehrer fordert sie einzeln auf, den in den Massenvorlesungen behandelten Stoff zu kommentieren, und prüft dadurch ihre Auffassungsgabe.

Wie zu erwarten, betrachten die Studenten das Fach marxistisch-leninistische Philosophie häufig als ein notwendiges Übel. Einer erklärte einem amerikanischen Reporter, das Fach sei „langweiliger, als man sich vorstellen kann, aber es ist ein so unerläßlicher Teil der sowjetischen Ausbildung, daß jeder Student fast ein Drittel seiner Zeit darauf verwendet". Die Lehrer sind in der Regel überzeugte Marxisten, deren Glaube durch die endlose Wiederholung, die ihre Studenten zur Raserei treibt, noch vertieft wird. Kein Wunder also, daß Ausländer häufig der Meinung sind, die frühere Dozentin Raissa sei doktrinärer als ihr Mann. Sogar Michail hat geäußert, daß „sie die Atheistin [von uns beiden] ist".

Aber Raissa hatte eine ganz andere Rolle zu übernehmen, als sie die Weltbühne im Jahre 1984 betrat. Die Kulisse war London, wohin sie Michail auf einem sechstägigen Besuch begleitete. Er war damals bereits Mitglied des Politbüros, und man erwartete, daß er bald in das höchste Amt aufrücken würde. Da die Frauen früherer Kremlchefs fast unsichtbar geblieben waren, wirkte es schon überraschend, daß er sie überhaupt mitnahm. Doch als sie sich als eine Frau von erlesenem modischen Geschmack und erheblichem intellektuellen Schliff erwies, waren die Briten außer sich vor Begeisterung. Sie ließ eine Pilgerfahrt zum Grab von Karl Marx aus und fuhr statt dessen zum Londoner Tower, um sich die britischen Kronjuwelen anzusehen; später kaufte sie bei Cartier ein Paar Diamantohrringe für dreitausend Mark. Kenntnisreich unterhielt sie sich mit einem Vertreter des Außenministeriums über britische Literatur und übertrumpfte ihn dann geschickt, indem sie ihn nach seiner Meinung zu modernen sowjetischen Schriftstellern fragte (er hatte keinen einzigen gelesen). Angeblich rief sie einem ihrer britischen Gastgeber auf englisch ein fröhliches *„See you later, alligator"* zu. Raissa spricht gewöhnlich russisch und bedient sich eines Dolmetschers, aber sie hat – als Autodidaktin, wie sie sagt – ein wenig Englisch und Französisch gelernt; beides spricht sie mit starkem Akzent.

Gorbatschow soll, wie die britische Presse berichtete, gescherzt haben: „Diese Frau kostet mich nicht nur eine Menge Geld, sondern auch eine Menge Nerven." Gleichwohl machte es ihm offensichtlich Freude, sie vorzuzeigen, denn er wußte, daß sie äußerst werbewirksam sein würde. In einem Geschäft der beliebten britischen Warenhauskette Marks & Spencer posierte Raissa so gewinnend für die Fotografen, daß sie alle Geld für einen Abschiedsblumenstrauß beisteuerten. Die Tatsache, daß sie ihren Mann beim Diner mit den Thatchers scharf belehrte, sie seien keine Angehörigen der Arbeiterklasse, wurde damals von der Presse nicht erwähnt und, was nicht erstaunen wird, in der Sowjetunion auch später nicht bekanntgemacht.

Seitdem haben Raissas Auftritte im Ausland hauptsächlich an ihren Londoner Triumph angeknüpft, aber es hat auch einige Mißtöne gegeben. Ein paar Momentaufnahmen:

Paris, 1985. Raissa begleitet Gorbatschow auf seiner ersten Reise als sowjetischer Generalsekretär in den Westen und bezaubert Danielle Mitterrand, die Frau des französischen Präsidenten, dadurch, daß sie bei der Führung durch Mitterrands Büro, das gerade eine neue Ausstattung erhalten hat, lachend bittet: „Sagen Sie mir bitte, wie man so was macht. Ich bin neu in diesem Geschäft." Bei der Besichtigung impressionistischer Gemälde im Museum Jeu de Paume zeigt sie ein differenziertes Kunstverständnis (später sollte sie amerikanische Offizielle durch ihre klugen Kommentare zu Gemälden beeindrucken, die im November 1987 in Moskau ausgestellt wurden). Sie scherzt unbefangen mit Pierre Cardin während einer Vorführung in seinem Salon, nennt seine Kreationen „nichtkommerziell" und fügt hinzu: „Ich respektiere sie als Kunstwerke." Nach einer Besichtigung der Stadt in Begleitung von Danielle Mitterrand säuselt sie: „Ich habe mich in Paris verliebt." Die pedantische Pariser Modepresse hält ihr vor, ein dunkles Wollkostüm zweimal getragen zu haben, und im Salon Cardin unterbricht sie eine Prozession von Mannequins und bittet, das Licht auszuknipsen, weil es sie blendet. Laurence Masurel, ein Reporter von *Paris Match,* kommentiert: „Es dürfte nicht leicht sein, im Alltagsleben mit ihr auszukommen. Sie weiß, was sie will." Trotzdem wird in Masurels Zeitschrift geschwärmt: „Unser Bild von der Sowjetunion hat sich dank eines Frauengesichtes verändert."

Genf, 1985. Beim ersten Gipfeltreffen zwischen Reagan und Gorbatschow hält Raissa eine wirksame Nebenvorstellung ab. Beim Besuch eines Uhrenmuseums zeigt sie amerikanischen Fernsehteams ein mit Juwelen besetztes antikes Stück und trillert auf englisch: *„It's beautiful."* Vor restaurierten Uhren bringt sie einen Reklamespruch für die Abrüstung an: „Das ist es, was wir tun sollten: nicht Dinge zerstören, sondern Dinge restaurieren." An der Genfer Universität verwickelt sie den verblüfften Rektor in ein Gespräch über die Beziehung zwischen Philosophie und Physik und erklärt, sie schätze den Schweizer Schriftsteller Friedrich Dürrenmatt. Bei verschiedenen Gelegenheiten schreitet sie mit ungestörtem Selbstbewußtsein an Demonstranten vorbei, von denen einer auf russisch ruft: „KGB-Leute sind Mörder!" Die Höhepunkte ihres Auftretens sind zwei Teegesellschaften mit Nancy Reagan, bei denen die beiden sich als Gastgeberinnen abwechseln und im Stil von First Ladies plaudern. Nancys Mitarbeiter berichten, nicht zum erstenmal, daß die amerikanische Präsidentengattin Raissa ein wenig kleinlich und starr finde. Aber sie halten einander vor Fotografen kurz an der Hand, und danach gibt Nancy zu Protokoll: „Ich fand sie sehr nett."

Reykjavik, 1986. Raissa beschließt angeblich in letzter Minute, an dem als „Arbeitsgipfel" bezeichneten Treffen teilzunehmen, nachdem sie zunächst mitgeteilt hatte, sie werde nicht nach Reykjavik reisen. Einige Amerikaner sind verstimmt, weil sie den Entschluß als Versuch empfinden, die zu Hause bleibende Nancy Reagan in den Schatten zu stellen, und auch manche Funktionäre auf Raissas Seite sind nicht begeistert über ihre Anwesenheit. Da dieser Gipfel nicht nur Formalitäten, sondern ernsthaften, wenn auch weitgehend fruchtlosen Verhandlungen gewidmet ist, wird Raissa in den Hintergrund gedrängt. Doch wenn sie die Bühne betritt, sind ihre Auftritte wirkungsvoll. Sie besucht eine Schulklasse und, auf ihren eigenen Wunsch hin, eine Dorfkapelle. Vor einem einfachen Altar mit zwei Kerzen, die zu beiden Seiten eines Kruzifixes brennen, erklärt sie: „Ich bin Atheistin, aber ich kenne die Kirche, und ich respektiere alle Glaubensbekenntnisse. Schließlich ist das eine persönliche Angelegenheit... Ich glaube daran, daß alle Menschen von Natur aus gut sind, und ich bin überzeugt, daß niemand Krieg will, schon gar keinen Atomkrieg."

Washington, 1987. Beim dritten Gipfeltreffen begeistert Raissa, lebhaft und gesprächig wie sie ist, die amerikanische Hauptstadt mit ihrem strahlenden Lächeln. Als ihr die Angestellten in der National Gallery applaudieren, bleibt sie stehen, um mit ihnen zu plaudern, und bemerkt, sie „freue sich, daß so viele Frauen unter dem Personal sind". Bei einer Besichtigung des Weißen Hauses hält sie eine kurze Predigt über das moderne Leben: „In unserem Zeitalter müssen wir alle arbeiten. Wir haben berufliche Pflichten. Wir haben familiäre sowie gesellschaftliche Pflichten. Einer Person im zwanzigsten Jahrhundert fällt es schwer, ihre Zeit richtig einzuteilen." Bei einer Teegesellschaft für prominente Frauen bezeichnet Raissa sich als eine „große Bewunderin" der Werke von Joyce Carol Oates und erwähnt zwei Romane der amerikanischen Autorin, die sie gelesen habe: *A Garden of Earthly Delights* und *Angel of Light.* Joyce Carol Oates schreibt später in der Beilage der *New York Times:* „Frau Gorbatschowa, zierlich, elegant, eine schöne Frau nur knapp jenseits ihrer Blüte, hielt meine Hand in beiden Händen und sagte mir, daß meine Bücher in ihrer Heimat ‚viel gelesen' und ‚sehr bewundert' würden. ‚Sie sind es, die so vortrefflich über Frauen schreibt? Und über Politik?'" Nach dem Empfang staunt die ebenfalls eingeladene Senatorin aus Maryland, Barbara Mikulski: „Zum erstenmal bin ich jemandem begegnet, der mehr redet als ich."

Einigen, die sie beim Washingtoner Gipfel erlebten, erschien Raissa bestens informiert, doch nervös – „wie eine Studentin, die fleißig für eine Prüfung gelernt hat und all ihre Kenntnisse anbringen will", meinte ein Diplomat. Bei einem Essen des Außenministeriums gewann Raissa die Zuneigung der Gäste, zog jedoch den Zorn der Gastgeber auf sich, weil sie versuchte, ein persönliches Gespräch mit jedem einzelnen der angetretenen 180 Besucher zu führen. Die Reihe bewegte sich so langsam voran, daß das Essen erst um sechzehn Uhr beendet war, wodurch kaum Zeit für die Vorbereitung des Diners blieb, das zwei Stunden später begann.

Die stärkste Spannung stellte sich zwischen Raissa und Nancy Reagan ein. Schon vor dem Gipfeltreffen klagten Mitarbeiter des Weißen Hauses, daß Raissa zwei Wochen gebraucht habe, Nancys Einladung zu einem Nachmittagstee zu beantworten. Andere amerikanische Gewährsleute teilen jedoch mit, es sei Mrs. Reagan gewesen, die eine von Frau Gorbatschowa zur Besichtigung des Weißen Hauses erbetene Einladung verzögert habe. Wie auch immer, als die First Ladies schließlich zusammenkamen, „war ihr Aufeinandertreffen vor dem Kamin [im Roten Zimmer des Weißen Hauses] ganz ungewöhnlich", sagte ein diplomatischer Beobachter. Raissa begann mit der Erklärung: „Wir haben Sie in Reykjavik vermißt." Nancy, offenkundig verblüfft, erwiderte: „Man sagte mir, Frauen seien nicht eingeladen." Ein Beobachter weist jedoch darauf hin, daß Mrs. Reagan sich gerade von einer Krebsoperation erholte und den Tod ihrer Mutter betrauerte: „Sie fühlte sich zweifellos nicht sehr gut. Und Raissa schien kein psychologisches Gespür für ihr Verhalten zu haben. Sie ist sehr gut informiert und sehr wißbegierig, aber sie neigt dazu, mehr zu reden, als zuzuhören."

Bei einer Gelegenheit bemerkte Raissa zum drittenmal, daß in der Sowjetunion während des Zweiten Weltkriegs zwanzig Millionen Menschen umgekommen seien. „Ja, das haben Sie erwähnt", gab Nancy trocken zurück. Als Raissa darauf zu sprechen kam, daß die USA noch nie einen Krieg auf ihrem eigenen Territorium ausgefochten hätten, erwähnte Nancy den Bürgerkrieg; und „dann begann Raissa, ihr darüber einen Vortrag zu halten", erzählt ein Diplomat. Die Situation wurde nicht besser, als Mrs. Reagan sie schließlich durch das Weiße Haus führte. Raissa überhäufte Nancy mit Fragen: War das ein Kronleuchter aus dem neunzehnten Jahrhundert? Wohnte Jefferson hier? Wann wurde das Weiße Haus gebaut? Nancy räumte ein: „Da kann ich nicht helfen", und mußte einen stellvertretenden Kustos um die Antwort bitten: zwischen 1792 und 1800. Auf die Frage, ob sie gern im Weißen Haus leben würde, antwortete Raissa zur Verärgerung einiger Amerikaner: „Dies ist eine offizielle Residenz. Ich würde sagen, menschlich gesprochen, daß ein Mensch in einem richtigen Haus wohnen möchte." Am Ende des Gipfeltreffens fühlte das Weiße Haus sich verpflichtet, beschönigende Darstellungen herauszugeben. In einer Version fragt Raissa überrascht: „Wieso sollen wir einander nicht mögen?", und Nancy erwidert tapfer: „Solche Geschichten sind so trivial und albern."

Hauptsächlich infolge der Gipfeltreffen ist Raissa im Ausland vielleicht kaum weniger bekannt als in der UdSSR. Die westliche Presse berichtete ausgiebig über sie, bis hin zu ihren Maßen (91-61-91 laut Pariser Schneidern, welche die Ziffern aus Moskau erhielten), wo sie ihr Haar färben läßt (einigen Berichten zufolge im Salon des Moskauer Hotels International) und wie sie ihre Kleidung auswählt. Die letzteren Informationen stammen von Raissa selbst, die zu diesem Thema in Paris (wo sonst?) befragt wurde. Als man sich erkundigte, ob sie bei Slawa Saizew, einem bekannten sowjetischen Modeschöpfer, einkaufe, antwortete sie: „Nein, ich gehe nicht zu Slawa, aber viele meiner Freundinnen tun es und raten mir dazu." Ob sie ihre eigene Kleidung entwerfe? „Nein, nein. Man zeigt mir Modelle, und ich wähle nach meinem Geschmack, der sehr klassisch ist." Ihre Lieblingsfarbe? „Ich mag alle, und ich trage alle."

In ihrer Heimat tritt Raissa weniger in den Vordergrund. Ihr offenkundiger Widerwille, hochkarätige Gesellschaften zu geben, löste im offiziellen Moskau einigen Unwillen aus. Dennoch betreut sie gelegentlich die Frauen auf Besuch weilender Staatsmänner, wie zum Beispiel Sonia Gandhi, die Frau des indischen Regierungschefs, die sie im Jahre 1985 durch die Moskauer Kunstgalerien führte. Sie begleitet ihren Mann zu vielen kulturellen Veranstaltungen. Während sie in Stawropol wohnten, besuchten sie nicht nur fast jede Premiere, sondern auch viele Generalproben. Im Herbst 1987 fanden sie in Moskau während der Vorbereitungen auf den Washingtoner Gipfel Zeit, sich die Premiere von *Der Frieden von Brest* anzusehen, einem historischen Drama über Lenins erste Jahre an der Macht. Raissa schloß sich Gorbatschow bei einigen seiner berühmten „Bäder in der Menge" an, aber sie stand meist nur mit freundlicher Miene neben ihm. Sie hat der sowjetischen Presse nur ein einziges Interview gegeben, bei einer Konferenz am runden Tisch mit Vertretern von Textilfabriken, Modeschöpfern und Redakteuren der Zeitschrift *Rabotniza*. Bei dieser Gelegenheit hielt sie sich mit provozierenden Äußerungen zurück. „Im großen und ganzen ist das Sowjetvolk heute nicht schlecht gekleidet", meinte sie zum Beispiel. „Natürlich gibt es noch viele Probleme auf diesem Gebiet . . . und was Konsumartikel betrifft, so sind uns allen die schwierigen Fragen von Vielfalt, Qualität und Konkurrenzfähigkeit bekannt – Fragen, die rascher gelöst werden müssen."

In jüngster Zeit ist Raissa auch in der Sowjetunion prominenter geworden. Inzwischen ist sie bei manchen Veranstaltungen auch schon allein erschienen. Im November 1987 wurde sie beispielsweise im sowjetischen Fernsehen gezeigt, wie sie das Band zur Eröffnung der Moskauer Ausstellung amerikanischer Kunst durchschnitt, die der Geschäftsmann Armand Hammer, der seit vielen Jahren mit der Sowjetunion Handel treibt, organisiert hatte. Sie war maßgeblich an der Gründung des Sowjetischen Kulturfonds beteiligt, der die Entwicklung junger Künstler fördern soll. Der Fonds ist unabhängig von dem weithin kritisierten Kulturministerium.

Nach westlichen Maßstäben sind dies kaum bemerkenswerte Aktivitäten für eine First Lady. Aber in der UdSSR genügten sie, eine Flüsterkampagne auszulösen, die Raissa ein für eine sowjetische Ehefrau ungebührliches Verhalten vorwirft. Gregory Freidin, ein Sowjetexperte der amerikanischen Zeitschrift *New Republic*, meint, daß diese Kritik mehr als nur blanken männlichen Chauvinismus und krassen Neid widerspiegele. In der Sowjetunion sei einer unbewußten Tradition zufolge der Parteichef im Grunde mit dem Staat verheiratet; der Staat habe also Gegenstand seiner ausschließlichen Aufmerksamkeit und Hingabe zu sein. Dadurch erscheine eine prominente Ehefrau fast wie „eine Geliebte", welche dem Staat die ihm gebührende Aufmerksamkeit stehle.

Was Gorbatschow von solchen Mutmaßungen hält – wenn er sie überhaupt zur Kenntnis nimmt –, ist nicht bekannt. Die beiden sind sehr verschwiegen, was ihr Privatleben angeht. Aber alles deutet darauf hin, daß sie eine sehr enge Beziehung haben. Im Jahre 1985 war die französische Presse verblüfft von Gorbatschows Benehmen, als er in der Französischen Nationalversammlung eine Rede halten sollte. Sein Blick schweifte unruhig über das Publikum, bis er Raissa in der ersten Reihe entdeckt hatte; dann sah er sie zärtlich an und lächelte, als empfinde er ihre Gegenwart als beruhigend. Raissa teilte dem Gastgeber eines Diners am nächsten Tag ihrerseits mit: „Ich habe großes Glück, Michail gefunden zu haben. Wir sind wirkliche Freunde, oder, wenn Sie so wollen, wir sind enge Komplizen."

Gorbatschow hat keinen Zweifel daran gelassen, daß er ausländische Kritik an seiner Frau übelnimmt – und mit sowjetischer wird es nicht anders sein. Solche Kritik gelangte an die Öffentlichkeit, nachdem der Moskauer Parteichef Boris Jelzin im November 1987 entlassen worden war. Jelzin war immer ein überzeugter Anhänger der Reformen Gorbatschows, aber er hatte sich beklagt, weil sie zu langsam voranschritten. In Moskau gingen Gerüchte um, die schließlich in der britischen Presse auftauchten, daß Jelzin seinen Sturz durch Angriffe auf Raissa beschleunigt habe. Angeblich warf er ihr vor, ein hohes Gehalt für ihre Arbeit im Kulturfonds bezogen zu haben. Vertreter des Außenministeriums stritten derartige Äußerungen Jelzins empört ab und betonten, daß Raissa ohne Bezahlung für den Fonds arbeite. Sie gingen so weit, den britischen Reporter zu tadeln, der die Gerüchte hatte drucken lassen. Später machten sie deutlich, daß sie im Namen Gorbatschows sprachen, der über die Berichte erbost sei. Ein hoher sowjetischer Funktionär erklärte sogar, daß Gorbatschows gelegentliche Schroffheit Reportern gegenüber während des Washingtoner Gipfeltreffens auf seinen fortdauernden Ärger über die ausländischen Artikel zurückzuführen sei, die Raissa unzulässige Verbindungen zum Kulturfonds nachsagten.

Wenn Raissa irgendeinen Einfluß auf die Politik gehabt hat, dann ist er so subtil, daß man darüber nur spekulieren kann. Sie soll für einen der kleineren Triumphe der *glasnost* verantwortlich sein: für die Neuveröffentlichung der Werke Nikolai Gumiljows, eines Dichters, der im Jahre 1921 als Konterrevolutionär hingerichtet wurde. Man spekuliert auch heftig darüber, ob sie Gorbatschow mit Frauenfragen vertraut gemacht hat. Wenn dies zutrifft, muß sie ihre Bemühungen wohl noch fortsetzen, denn Gorbatschow äußert sich recht widersprüchlich zu diesem Thema. In seinem Buch *Perestroika* spricht der Generalsekretär von einer „Lockerung der familiären Bindungen und Vernachlässigung der familiären Verantwortung"; dies sei „ein paradoxes Ergebnis unseres ernsthaften und politisch gerechtfertigten Wunsches, die Frau dem Mann in allen Bereichen gleichzustellen". Er warf die Frage auf, „was zu tun ist, um den Frauen eine Rückkehr zu ihrer eigentlichen weiblichen Lebensaufgabe zu ermöglichen". Für den NBC-Interviewer Brokaw hörten sich diese Worte so an, als meine Gorbatschow, daß „Frauen mehr Zeit zu Hause verbringen sollten". Der Generalsekretär entgegnete rasch: „Nein, ich meine, daß eine Frau an allen Lebensbereichen, an allen in der Gesellschaft stattfindenden Prozessen teilnehmen sollte." Aber mit Formulierungen, die schwerlich von Feministinnen gebilligt werden können, sprach er weiterhin von der „Vorherbestimmung" der Frauen „als Hüterinnen des heimischen Herdes".

Doch mehrere Kommentatoren haben Raissas Einfluß in einer Passage der Rede entdeckt, die Gorbatschow 1986 auf dem XXVII. Parteitag hielt; darin versprach oder verfügte er eine Reihe von Reformen, die für Frauen von besonderem Interesse sind. Dazu gehörten: Verlängerung des bezahlten Mutterschaftsurlaubs und der Urlaubstage, in denen Mütter sich um kranke Kinder kümmern können; ein Versprechen, jedem sowjetischen Kind innerhalb von fünf Jahren einen Platz in einer Vorschule oder einem Kindergarten zu verschaffen; ein Plan, „die Praxis auszuweiten, Frauen einen kürzeren Arbeitstag oder eine kürzere Arbeitswoche oder Heimarbeit zu ermöglichen". Man munkelt auch, daß Raissa ihren Mann ermuntert haben könnte, seine Kampagne gegen den Alkoholismus zu beginnen und an ihr festzuhalten. Allerdings hatte Gorbatschow auch zahlreiche andere Gründe für diese Kampagne, denn der Alkoholismus hatte einen so kritischen Grad erreicht, daß Wirtschaft und Volksgesundheit erheblich geschädigt wurden. Immerhin ist vorstellbar, daß Raissa ihm einen offenkundigen Gesichtspunkt klargemacht hat: Der Kreuzzug gegen den Wodka werde zwar äußerst unpopulär bei sowjetischen Männern sein, doch die stille Zustimmung vieler Frauen erfahren, die es überdrüssig seien, den Katzenjammer ihrer trinkenden Ehemänner auszukurieren – und ihren Schlägen auszuweichen.

Aber Raissa braucht nicht die Macht einer grauen Eminenz auszuüben, um in die sowjetische Geschichte einzugehen. Einfach dadurch, daß sie sie selbst ist – eine attraktive, lebhafte, elegante, manchmal rechthaberische und pedantische, doch stets intelligente Frau –, hat sie sich bereits zumindest eine Fußnote, vielleicht auch viel mehr, in der Geschichte der Gorbatschow-Ära verdient. Auch im Weißen Haus gibt es keine Übereinstimmung über die Aufgabe der First Lady; ihre Möglichkeiten, Pflichten und Verantwortlichkeiten hängen mehr oder weniger von dem ab, was jede Bewohnerin des Weißen Hauses aus ihnen macht. Aber die Frauen amerikanischer Präsidenten und anderer westlicher Staatsmänner haben wenigstens einige Präzedenzfälle, an die sie sich halten können. Raissa Gorbatschowa hat nichts als eine Tradition der Unsichtbarkeit, die in der modernen Welt ihren Sinn verloren hat. Die Position einer First Lady des Kreml existierte bei ihrer Ankunft nicht. Was aus ihr wird und ob sie weiterbesteht, hängt von dem ab, was Raissa aus dieser Rolle macht.

Achtes Kapitel

Gipfel in Washington

Ronald Reagan hielt ein Hollywood-Drehbuch für Gorbatschows ersten Besuch in den Vereinigten Staaten bereit. Der amerikanische Präsident wollte mit dem Generalsekretär im Eiltempo durch das Land reisen, ihm vor Waren überquellende Supermärkte, im Sonnenlicht glitzernde Swimmingpools, reiche Vororte und von Wolkenkratzern überragte Städte zeigen. Wenn der Generalsekretär diese Wunder unmittelbar in Augenschein nähme, würde er vielleicht einsehen, daß die Früchte von Freiheit, Demokratie und Kapitalismus eindeutig süßer seien als alles, was der Kommunismus hervorbringen könne.

Gorbatschow hatte, als er im Dezember 1987 in die USA kam, ein anderes Drehbuch im Sinn. Die Organisatoren seiner Reise machten von Beginn an deutlich, daß er einen kurzen, „geschäftsmäßigen" Washingtoner Gipfel wünsche. Neben der Unterzeichnung des kurz zuvor abgeschlossenen INF-Vertrags sollte die offizielle Tagesordnung sich auf Gespräche über die Reduzierung strategischer Waffen, regionale Fragen und Menschenrechte beschränken. Darüber hinaus hatte Gorbatschow eine persönliche Tagesordnung: Er wollte dem amerikanischen Volk seine Politik durch eine blitzartige Werbekampagne „verkaufen". Zu diesem Zweck wollte er arrangierte Begegnungen, Fernsehauftritte und sogar den einen oder anderen spontanen Händedruck einsetzen, so daß er manchmal eher an einen amerikanischen Präsidentschaftskandidaten als an die zentrale Führungsgestalt einer kommunistischen Supermacht erinnerte.

In gewissem Sinne war Gorbatschow tatsächlich ein Kandidat – wenn auch nicht für eine demokratische Wahl. Sein eigentlicher „Wahlkreis" befand sich in der UdSSR, wo Gorbatschows Landsleute seine Wirtschaftsreformen mit einer Mischung aus Hoffnung, Skepsis und unverhohlenem Widerstand aufnahmen. Der Ausschluß von Gorbatschows früherem Verbündeten, des reformbewußten Boris Jelzin, aus dem Politbüro hatte Ende 1987 die weiterhin bestehenden Spannungen innerhalb des Kreml sichtbar werden lassen. In Fabriken und in landwirtschaftlichen Betrieben warteten die Bürger, von denen härtere Arbeit verlangt wurde, mit steigender Ungeduld auf die Früchte der Umgestaltung.

In Anbetracht dieser Situation mußte Gorbatschow mit greifbaren Erfolgen aus Washington zurückkehren. Dazu gehörten eine Verminderung der Spannungen zwischen den Supermächten und Fortschritte in Richtung auf weitere Rüstungskontrollabkommen; beides war nötig, um Mittel von der Militär- in die Zivilwirtschaft umzulenken. Reagan seinerseits hoffte, den Senat zur Ratifizierung des INF-Vertrags bewegen und eine Absprache über strategische Waffen erreichen zu können, damit seine historische Rolle trotz der Turbulenzen am Ende seiner Amtszeit gesichert war. Diese hochgespannten Hoffnungen und Erwartungen kennzeichneten die Atmosphäre im Vorfeld des Gipfeltreffens von 1987, bei dem für beide Staatsmänner mehr auf dem Spiel zu stehen schien als bei ihren früheren Begegnungen. Zudem sollte dies der erste Besuch eines sowjetischen Parteichefs in Washington sein, seit Generalsekretär Leonid Breschnew im Jahre 1973 hier gewesen war. Und das Interessanteste daran war wohl, daß die Amerikaner den Mann, der für so viel Bewegung in der Sowjetunion sorgte, zum erstenmal aus der Nähe würden beobachten können.

Während Gorbatschows blauweiße Iljuschin-62 am Nachmittag des 7. Dezember den Luftwaffenstützpunkt Andrews anflog, wußte er, daß viele Millionen seiner Mitbürger darauf warteten, wie ihr Generalsekretär sich auf der Bühne Amerikas schlagen würde. „Der Besuch hat begonnen", sagte er zu Außenminister Shultz, der ihn am Flughafen begrüßte, „lassen Sie uns also das Beste hoffen. Möge Gott uns helfen." Die Beschwörung Gottes – eine häufige russische Redewendung – hatte wenig mit Religion zu tun, aber sie verriet viel über die Bedeutung, die Gorbatschow diesem historischen Augenblick zumaß.

Gorbatschow wurde am Morgen des darauffolgenden Tages auf dem Südlichen Rasen des Weißen Hauses offiziell begrüßt, mit Heroldstrompeten, einem Salut von einundzwanzig Kanonenschüssen und einem stolzen Aufgebot von Ehrengardisten in altertümlichen und modernen Uniformen. Nachdem das Orchester der US-Army die sowjetische Nationalhymne gespielt hatte, die zum letztenmal während Breschnews Besuch vor dem Weißen Haus erklungen war, trat Präsident Reagan vor eine Batterie von Mikrofonen auf dem mit rotem Teppich ausgelegten Podium und hieß seinen Gast willkommen. „Ich habe oft gedacht, daß unsere Völker schon seit langem enger befreundet sein sollten", erklärte er, wodurch er den Grundstein für die freundschaftliche Atmosphäre legte, die das gesamte Gipfeltreffen beherrschen sollte. „Aber lassen Sie uns den Mut haben anzuerkennen, daß es gewichtige Unterschiede zwischen unseren Regierungen und Systemen gibt – Unterschiede, die nicht durch Wunschdenken oder Äußerungen unseres guten Willens, wie aufrichtig sie auch sein mögen, zu beseitigen sind. Diese unbequeme Realität darf jedoch kein Grund zu Pessimismus sein. Wir sollten sie vielmehr als eine Herausforderung betrachten, als eine Gelegenheit, von der Konfrontation zur Kooperation überzugehen." Während Gorbatschow der russischen Übersetzung lauschte, nickte er zustimmend – eine Geste, die er in den nächsten Tagen häufig wiederholen sollte.

Die Antwort des Generalsekretärs hatte den gleichen Tenor; er sprach von dem „vitalen Interesse" des sowjetischen Volkes „an der Bewahrung und Stärkung des Friedens überall auf der Erde" und nahm Reagans Hoffnung auf, daß die beiden Nationen dem Ziel näher kommen mögen, ihre strategischen Kernwaffenarsenale um fünfzig Prozent zu verringern. Im Gegensatz zu Reagan fügte er allerdings die Wendung „im Rahmen einer festen Garantie strategischer Stabilität" hinzu. Im Jargon der Rüstungskontrolle bezogen sich diese Worte offenkundig auf das Haupthindernis der amerikanisch-sowjetischen Verhandlungen: den ABM-Vertrag (*Anti Ballistic Missile System:* Raketenabwehrsystem) von 1972 und dessen Folgerungen für das Reagan so am Herzen liegende SDI-Projekt. Die Sowjets hatten seit langem gefordert, daß der ABM-Vertrag nur eine sehr begrenzte Grundlagenforschung für SDI zulassen solle, während die Regierung Reagan laut ihrer umstrittenen „großzügigen" Vertragsinterpretation darauf beharrte, daß detaillierte Forschung und gewisse Tests im Weltraum gestattet seien. Die zentrale Aufgabe des Gipfels war, sich mit dieser Kernfrage – die letztlich ungelöst blieb – auseinanderzusetzen.

Bei der sich anschließenden halbstündigen Sitzung unter vier Augen begann der Präsident wie stets mit dem heiklen Thema der Menschenrechte. Nur wenn der Generalsekretär begreife, wie sehr dieses Problem das amerikanische Volk berühre, könnten die Beziehungen zwischen den beiden Ländern verbessert werden. „Wie sollen denn die Vereinigten Staaten, eine Nation von Einwanderern, die Tatsache einschätzen, daß Sie Ihren Bürgern keine freizügige Emigration gestatten?" fragte der Präsident. Gorbatschow war verärgert. „Ich stehe hier nicht vor Gericht", erwiderte er scharf, „und Sie sind kein Staatsanwalt." Der Generalsekretär warf den USA vor, sie organisierten eine Kampagne, um einige der am besten ausgebildeten und talentiertesten Bürger der Sowjetunion zum Verlassen des Landes zu ermuntern. Er stellte die Qualifikationen der USA auf dem Gebiet der Menschenrechte in Frage, da auch in den Straßen ihrer Hauptstadt genug Obdachlose herumlägen.

Zwar bewegte sich kaum etwas in der Frage der Menschenrechte, aber amerikanische Repräsentanten beteuerten, schon die Bereitschaft der Sowjets, über das Thema überhaupt zu sprechen, stelle einen Fortschritt dar. „Unsere Gespräche haben einen völlig anderen Inhalt als früher", teilte Shultz Reportern später mit. „Mit Gromyko konnten wir überhaupt nicht über diesen Punkt reden."

Die beiden Staatsmänner erschienen um 13.45 Uhr wieder im East Room des Weißen Hauses zum zeremoniellen Höhepunkt ihres Treffens: der offiziellen Unterzeichnung des INF-Vertrages, der den Abzug einer ganzen Klasse von Kernwaffen aus Europa und der übrigen Welt zum Ziel hatte. Das Abkommen war das Ergebnis sechsjähriger Verhandlungen. Es sah die Vernichtung von 1752 sowjetischen und 1859 amerikanischen Flugkörpern vor und legte rigorose Verifizierungsverfahren vor Ort fest, die, wie man hoffte, ehrgeizigeren Vereinbarungen über weiterreichende Waffen im Rahmen von START (*Strategic Arms Reduction Talks:* Gespräche zur Verringerung der strategischen Waffen) den Weg bereiten sollten. Ungeachtet ihrer scharfen privaten Auseinandersetzung über die Menschenrechte am Morgen strahlten beide Männer bei der Unterzeichnungszeremonie Freundlichkeit und gute Laune aus.

„Wir können nur hoffen", sagte Reagan, „daß dieses historische Abkommen kein Selbstzweck ist, sondern der Beginn einer Zusammenarbeit, die es uns ermöglicht, die anderen vor uns liegenden dringenden Probleme anzupacken." Gorbatschow gab der Hoffnung Ausdruck, daß das Datum der Vertragsunterzeichnung „die Trennungslinie markieren wird, welche die Ära eines steigenden Atomkriegsrisikos von der Ära einer Entmilitarisierung des menschlichen Lebens abgrenzt". Doch angesichts des schweren Verhandlungsweges, der noch zurückzulegen war, setzte der Generalsekretär hinzu, daß „es wahrscheinlich noch zu früh ist, einander Lorbeerkränze zu verleihen".

Danach nahmen die beiden an dem Tisch Platz, der einst vom Kabinett Abraham Lincolns benutzt worden war, und setzten ihre Namen jeweils achtmal unter zwei dicke Stapel von Vertragsdokumenten. Die amerikanischen Kopien waren in schieferblaues, die sowjetischen in burgunderrotes Leder gebunden. Jeder der beiden in Leder gebundenen Bände enthielt den einundvierzig Seiten langen Vertrag, zwei Protokolle und einen Anhang. Diese legten detaillierte Verfahren dafür fest, alle Flugkörper kurzer und mittlerer Reichweite innerhalb von drei Jahren unter strenger gegenseitiger Kontrolle zu verbrennen, zu sprengen, zu verschrotten oder gefahrlos abzuschießen.

Nachdem sie die Papiere unterzeichnet hatten, tauschten die beiden Männer ihre Federhalter aus, erhoben sich und schüttelten einander die Hände, während das Publikum in begeisterten Beifall ausbrach. Einige US-Vertreter, gerührt sowohl von der Symbolik wie von der Tatsache der Unterzeichnung, wischten sich Tränen aus den Augen.

Die Vertragsunterzeichnung wurde in der Öffentlichkeit von großem Jubel begleitet, doch Gorbatschows Besuch stieß in Washington nicht nur auf Beifall. Im Lafayette-Park gegenüber dem Weißen Haus versammelten sich während des gesamten Gipfeltreffens die verschiedensten Gruppen von Demonstranten. Mitglieder der Internationalen Gesellschaft für das Krischna-

Bewußtsein sangen und trommelten für den Frieden. Ukrainische Auswanderer schwenkten schwarze Ballons zum Zeichen der Trauer um ihre verlorene Heimat. Christliche Evangelisten forderten Reagan und Gorbatschow auf, ihre Verhandlungen einzustellen und Jesus die Zukunft zu überlassen. Ein paar Frauengruppen demonstrierten für SDI, andere wandten sich dagegen. Anhänger des afghanischen Widerstandes skandierten: „Tod für Gorbatschow!“ Am Dienstag hielten mehrere hundert Befürworter der lettischen, litauischen und estnischen Unabhängigkeit bei Kerzenlicht eine fünfstündige Nachtwache ab.

Aber die Demonstranten spielten nur eine kleine Nebenrolle in der beschwingten, fast zirkushaften Atmosphäre, die Washington während des Gipfeltreffens zu beherrschen schien. Manche Kommentatoren sprachen abfällig von „Gorbi-Fieber“, obwohl das Phänomen sicherlich nicht mit dem Begeisterungstaumel zu vergleichen war, den ein Beatles-Konzert in den sechziger Jahren auslöste. Souvenirverkäufer verhökerten Abzeichen mit dem Bekenntnis I LOVE GORBIE und T-Shirts mit der Aufschrift GORBACHEV TOUR '87. Örtliche Pop-Sender widmeten dem sowjetischen Generalsekretär etliche Songs (zum Beispiel Michael Jacksons *The Way You Make Me Feel*). Das Marriott Hotel, welches das Hauptpressezentrum der siebentausend akkreditierten Journalisten beherbergte, benannte sein Kaffeehaus in „Glasnost Café“ um. Die Tagespresse berichtete nicht nur über die Hauptereignisse, sondern widmete sich auch Anekdoten und Bagatellen, die mit dem Gipfeltreffen zu tun hatten; so veröffentlichte man zum Beispiel Länge (630 cm), Breite (207 cm) und Gewicht (3080 kg) von Gorbatschows 1985 gebautem SIL 114.

Reagans Mitarbeiter waren schon vor der Begegnung zu dem Schluß gekommen, daß die Presse sich auf den Generalsekretär und seine Frau konzentrieren werde;

deshalb riet man dem Präsidenten, sich nicht „ins Rampenlicht zu drängen". Während Reagan sich also mehr oder weniger zurückhielt, leitete Gorbatschow eine fulminante Werbekampagne ein, die das amerikanische Volk direkt mit seiner Argumentation bekannt machen sollte. Im Mittelpunkt dieser Kampagne stand eine Reihe von persönlichen Gesprächen mit Gruppen einflußreicher, durch sowjetische Vertreter ausgewählter US-Bürger, mit denen Gorbatschow sein „neues Denken" und ihren Beitrag zu dessen Unterstützung erörtern wollte. Die erste dieser Sitzungen fand am Nachmittag des 8. Dezember in der sowjetischen Botschaft statt, einer schmucken Beaux-arts-Villa, die von Botschaftsangestellten in wochenlanger hektischer Arbeit neu hergerichtet worden war. Durch das schwere, schwarze schmiedeeiserne Tor fuhr eine buntgemischte Schar amerikanischer Intellektueller und Künstler, darunter die früheren Außenminister Henry Kissinger und Cyrus Vance, der Ökonom John Kenneth Galbraith, die Schriftsteller Norman Mailer und Joyce Carol Oates, die Schauspieler Paul Newman und Robert De Niro, der Evangelist Billy Graham, der Astronom Carl Sagan, der Sänger John Denver und die in ihrer Funktion schwer zu definierende Yoko Ono, die Witwe John Lennons.

Die Gorbatschows begrüßten jeden Besucher persönlich mit einem wohlvorbereiteten Scherz oder einer schmeichelnden Bemerkung über seine Arbeit. Der sowjetische Parteichef strahlte Charme und Charisma aus. Joyce Carol Oates schrieb später in der Beilage der *New York Times:* „Gorbatschow die Hand zu schütteln – das heißt, sich die Hand kräftig von Gorbatschow schütteln zu lassen – verhilft dir zu der großartigen Überzeugung, die durch ihre Absurdität nicht weniger wirkungsvoll wird, daß der Mann allein zu diesem Zweck zu dir geeilt ist; daß *du* für einen kurzen Moment der Mittelpunkt *seines* Universums bist."

Allerdings gab es kaum einen Zweifel daran, wer der Mittelpunkt von Gorbatschows Universum war, als er seinen vierzigminütigen Monolog in dem vergoldeten Ballsaal der Botschaft begann. Die Gäste saßen an runden Tischen, auf denen weiße Tulpen und Mineralwasserflaschen standen, und lauschten dem Generalsekretär, während er seine Hoffnungen auf eine innere Reform und auf den Weltfrieden erläuterte. In volkstümelnder Art, die er von Ronald Reagan hätte entlehnt haben können, las er Teile aus dem Brief eines amerikanischen Teenagers vor, der zur Schaffung „einer einzigen Menschenfamilie" aufforderte. Gorbatschow sprach mit entwaffnender Freimütigkeit über die Probleme seines eigenen Landes, wobei er sich gelegentlich an einzelne Anwesende wandte, und appellierte an seine Zuhörer, amerikanischen und sowjetischen Führungspersönlichkeiten „einzuheizen", damit sie dafür sorgten, daß beide Regierungen dem „tiefen Wunsch des Volkes" nach verbesserten Beziehungen nachkämen. Billy Graham, der etwas von der Kunst des Predigens versteht, nannte Gorbatschows Vortrag ein „wunderschönes Bild einer Welt, in der wir alle Brüder sind".

Das Staatsdiner am Abend dieses Tages war eines der glänzendsten Ereignisse, die sich unter Reagans Präsidentschaft im Weißen Haus abspielten. Neben hohen amerikanischen und sowjetischen Regierungsvertretern waren unter den 126 geladenen Gästen die führenden Finanziers David Rockefeller und Armand Hammer, die Musiker Dave Brubeck, Mstislav Rostropowitsch und Zubin Mehta, die Künstler Pearl Bailey und Claudette Colbert, die Sportler Chris Evert, Mary Lou Retton und Joe Di Maggio. „Ich wußte, daß dies ein besonderer Moment war", erzählte Nancy Reagan später über ihre Gedanken, als sie zusammen mit ihrem Mann und den Gorbatschows den Staatsbankettsaal betrat. „Die Menschen waren sehr bewegt." Keiner der Gäste war des

Essens wegen gekommen. Sie waren dort, um an einem rituellen Akt der Eintracht und Geselligkeit teilzunehmen, der die Friedenshoffnungen beider Seiten symbolisierte.

In seinem Trinkspruch erinnerte Gorbatschow – wiederum hörte er sich an wie der Große Kommunikator selbst – an die Geschichte von Lynne Cox, der amerikanischen Schwimmerin, die im August 1987 die Bering-Straße zwischen Alaska und Sibirien in wenig mehr als zwei Stunden durchquert hatte. „Im Fernsehen konnten wir erkennen, wie aufrichtig und herzlich das Treffen zwischen den Menschen war – zwischen unseren Bürgern und den Amerikanern –, als sie das sowjetische Ufer betrat. Durch ihren Mut zeigte sie, wie eng beieinander unsere beiden Völker leben." Der Generalsekretär fuhr fort: „Ohne die großen politischen und ideologischen Differenzen zwischen uns zu bagatellisieren, möchten wir Wege der Annäherung auf Gebieten suchen und finden, wo dies von vitaler Bedeutung für unsere beiden Länder und für die gesamte Menschheit ist."

Van Cliburn, der als junger Pianist aus Texas im Jahre 1958 in Moskau den Tschaikowski-Preis gewonnen hatte, sorgte nach dem Diner mit einem Konzert im East Room für die Unterhaltung. Gorbatschow umarmte Cliburn vor und nach dem Konzert freundschaftlich und machte dem Publikum eine unerwartete Freude, als er und Raissa zu Cliburns Begleitung auf russisch das Lied *Moskauer Nächte* sangen. Während sich andere Mitglieder der sowjetischen Delegation Gorbatschows angenehmem Bariton anschlossen, beugte sich der konservative Kolumnist George Will zu Admiral William Crowe, dem Vorsitzenden der Vereinigten Stabschefs, hinüber und flüsterte: „Dieses Lied hat Sie gerade zweihundert Schiffe gekostet."

Der Mittwoch, der 9. Dezember erwies sich als das, was Marlin Fitzwater, der Sprecher des Weißen Hauses, einen Tag der „Schwerarbeit“ nannte. Gorbatschow begann mit einer wichtigen Demonstration seiner Überredungskunst: während eines morgendlichen Treffens mit neun führenden Kongreßangehörigen, darunter vier der Senatoren, die letztlich das Schicksal des INF-Vertrags entscheiden würden. Der Generalsekretär eröffnete die Sitzung, die in der sowjetischen Botschaft abgehalten wurde, mit einigen improvisierten Bemerkungen, in denen er die Abrüstung als die „bedeutendste Frage in der heutigen Welt“ bezeichnete. Er warnte vor Ultimaten des Kongresses, die das INF-Abkommen gefährden könnten, und deutete nicht sehr überzeugend an, daß auch er vielleicht Schwierigkeiten haben werde, das Dokument vom Obersten Sowjet ratifizieren zu lassen. „Auch wir haben unsere Konservativen“, erklärte er. „Sie unterscheiden sich von Ihren Konservativen. Unsere Konservativen sind an eine bestimmte Lebensweise, eine bestimmte Ordnung gewöhnt. Sie müssen ihre Lebenseinstellung ändern, denn sie werden nicht die Oberhand gewinnen. Der [Reform-]Prozeß ist unumkehrbar, obwohl wir nicht in der Lage sein werden, alles auf einmal zu ändern.“ Die meisten der Kongreßmitglieder waren von Gorbatschows Intelligenz, Freimut und Energie beeindruckt.

Um 10.30 Uhr traf Gorbatschow zu seiner zweiten Sitzung mit dem Präsidenten ein. Reagan hielt eine fünfzehnminütige Rede über Kernwaffen und kam zum erstenmal während des Gipfeltreffens auf das heikle Thema SDI zu sprechen: „Wir werden die nötigen Forschungs- und Entwicklungsarbeiten durchführen, um herauszufinden, ob dies ein funktionsfähiges Konzept ist, und wenn ja, werden wir es in die Praxis umsetzen.“ Er gab einen Überblick über die bisherigen Diskussionen und merkte an, daß SDI – vorausgesetzt, die beiden Länder erzielten das erwartete Einverständnis über eine fünfzigprozentige Verringerung strategischer Atomsprengköpfe

– ein noch wichtigerer Teil des von ihm geplanten Übergangs von nuklearer Offensive zu nuklearer Defensive sein würde. Aber ihm sei durchaus bewußt, daß die Sowjets immer noch hofften, sein Programm lahmzulegen, und er machte deutlich, daß er dies nicht dulden werde.

Gorbatschow hörte konzentriert zu und sah Reagan bei dessen Vortrag unverwandt in die Augen. Als der Präsident geendet hatte, entgegnete der Generalsekretär: „Herr Präsident, tun Sie, was Sie meinen tun zu müssen. Und wenn Sie letztlich glauben, ein System zu haben, das Sie einsetzen wollen, dann setzen Sie es ein. Wer bin ich, Ihnen Vorschriften machen zu wollen? Ich glaube, daß Sie Ihr Geld verschwenden, denn ich bezweifle, daß es funktionieren wird. Aber wenn dies Ihren Absichten entspricht, dann nur zu." Er fuhr fort: „Wir gehen in eine andere Richtung, und wir behalten uns die Möglichkeit vor, das zu tun, was unserer Meinung nach notwendig und in unserem nationalen Interesse ist. Und wir sind überzeugt, daß wir es mit geringeren Kosten und mit größerer Effektivität tun können."

Was Gorbatschow wirklich sagen wollte, war offenbar folgendes: Die *Star-Wars*-Frage braucht in diesem Stadium des START-Prozesses nicht gelöst zu werden; aber wenn sie langfristig ungelöst bleibt und die USA SDI zum Einsatz bringen, erlöschen alle Vereinbarungen, und Moskau behält sich das Recht vor, alle ihm nötig scheinenden Gegenmaßnahmen zu ergreifen.

Die Gespräche am Mittwoch morgen wandten sich dann anderen Problemen zu. Schon mehr als eine Woche vor dem Gipfel hatten sowjetische Vertreter angedeutet, daß Gorbatschow einen Plan enthüllen werde, der innerhalb von zwölf Monaten den Abzug seiner 115 000 Soldaten aus Afghanistan vorsehe. Der Generalsekretär erwähnte einen solchen Plan allerdings nicht. Statt dessen erklärte er dem Präsidenten, er wünsche zunächst Garantien, daß eine neutrale Koalitionsregierung das von den

Sowjets gestützte Regime in Kabul ablösen und die USA ihre Hilfsleistungen für die afghanischen Rebellen sofort einstellen würden. Reagan gab nicht nach. „Was diesen Plan behindert, ist Ihre Weigerung, ein Datum für den Abzug festzulegen", sagte er unbeirrt. „Ich werde Ihnen nicht dadurch helfen, daß ich die Unterstützung für die Freiheitskämpfer streiche." Zwar leitete Gorbatschow kurz nach dem Ende des Gipfeltreffens Schritte zu einem einseitigen Abzug ein, aber während der Washingtoner Begegnungen deutete nichts auf eine bevorstehende Einigung hin.

Nach einem Mittagessen im Außenministerium kehrte Gorbatschow in die sowjetische Botschaft zurück, um wieder seine Gastgeberrolle bei einer der seminarähnlichen Diskussionssitzungen einzunehmen. Diesmal waren führende amerikanische Medienvertreter seine Gäste. Gorbatschow begann mit den mittlerweile vertrauten einleitenden Bemerkungen über seine Reformen und über die Notwendigkeit, die Beziehungen zwischen den beiden Ländern zu verbessern. Wie in früheren Sitzungen äußerte er sich überraschend offen über die wirtschaftlichen Probleme der UdSSR.

Aber der Generalsekretär ließ auch eine Gereiztheit erkennen, die bis dahin während dieses Gipfels in der Öffentlichkeit nie erkennbar gewesen war. Der Anlaß war eine Frage zu den Menschenrechten, die ihm Robert Bernstein stellte, der Leiter des Verlages Random House. „Welches Recht haben die USA, uns und der übrigen menschlichen Gesellschaft Standpauken zu halten?" gab er schroff zurück. Dann folgte eine Tirade gegen die Presse, die fasziniert von Gerüchten und Skandalen sei: „Was für ein Geschäft! Wie verantwortungslos und wie zwielichtig. Es hat keinen sehr guten Geruch an sich." Vielleicht spürte er, daß er riskierte, genau diejenigen Mediengruppen zu verärgern, die er während seines gesamten Besuches so zäh umworben hatte, denn er fügte fast entschuldigend hinzu: „Vielleicht war ich ein bißchen emotional, aber ich habe es ehrlich gemeint."

Gorbatschows Ausbruch ließ bei vielen Zuhörern Beklommenheit zurück. „Uns fiel es wie Schuppen von den Augen", sagte ein Publizist. „Die Hemmungen waren verschwunden, und nun sah man den Mann, der sich bis an die Spitze der sowjetischen Hierarchie hinaufgearbeitet hatte. Er war möglicherweise viel härter, viel brutaler, als wir geglaubt hatten."

Am Donnerstag, den 10. Dezember traf Gorbatschow bei einem Frühstück mit Kaviar und Blini in der sowjetischen Botschaft mit Vizepräsident George Bush zusammen. Danach fuhren die beiden Männer in Gorbatschows Limousine zum Weißen Haus. Während der zehnminütigen Fahrt rief Gorbatschow seinem Chauffeur plötzlich zu: „Anhalten!" Zur Verblüffung mehrerer Dutzend Passanten auf der Connecticut Avenue sprang der Parteichef lächelnd aus dem Wagen, schritt auf einige Umstehende zu und schüttelte ihnen die Hände wie ein erfahrener westlicher Politiker. Während erfreute Fußgänger herbeihasteten, um ihn zu begrüßen – und während Sicherheitsbeamte nervös die Menge musterten –, erklärte Gorbatschow durch seinen Dolmetscher, er wünsche, daß sein Volk „zu einem besseren Einvernehmen mit den Amerikanern kommen" werde. „Der Mann ist ein Reklamegenie", schwärmte eine Frau. „Ich bin noch ganz zittrig", sagte eine andere. „Es war wie die Wiederkunft des Messias oder so ähnlich."

Die Episode auf der Connecticut Avenue war der Grund dafür, daß Gorbatschow sich zum letzten Abendessen mit Reagan verspätete. Als der Präsident am Südportal des Weißen Hauses seinen Gast begrüßte, bemerkte er augenzwinkernd: „Ich dachte schon, Sie seien nach Hause geflogen." Gorbatschow lachte. Die beiden Männer, beide freundlich lächelnd, machten einen kurzen Spaziergang durch den Park des Weißen Hauses. Reagan nutzte die Gelegenheit, erneut zu verlangen, die Sowjetunion solle ihr militärisches Engangement in Afghanistan und Nicaragua einstellen. Gorbatschow ging vage auf sein Interesse am mittelamerikanischen Friedensprozeß ein, gab aber kein konkretes Versprechen ab.

Während die beiden Staatsmänner und ihre Berater im Familienspeisezimmer zu Mittag aßen, setzte die Arbeitsgruppe Rüstungskontrolle unter dem Vorsitz des Präsidentenberaters Paul Nitze und des sowjetischen Generals Sergej Achromejew ihre Besprechungen im Roosevelt-Zimmer fort und bemühte sich verzweifelt, ihre Arbeit vor der Abschiedszeremonie zu beenden. Ihre Ziele: 1. den Text eines gemeinsamen Kommuniqués zu formulieren, welches das SDI-Problem hinausschieben sollte, und 2. sich über die „Untergrenzen" zu einigen, die verschiedenen Typen strategischer Flugkörper und Bomber im Rahmen einer fünfzigprozentigen Reduzierung der Gefechtsköpfe auf beiden Seiten auferlegt werden sollten. Als das Essen sich dem Ende näherte, entschuldigten sich Verteidigungsminister Frank Carlucci und Generalleutnant Colin Powell, der Nationale Sicherheitsberater, um nachzusehen, was die Rüstungskontrollgruppe am Abschluß ihrer Arbeit hinderte. Gorbatschow und Reagan zogen die Mahlzeit in die Länge, während sie auf die Unterhändler warteten, und pflegten Konversation. Der Generalsekretär erklärte, daß die kleinen grünen, von einer Spiralfeder zusammengehaltenen Notizhefte, die er während der Gespräche häufig zu Rate gezogen hatte, mit Gedanken gefüllt seien, die er im vorherigen Sommer während seiner zweiundfünfzig Tage währenden Abwesenheit aus Moskau niedergeschrieben habe. Damals war spekuliert worden, daß Gorbatschow krank sein könne – ein erschreckender Gedanke angesichts der Gesundheitsprobleme seiner Vorgänger. Er erschien nach dieser langen Abwesenheit jedoch mit dem fast vollständigen Manuskript seines Buches *Perestroika*.

Endlich einigte sich die Rüstungskontrollgruppe und schloß sich wieder den beiden Gipfelpartnern an. Gorbatschow wurde ins Kartenzimmer geführt, wo Achromejew ihn instruierte; Reagan zog sich in die Bibliothek zurück, wo Shultz und Powell ihm den Text des Kommuniqués erklärten. Der Außenminister berichtete, daß die Vereinigten Stabschefs die Formulierung gebilligt hätten. Reagan blickte fragend zu Powell auf. „Es ist in Ordnung, Mr. President", sagte der General. Reagan gab seine Zustimmung. Dann kehrte er zu Gorbatschow zurück und begleitete ihn zum Südlichen Rasen, wo die Abschiedszeremonie stattfinden sollte.

In ihre dunklen Mäntel gehüllt, vor dem peitschenden, kalten Regen durch ein Dach von Schirmen geschützt, wirkten beide Männer erschöpft und düster, während sie auf dem Podium standen. Einige Beobachter erinnerten sich an ihre grimmigen Mienen nach dem Zusammenbruch des Gipfels von Reykjavik und überlegten, ob die Gespräche sich diesmal auf ähnliche Weise festgefahren haben könnten. Reagans Worte belehrten sie eines Besseren.

Er nannte das Gipfeltreffen einen „eindeutigen Erfolg" und erklärte, Gorbatschow und er könnten ihre Begegnung „mit dem Gefühl, etwas erreicht zu haben", beenden. Der Generalsekretär erwiderte, daß der Besuch „unsere Hoffnungen im großen und ganzen gerechtfertigt" habe. Er faßte zusammen: „Heute sind die Sowjetunion und die Vereinigten Staaten dem gemeinsamen Ziel einer Stärkung der internationalen Sicherheit näher gekommen. Aber dieses Ziel ist noch nicht erreicht. Uns bleibt noch viel Arbeit, und wir müssen unverzüglich damit beginnen." Nachdem Gorbatschows abschließende Worte übersetzt worden waren, lächelten die beiden Männer zum erstenmal während der kurzen Zeremonie und schüttelten einander zum Abschied freundschaftlich die Hände.

Keiner der beiden erwähnte konkrete Fortschritte in der Frage der strategischen Waffen, weil die Zeit nicht ausgereicht hatte, einen Hinweis auf die in letzter Minute zustande gekommene Vereinbarung in ihre vorbereiteten Abschiedsreden aufzunehmen. Aber das Schlußkommuniqué und die Erklärungen der amerikanischen Repräsentanten verdeutlichten bald, daß viel geleistet worden war. Die Nitze-Achromejew-Gruppe hatte ihre Instruktionen für die sowjetischen und amerikanischen Unterhändler in Genf weiterentwickelt. Dort würde man in den folgenden Monaten versuchen, sie in konkrete Übereinkünfte umzusetzen.

Wie ursprünglich in Reykjavik vereinbart, sah der Plan eine fünfzigprozentige Reduzierung aller nuklearen Gefechtsköpfe vor, auf einen Stand von jeweils sechstausend für beide Seiten. Die Gesamtzahl von Interkontinentalraketen sowie U-Boot-gestützten Raketen sollte auf 4900 beschränkt werden.

Weniger präzise, aber nicht weniger wichtig war die Haltung, welche die beiden Seiten der schwierigen *Star-Wars*-Frage gegenüber einzunehmen gedachten. Der entsprechende Text war ebenso gewunden wie vage – genau das, was man benötigte, um den Disput hinauszuschieben. Die Unterhändler in Genf wurden angewiesen, „eine Vereinbarung zu erarbeiten, die beide Seiten verpflichten sollte, den ABM-Vertrag in seiner 1972 unterzeichneten Fassung einzuhalten, während sie die erforderlichen Forschungs- und Entwicklungsarbeiten sowie Tests durchführen, die vom ABM-Vertrag zugelassen werden, und sich für einen festgelegten Zeitraum nicht vom ABM-Vertrag zurückzuziehen". Hinter der geschraubten Sprache verbarg sich ein Kompromiß, der Gorbatschow und Reagan zumindest vorläufig gestattete, ihre entgegengesetzten Positionen zu SDI beizubehalten.

Die Sowjets hatten die uneingeschränkte Zusicherung der Amerikaner erhalten, daß sie sich nicht vom ABM-Vertrag zurückziehen würden, während die Regierung Reagan das Recht erwirkt hatte, mit den „für das *Star-Wars*-Programm erforderlichen Tests" fortzufahren, solange diese das ABM-Abkommen nicht verletzten. Die maßgebliche Frage, welche Arten von Tests nach dem ABM-Vertrag gestattet waren – die Frage, ob die „großzügigere" oder die „engere" Interpretation verbindlich sei –, wurde diesmal nicht gestellt. Im Grunde hatten beide Seiten, wie ein hoher Teilnehmer am Gipfeltreffen es ausdrückte, „sich geeinigt, ihre Meinungsverschiedenheiten beizubehalten".

Mit seiner Verabschiedung im Weißen Haus war Gorbatschows letzter Tag in Washington noch nicht zu Ende. Noch einmal ging es ihm darum, für seine Ideen zu werben. Um sechzehn Uhr war er wieder in seiner Botschaft und hielt ein Treffen mit fünfzig führenden amerikanischen Bankiers und Geschäftsleuten ab.

Danach fuhr der Generalsekretär rasch zu dem nagelneuen Botschaftskomplex der Sowjetunion in Mount Alto, wo er eine Pressekonferenz für mehr als vierhundert amerikanische und ausländische Reporter abhielt. In einem ausführlichen, siebzig Minuten langen Monolog, in dem er seine Gespräche mit Reagan zusammenfaßte, nannte Gorbatschow das Gipfeltreffen ein „entscheidendes Ereignis der Weltpolitik" und merkte an, daß zwischen ihm selbst und dem Präsidenten ein „sich vertiefender politischer Dialog" stattfinde. „Auf der höchsten Ebene unserer beiden Staaten wird akzeptiert, daß unsere Länder nun allmählich die schon viel zu lang andauernde Konfrontation überwinden." Während Gorbatschow auf spezifische Themen der Gipfeltagesordnung einging, ließ er jedoch Anzeichen von Gereiztheit erkennen. In Ergänzung zu dem, was er bereits Reagan zu SDI vorgehalten hatte, erklärte er sarkastisch: „Wenn die Amerikaner so viel Geld haben, dann sollen sie es doch verschwenden. Wir werden auf andere Weise eine Antwort finden."

Angesprochen auf das Thema Menschenrechte, begann der Generalsekretär einen scharfen Angriff auf die Presse, der an seinen früheren Auftritt vor den Medienvertretern denken ließ. Mit energischer Gestik und trotzig vorgeschobener Unterlippe bezichtigte er die Journalisten, sie seien nur daran interessiert, ihm mit Fragen über Menschenrechte zuzusetzen, „als seien wir nicht gerade deshalb mit Interviews einverstanden, weil wir uns bemühen wollen, die Wahrheit zu suchen und einander zu ernsthaftem Denken zu bewegen. Ihnen geht es vielmehr darum, den Politiker in die Enge zu treiben. Ist das ein Dialog? Ist das ein Interview? Dies ist nicht der Sinn der Medien."

Dieser Temperamentsausbruch sowie seine schroffen und ausweichenden Antworten auf die meisten der sich anschließenden Fragen machten die unüberbrückbare Kluft zwischen dem, was er *glasnost* nennt, und der westlichen Vorstellung von Pressefreiheit deutlich. Dadurch, daß er von neuem die Medien geißelte – gerade die Gruppe, die er für sich gewinnen mußte, um seine Botschaft weiterzuvermitteln –, belastete er seine ansonsten meisterhafte Public-Relations-Darbietung mit einem erheblichen Makel.

Nichtsdestotrotz hat Gorbatschows Besuch in Washington eine neue Phase im vierzigjährigen Ringen zwischen den USA und der UdSSR eingeläutet. Die mageren konkreten Resultate des Gipfels konnten den Rummel zwar kaum rechtfertigen, aber das, worauf es wirklich ankam – und was die allgemeine Phantasie fesselte –, waren die Bilder persönlicher Eintracht und guten Einvernehmens, die diese Tage bestimmten. In der Diplomatie, besonders im Zeitalter des Fernsehens, hat der Eindruck, daß Spannungen abgeschwächt seien, meist zur Folge, daß sie sich tatsächlich abschwächen. In der Woche, die am 7. Dezember 1987 begann, veränderten sich die Eindrücke auf beiden Seiten zum Besseren. Als alles vorbei war, erklärte Reagan, das Treffen habe „den Himmel für alle Menschen guten Willens mit Hoffnung erhellt“. Das war keine bloße Übertreibung. Etwas Außergewöhnliches spielte sich in diesen Tagen ab: Die vier Jahrzehnte währende, oft brutale Rhetorik des kalten Krieges wurde von sachlichem Gespräch und Kontakten auf höchster Ebene abgelöst. Keine der beiden Seiten vergaß dabei die gewaltige ideologische Kluft, welche die Supermächte trennt, aber sie lernten, ihre Gegensätze zu überwinden und Gemeinsamkeiten zu umreißen, auf denen sich ein besseres gegenseitiges Verständnis aufbauen läßt. Dafür verdient Gorbatschow volle Anerkennung.

Neuntes Kapitel

Stabilisierung des Reformkurses

1988 sollte sich als eines der ereignisreichsten – und schwierigsten – Jahre in Gorbatschows Karriere erweisen. In der Innenpolitik kam es zu bedeutsamen Wandlungen. Am 1. Januar trat ein neues Gesetz über Staatsunternehmen in Kraft. Diese Maßnahme stellte sechzig Prozent der sowjetischen Industrie auf eine „Eigenfinanzierungsgrundlage", und Tausende von Managern, die sich daran gewöhnt hatten, Befehle von Moskauer Bürokraten zu empfangen, waren plötzlich gezwungen, geschäftliche Entscheidungen selbst zu treffen. Im Februar brach die erste einer Reihe von Unruhen in der Armenischen Republik aus, deren Bewohner die Angliederung einer von Armeniern bevölkerten Enklave in der benachbarten Aserbeidschanischen Republik verlangten. Gleichzeitig sorgten aufkeimende nationalistische Gefühle dafür, daß Autonomiebewegungen in den baltischen Republiken und anderswo Auftrieb erhielten.

Im Mai begann der neun Monate währende Rückzug der sowjetischen Truppen aus Afghanistan – ein Schritt, der die längst als Fehler erkannte neunjährige Moskauer Okkupation beenden sollte. Im selben Monat traf Ronald Reagan zu einem Gipfeltreffen in Moskau ein, das kaum meßbare Erfolge brachte, aber die anhaltende Verbesserung der amerikanisch-sowjetischen Beziehungen unterstrich.

Im Juni griff der Generalsekretär zu einer entscheidenden Maßnahme zur Konsolidierung seiner Führung: Er leitete eine außerordentliche Parteikonferenz, die seine Reformpolitik überwiegend billigte. Im Oktober festigte Gorbatschow seine Macht durch ein Revirement in den höchsten Parteirängen. Der neunundsiebzigjährige Andrej Gromyko, eines der letzten Relikte aus der Breschnew-Ära, mußte sowohl seinen Sitz im Politbüro als auch das hauptsächlich zeremonielle Amt des Präsidenten aufgeben. Gorbatschow selbst übernahm diesen Titel, womit er zum offiziellen Staatsoberhaupt der Sowjetunion wurde. Jegor Ligatschow, der als Gorbatschows mächtigster konservativer Rivale in den Vordergrund getreten war, verlor den einflußreichen Posten des Parteiideologen und wurde mit der undankbaren Aufgabe betraut, den geplagten landwirtschaftlichen Sektor des Landes zu beaufsichtigen. Das Politbüromitglied Alexander Jakowlew, einer der wichtigsten Architekten von Gorbatschows Reformprogramm, übernahm die Leitung des ZK-Ausschusses für außenpolitische Angelegenheiten.

Gorbatschows brillantester Auftritt des Jahres fand im Dezember vor den Vereinigten Nationen statt. In einer überzeugenden Rede vor der Generalversammlung forderte der sowjetische Parteichef eine neue Weltordnung auf der Basis von Frieden, Entscheidungsfreiheit, individuellen Rechten und Gewaltverzicht. Um diese Forderung zu untermauern, verkündete er den unilateralen Beschluß, die sowjetischen Streitkräfte um zehn Prozent zu verringern, fünfzigtausend Soldaten aus Osteuropa abzuziehen und die Zahl der sowjetischen Panzer in den Warschauer-Pakt-Ländern zu halbieren. Obwohl dies dem Sowjetblock immer noch eine Überlegenheit gegenüber der NATO von drei zu zwei, was die Bodentruppen betrifft, und von zwei zu eins, was die Panzer angeht, läßt, war Gorbatschows Vorschlag ein wichtiger Schritt auf dem Weg zu Verhandlungen über den beiderseitigen Abbau der konventionellen Streitkräfte. Die UN-Rede lieferte den positiven Hintergrund zu einem „Minigipfel", bei dem sich Reagan und der designierte Präsident George Bush auf Governor's Island in New York mit Gorbatschow zum Lunch trafen. Für Reagan war es die letzte Begegnung – zumindest als Präsident – mit dem sowjetischen Parteichef, mit dem er in den vorangegangenen drei Jahren die Beziehungen zwischen Washington und Moskau grundlegend umgestaltet hatte.

Gorbatschows triumphaler New-York-Besuch wurde von einer Tragödie vorzeitig beendet: dem Erdbeben in Armenien, das Dutzende von Städten und Dörfern verwüstete, rund fünfundzwanzigtausend Menschenleben forderte und eine halbe Million Menschen obdachlos machte. Der sowjetische Präsident verzichtete auf eine geplante Reise nach Kuba und machte sich sofort in die armenische Stadt Jerewan auf, um die Rettungsarbeiten zu leiten. Von den Armeniern, welche die Zentralregierung für die unzureichenden Rettungsoperationen verantwortlich machten, wurde er mit Verbitterung empfangen. Die Katastrophe verschärfte die politischen Probleme, die Gorbatschow seit längerem mit Armenien hatte, das die Angliederung des umstrittenen Gebietes Berg-Karabach forderte. Zugleich stellte sie einen heftigen Rückschlag für seine wirtschaftlichen Reformpläne dar: Die Gesamtkosten für Rettungs- und Wiederaufbauarbeiten wurden auf umgerechnet 10,9 Milliarden Dollar geschätzt.

Für Moskau ergaben sich aus einer solchen wirtschaftlichen Schwächung erhebliche Probleme. Das Erdbeben hatte sich mitten in einer der schwersten Konsumkrisen der jüngeren Zeit ereignet. Am Jahresende gab es einen Gütermangel in allen Bereichen – von Fleisch, Butter und Zucker bis hin zu Schuhen, Toilettenpapier und Waschpulver. Güterverknappungen sind in der UdSSR ein chronisches Problem, doch viele Verbraucher hatten den Eindruck, daß die Situation sich weiter verschlechtert hatte. Auch bestand nicht viel Hoffnung auf einen baldigen Umschwung, denn Anfang 1989 wurde bekanntgegeben, daß die Getreideernte von 1988 um sechzehn Millionen Tonnen hinter der des Vorjahres und um vierzig Millionen Tonnen hinter den Planzielen zurückgeblieben war.

Dies war für Gorbatschow eine besonders schlechte Nachricht. Seine dreijährige *perestroika*-Kampagne hatte wirtschaftliche Verbesserungen versprochen, während seine *glasnost*-Politik der Presse die Möglichkeit zur Kritik an der Regierung einräumte, falls diese Verbesserungen ausblieben. Gorbatschow selbst mußte in seiner Neujahrsbotschaft von 1989 eingestehen: „*Perestroika* hat große Erwartungen in der Gesellschaft geweckt. Aber der Wandel vollzieht sich nicht so schnell, wie wir alle es uns wünschen."

Das Jahr 1988 endete also recht bedrückend für den Parteichef, was eine Welle von Spekulationen über seine politische Zukunft auslöste. Hartnäckige Gerüchte besagten, er werde bald gezwungen sein, die Macht zu teilen oder sogar abzutreten. Man wies insbesondere darauf hin, daß das Militär wenig von Gorbatschows versprochenen Truppenreduzierungen oder seinen Vorschlägen halten dürfte, die Waffenproduktion um 19,5 Prozent zu kürzen, um mehr Mittel in die Zivilwirtschaft lenken zu können. Die plötzliche Pensionierung von Generalstabschef Marschall Sergej Achromejew – angeblich aus Gesundheitsgründen – veranlaßte einige Analytiker im Dezember, Theorien über wachsende Spannungen zwischen Gorbatschow und der Militärführung aufzustellen. Regierungsvertreter in Bonn, Paris, London und Washington sprachen sich jedoch dagegen aus, Gorbatschow verfrüht aufzugeben, und deuteten an, daß die Untergangsgerüchte von Reformgegnern in der DDR und der Tschechoslowakei gezielt in Umlauf gebracht worden sein könnten.

Gorbatschow handelte jedenfalls nicht wie jemand,

dessen Macht ernsthaft bedroht war. Während sich die Wahlen zu dem neuen Kongreß der Volksdeputierten im März 1989 näherten, schien der Generalsekretär die politischen Vorgänge fest unter Kontrolle zu haben. Von den 2250 zu wählenden Abgeordneten wurden hundert direkt vom Politbüro ernannt, und sie schienen Gorbatschows Reformen vorbehaltlos zu unterstützen. Auch die anderen Deputierten – 650 wurden von Gewerkschaftsorganisationen und anderen offiziellen Gruppen und 1500 in den Wahlkreisen des Landes bestimmt – dürften sich mehrheitlich ebenfalls an die Gorbatschow-Linie halten. Allem demokratischen Zubehör zum Trotz wurden die Wahlen immer noch weitgehend von der Partei gelenkt.

Bei allen Problemen, denen er sich in seiner Heimat gegenübersah, schien Gorbatschows Ansehen im Ausland ständig zu wachsen. Kurz vor seiner UN-Rede im Dezember zeigte eine Harris-Umfrage in Großbritannien, daß Gorbatschow (mit einer Mehrheit von zwei zu eins gegenüber Reagan) als der am stärksten bewunderte ausländische Staatsmann galt.

Nichts war günstiger für Gorbatschows Image eines verantwortungsbewußten Politikers als die planmäßige Beendigung des sowjetischen Rückzugs aus Afghanistan. Als der sowjetische General Boris Gromow am 15. Februar 1989 an dem sowjetischen Grenzposten Termes über die Freundschaftsbrücke schritt, markierte dies das Ende eines neunjährigen Alptraums für Moskau sowie eine offenbare Abkehr von jener interventionistischen Politik Moskaus, die einst zum Einmarsch geführt hatte.

Gorbatschow schien auch kurz davor zu stehen, einen anderen langjährigen außenpolitischen Fehler zu korrigieren: nämlich das dreißig Jahre währende Zerwürfnis der Sowjetunion mit China beizulegen. Nach einem Besuch in Peking erklärte Außenminister Schewardnadse im Februar, daß Gorbatschow im Mai zu einem Gipfeltreffen mit Deng Xiaoping in die chinesische Hauptstadt fliegen werde. Angekündigt war damit die erste direkte Begegnung zwischen den führenden Männern der UdSSR und der Volksrepublik China, seit Nikita Chruschtschow im Jahre 1959 mit Mao zusammenkam.

Auch die Annäherung gegenüber dem Westen wurde 1989 fortgeführt. Reisen nach Großbritannien, in die Bundesrepublik und nach Italien sollten Gorbatschows Verständigungswillen unterstreichen.

Trotz dieser außenpolitischen Geschäftigkeit blieb auch vier Jahre nach Gorbatschows Amtsantritt als Generalsekretär die Hauptfrage: Ist er dabei, sich einen Platz in der Sowjetgeschichte zu sichern, oder taumelt er am Rande des Scheiterns entlang? Weder die ausländischen Beobachter noch die Bürger der Sowjetunion konnten diese Frage mit Gewißheit beantworten. Bald beruhigten sie einander, daß Gorbatschow das Ruder fest in der Hand habe, bald tauschten sie Gerüchte darüber aus, daß er demnächst gezwungen sein werde, die Macht mit seinen konservativeren Politbürokollegen zu teilen, oder daß er vielleicht sogar abtreten müsse. Aber eine genauere Betrachtung der drei bedeutendsten öffentlichen Auftritte Gorbatschows im Jahre 1988 – in dem ereignisreichsten Jahr seiner Amtszeit als Generalsekretär – läßt einen Mann von so außergewöhnlicher Energie, großer Weitsicht und überragendem Selbstvertrauen erkennen, daß Zweifel an seinem innenpolitischen Durchsetzungsvermögen unangebracht erscheinen.

Das Moskauer Gipfeltreffen

Die vierte Begegnung zwischen Reagan und Gorbatschow war von dem beiderseitigen Bewußtsein gekennzeichnet, daß sich die Amtszeit des amerikanischen Präsidenten dem Ende zuneigte. Beide wußten, daß das Gipfeltreffen vom 29. Mai bis zum 2. Juni 1988 wahrscheinlich ihre letzte Zusammenkunft in großem Rahmen sein würde. Zudem war ihnen klar, daß es sich um ein vorwiegend zeremonielles Ereignis handelte. Die Aussichten für entscheidende neue Durchbrüche schienen karg – nicht weil es an diplomatischem Goodwill gemangelt hätte, sondern weil viele der Probleme zwischen USA und UdSSR bereits eine Lösung gefunden hatten. Der INF-Vertrag, den man sieben Monate zuvor auf dem Washingtoner Gipfeltreffen unterzeichnet hatte, war gerade vom US-Senat ratifiziert worden. Der Abzug der sowjetischen Truppen aus Afghanistan, seit langem von der USA gefordert, machte zügige Fortschritte. Die schwierigeren Probleme, nämlich die Verringerung der strategischen Waffen und die Reduzierung der konventionellen Streitkräfte, wurden in Genf und Wien ernsthaft diskutiert, aber kaum jemand rechnete für den Moskauer Gipfel mit entscheidenden Durchbrüchen.

Trotzdem war der Einsatz für beide Männer hoch. Gorbatschow benötigte einen diplomatischen Erfolg, um sein Prestige im eigenen Land zu stärken, da er gegen erheblichen Widerstand für innenpolitische Reformen kämpfte. Und Reagan wollte einen würdigen Schlußpunkt unter die bunte Geschichte seiner Beziehungen zu Moskau setzen. Nachdem er die Sowjetunion früher als das „Reich des Bösen" gebrandmarkt hatte, war er nun zu überschwenglichem Lob für Gorbatschows Reformbemühungen übergegangen. Aber es gab eines, was er unzweideutig klarmachen mußte, damit konservative Wähler und künftige Historiker seiner Administration nicht Schlaffheit dem Kommunismus gegenüber vorwerfen würden: Er hatte die alles andere als überzeugenden Leistungen Moskaus auf dem Gebiet der Menschenrechte nicht vergessen – und wollte dafür sorgen, daß auch die Welt sie nicht vergaß.

Reagans Beharren auf dieser Frage und Gorbatschows heftige Reaktion wurden rasch zum zentralen Punkt des viertägigen Gipfels. Nach einer optimistischen Begrüßungszeremonie im schmuckvollen Georgssaal des

Kreml am Sonntag, den 29. Mai 1988 machte Reagan das erste, siebzig Minuten umfassende und hinter verschlossenen Türen stattfindende Gespräch vor allem zu einer Menschenrechtsdebatte. Er überreichte Gorbatschow eine Liste von vierzehn Sowjetbürgern, die angeblich wegen ihrer politischen oder religiösen Überzeugung inhaftiert waren oder verfolgt wurden. Wie der sowjetische Sprecher Gennadi Gerassimow später zusammenfaßte, gab Gorbatschow zurück, daß Reagan „keine konkrete Vorstellung" von der Menschenrechtssituation in der UdSSR habe, weil seine Betrachtungsweise „sich auf die Vergangenheit stützt und die heutigen Ereignisse nicht berücksichtigt".

Gorbatschow machte keinen Versuch, seine Erbitterung über Reagans Vorwürfe zum Thema Menschenrechte zu verbergen, als die Verhandlungen am 30. Mai im Katharinensaal begannen. Als Reporter ihn fragten, was er in den vierzehn Fällen zu tun beabsichtige, die Reagan am Vortag angesprochen hatte, erwiderte er brüsk: „Es gibt zu viele Listen." Nach diesem improvisierten Gespräch mit den Journalisten führten Gorbatschow und Reagan ihre Delegationen durch die gewaltigen Goldtüren des Katharinensaals, um die erste Plenarsitzung des Gipfeltreffens einzuleiten. Im Mittelpunkt des fast zweistündigen Gesprächs standen Fragen der Rüstungskontrolle.

Im Rahmen seiner Menschenrechtskampagne setzte der Präsident sich mit allem Nachdruck für das Prinzip der Religionsfreiheit ein. Am Nachmittag des 31. Mai besuchte er mit seiner Frau Nancy das Moskauer Daniil-Kloster. Das siebenhundert Jahre alte Gebäude mit seinen weißen Mauern, dunkelgrünen Türmen und lachsfarbenen Torwegen war nach der Revolution zu einer Fabrik gemacht und erst kurz zuvor der orthodoxen Kirche zurückgegeben worden. Nach einem Rundgang durch die Kathedrale und eine Werkstatt, in der man

Ikonen restaurierte, erklärte Reagan einer Gruppe von Mönchen und Kirchenführern, die ihre traditionellen schwarzen Gewänder und zylindrischen Hüte trugen: „In unserem Lande teilen wir Ihre Hoffnung auf ein neues Zeitalter der Religionsfreiheit in der Sowjetunion."

Als hätte dies nicht bereits genügt, die Führer des atheistischen Sowjetstaats zu verärgern, traf sich der Präsident am selben Nachmittag mit sechsundneunzig Dissidenten und *otkasniki* (Personen, deren Ausreiseantrag aus der UdSSR abgelehnt worden war). Die Gruppe, die von der US-Botschaft sorgfältig ausgewählt worden war, umfaßte ein breites Spektrum politischer und religiöser Anschauungen. „Ich möchte Ihnen unsere Unterstützung vermitteln, damit Sie sie Ihrerseits anderen vermitteln können", sagte der Präsident. Er kommentierte Gorbatschows Reformbemühungen folgendermaßen: „Die Freiheit auf einem Sektor wird, wie wir hoffen, zu der auf einem anderen führen, und die Sowjetregierung wird begreifen, daß wirtschaftliche Kreativität, der forschende Geist, der einen technischen Durchbruch hervorbringt, die Phantasie, die neue Produkte und Märkte ersinnt, stets vom Individuum ausgehen und daß das Individuum, um schöpferisch tätig sein zu können, ein Gefühl seines eigenen Werts haben muß – es muß spüren, daß andere seine Individualität respektieren und, mehr noch, daß seine Nation sie hinreichend respektiert, um ihm all seine Menschenrechte zu gewähren."

Die Tatsache, daß Ronald Reagan eine solche Botschaft, welche die Demokratie amerikanischen Stils und das freie Unternehmertum zum Vorbild für die Sowjetunion erklärte, im Herzen der UdSSR vorbringen konnte, war ein überwältigendes Zeichen dessen, wie sehr sich dieser Staat bereits gewandelt hatte. Doch das beharrliche Thematisieren der Menschenrechtsfrage – die stärkste Kritik an der sowjetischen Innenpolitik, die irgendein ausländischer Moskau-Besucher seit Gorbatschows Machtübernahme geäußert hatte – brachte den Generalsekretär in ein Dilemma. Zwar mochte er selbst von der Idee größerer Offenheit und Demokratie überzeugt sein – doch er konnte Reagans Vorwürfe nicht widerspruchslos hinnehmen, wollte er nicht riskieren, daß ihm die Konservativen kurz vor der entscheidenden Parteikonferenz Schwäche vorwarfen.

So machte Gorbatschow in seinem Toast beim Staatsdiner am Abend des 30. Mai im Kreml unmißverständlich deutlich, daß „das Streben nach der Überwindung von Unterschieden nicht bedeuten sollte, daß alle Unterschiede aufgehoben werden". Der Versuch, das gegenseitige Verständnis und die Zusammenarbeit zu verbessern, „sollte unternommen werden, ohne sich in die inneren Angelegenheiten des anderen einzumischen, ohne Moralpredigten zu halten oder seine eigenen Ansichten und Methoden absolut zu setzen".

Nach der einstündigen, unter vier Augen stattfindenden Sitzung am Morgen des 31. Mai, in deren Verlauf Gorbatschow den amerikanischen Präsidenten über seine *perestroika*-Kampagne unterrichtete, wartete der Generalsekretär mit einer Überraschung auf. Reagan hatte erwähnt, daß er gern den Roten Platz sehen würde. Gorbatschow erfüllte ihm nun diesen Wunsch. Nach der Sitzung brachte er den Präsidenten mit einer Autokolonne zu dieser historischen Stätte und spazierte dann mit ihm über den weiten Platz. Gorbatschow erläuterte seinem Gast in kurzen Zügen die Geschichte des Platzes, während sie sich unter vorher ausgewählten Gruppen von Bürgern bewegten. Reagan schien begeistert zu sein. „Ich träume davon, daß alle jungen Menschen der Welt einander um des Friedens willen kennenlernen sollten", schwärmte er.

Danach hatte Reagan bei einem Essen für achtunddreißig Künstler und Intellektuelle im Moskauer Haus der

Schriftsteller einen seiner überzeugendsten Auftritte der Woche. Unter den von der US-Botschaft ausgesuchten Gästen waren der Dichter Jewgeni Jewtuschenko, der Theaterregisseur Nikolai Gubenko und der Historiker Roy Medwedjew. Reagan rückte von seiner früheren Kritik in der Menschenrechtsfrage ab und lobte die sich verstärkende Redefreiheit unter Gorbatschow. Dann wurde er sehr persönlich. Viele Sowjetbürger fragten sich wahrscheinlich, so Reagan, was einen Schauspieler qualifiziere, Präsident der Vereinigten Staaten zu werden. Er zitierte den großen sowjetischen Filmregisseur Sergej Eisenstein: „Das Wichtigste ist, die Vision zu haben. Dann kommt es darauf an, sie zu erhaschen und festzuhalten . . . [Dies] ist, wie ich glaube, das Wesen einer erfolgreichen Führerschaft – nicht nur im Filmstudio, sondern überall. Übrigens habe ich im Laufe meines Umgangs mit Herrn Gorbatschow, seit er Generalsekretär wurde, gemerkt, daß er die Fähigkeit hat, eine Vision zu erhaschen und festzuhalten – und deshalb respektiere ich ihn."

Am Nachmittag des 1. April hielt Gorbatschow eine vom nationalen Fernsehen übertragene Pressekonferenz ab. Wieder einmal brach er mit alten Konventionen: Noch nie war die Pressekonferenz eines sowjetischen Parteichefs in der UdSSR übertragen worden. Gorbatschow klagte, das Gipfeltreffen sei voll von verpaßten Gelegenheiten gewesen. Zwar nannte er die Begegnung ein „wichtiges Ereignis", das die Beziehungen „vielleicht um ein oder zwei Stufen" verbessert habe, doch er bemerkte bitter, daß „Propagandacoups überwogen und daß es alle möglichen Schauspiele und Vorführungen gab. Ich bin nicht begeistert von diesem Teil des Treffens. Laßt uns zur wahren Politik zurückkehren!" Er setzte hinzu: „Die US-Administration hat kein echtes Verständnis für die wirkliche Menschenrechtslage. Sie ist einfach nicht über den Prozeß der Demokratisierung in diesem Lande unterrichtet."

Trotz Gorbatschows Kritik gab Reagan sich später am selben Nachmittag bei seiner eigenen Pressekonferenz in Spaso House, der Residenz des amerikanischen Botschafters, alle Mühe, Gorbatschow zu loben. Er nahm seine Aussage von 1983 über das „Reich des Bösen" praktisch zurück und machte für seine neue wohlwollende Meinung über die Sowjetunion „hauptsächlich den Generalsekretär" verantwortlich, „der, wie ich entdeckt habe, anders ist als frühere sowjetische Parteichefs".

Was hatte das vierte Gipfeltreffen zwischen Reagan und Gorbatschow erbracht? Es gab keine neuen Initiativen zu START. Auch hatten die beiden Seiten ihr Patt in der *Star-Wars*-Frage nicht überwunden; offenbar hatte Gorbatschow das SDI-Problem fürs erste beiseite geschoben, um es später mit Reagans Nachfolger zu behandeln.

Dennoch hatten beide Staatsmänner Nutzen aus dem Treffen gezogen. Durch die Inkraftsetzung des INF-Vertrags hatte Reagan sich einen Platz in den Geschichtsbüchern gesichert – als erster amerikanischer Präsident, der eine wirkliche Verringerung des nuklearen Arsenals erreicht hatte. Und durch seine Proteste gegen sowjetische Menschenrechtsverstöße hatte er seine konservativen Anhänger in der Heimat beruhigt und das Thema für künftige Diskussionen zwischen den Supermächten institutionalisiert.

Was Gorbatschow betraf, so hatte das Gipfeltreffen die internationale Aufmerksamkeit auf wirtschaftliche und bürgerrechtliche Verbesserungen gelenkt, die seiner Reformpolitik zu verdanken waren. Und durch den entschieden vorgetragenen Vorwurf an Reagan, daß dieser sich in innere sowjetische Angelegenheiten einmische, hatte er seine Unnachgiebigkeit als kommunistischer Politiker unter Beweis gestellt und damit seine Position für die Parteikonferenz, die am 28. Juni begann, gestärkt.

Vielleicht war es Reagan, der am besten beschrieb, was den Wert dieses Gipfeltreffens ausmachte. In einer Rede in der Guildhall in London, wo er auf der Rückreise nach Washington Zwischenstation machte, sagte er: „Für diejenigen von uns, die sich an die Nachkriegszeit erinnern, ist dies alles ein Grund, verwundert den Kopf zu schütteln. Man mache sich das einmal klar: Der Präsident der Vereinigten Staaten und der Generalsekretär der Sowjetunion gehen gemeinsam auf dem Roten Platz spazieren und unterhalten sich über eine wachsende persönliche Freundschaft."

Die Parteikonferenz

Nur wenige Wochen nach dem Moskauer Gipfeltreffen saß Gorbatschow der 19. Allunionskonferenz der Kommunistischen Partei vor, der ersten außerordentlichen Konferenz seit 1941. Sie erwies sich als außerordentlich in jedem Sinne des Wortes. Tag für Tag versammelten sich fast fünftausend Delegierte während einer frühsommerlichen Hitzewelle im riesigen Kongreßpalast des Kreml, um über die politische Zukunft ihres Landes, insbesondere über das Schicksal von Gorbatschows drei Jahre altem *perestroika*-Reformprogramm, zu debattieren. Das Ereignis – eine Mischung aus Parteiversammlung, Stadtratssitzung, Schulvorträgen und Klagestunden – wurde zu einer erstaunlichen Demonstration von *glasnost*. Mehr als siebzig Abgeordnete äußerten in den vier Tagen frei ihre Meinung, und viele andere Delegierte hätten gern ebenfalls gesprochen.

Aber Gorbatschow mußte die Diskussion abbrechen, damit eine Reihe von Abstimmungen über politische Reformen durchgeführt werden konnten. In fast allen Fragen unterstützte die Konferenz ihn. Man verabschiedete sechs Resolutionen zu den Themen wirtschaftliche Umstrukturierung, politische Reorganisation, *glasnost*, Gesetzgebung, Nationalitätenfragen und bürokratische Behinderungen des Wandels. Die Konferenz verabschiedete Maßnahmen zur Übertragung eines Teils der Macht von der Partei an vom Volk gewählte Körperschaften (oder Sowjets). Sie rief dazu auf, bei Wahlen für Parteiämter mehrere Kandidaten zu präsentieren, und sie begrenzte für Partei- und Regierungsfunktionäre (darunter auch Gorbatschow selbst) die maximale Amtszeit auf zehn Jahre. Die Resolutionen gaben Gorbatschow eine nachdrückliche Vollmacht, seine Reformpolitik fortzusetzen.

Die verblüffendste Entscheidung der Konferenz – sie wurde auf Gorbatschows Empfehlung hin getroffen – war die, daß die Regierungsinstitutionen der UdSSR mit dem Ziel umgestaltet werden sollten, den gewaltigen Einfluß der Partei auf die alltäglichen wirtschaftlichen und politischen Entscheidungsprozesse zu lockern. Gorbatschow betonte jedoch, daß diese Umgestaltung nur die operationelle Autorität verlagern und nicht etwa die letztliche Macht aus den Händen der Partei nehmen sollte. Dies unterstrich er auch in einer zweiten, weitgehend improvisierten Rede: „Wir geben die Rolle der herrschenden Partei im Lande nicht auf. Im Gegenteil, wir möchten sie bekräftigen."

Die Konferenz billigte die Schaffung eines neuen obersten Organs auf nationaler Ebene: eines Kongresses der Volksdeputierten mit 2250 Mitgliedern. Er soll alljährlich zusammentreten, um eine ständige gesetzgebende Körperschaft, den 422 Mitglieder umfassenden Obersten Sowjet, sowie einen Präsidenten zu wählen, der als oberster Verwaltungschef des Landes agieren wird. Gorbatschow ließ zunächst offen, ob dieses Amt von dem gegenwärtigen Generalsekretär der Kommunistischen Partei, also von ihm selbst, übernommen werden sollte; aber er machte deutlich, daß örtliche Parteiführer mit den höchsten Posten in den Sowjets betraut werden müßten, und dies deutete darauf hin, daß ihm auf nationaler Ebene ein entsprechendes Modell vorschwebte.

Bei der Diskussion der Hauptprobleme, die sich in

seiner Amtszeit als Generalsekretär ergeben hatten, räumte Gorbatschow freimütig ein, daß „wir in diesen drei Jahren auf den wichtigsten *perestroika*-Gebieten viel mehr hätten erreichen können". Um die chronische Lebensmittelknappheit zu beheben, die Gorbatschow „das schmerzlichste und dringendste Problem im Leben unserer Gesellschaft" nannte, schlug er die Einführung von Pachtvereinbarungen vor, die den in der Landwirtschaft Tätigen das Gefühl geben würden, die „wahren Herren ihres Hofes" zu sein.

Der Generalsekretär verschärfte seine Angriffe auf die Wirtschaftsbürokratie des Landes. Durch die Zwangsvorstellung der Bürokratie, daß es nur auf reine Produktionsziffern ankomme, sei sein Reformprogramm sabotiert worden, das den Nachdruck auf die Erhöhung von Effizienz und Produktqualität lege: „Wir brauchen nicht Millionen Tonnen Stahl, Millionen Tonnen Zement, Millionen Tonnen Kohle um ihrer selbst willen, wir brauchen greifbare Endergebnisse." Daneben erläuterte Gorbatschow die Notwendigkeit, die – gegenwärtig durch verschwenderische staatliche Subventionen gestützten – Preise vieler Konsumartikel, darunter Fleisch und Brot, anzuheben; er sprach damit eines der wohl schwierigsten Probleme der nahen Zukunft an.

In der explosiven Nationalitätenfrage – der Quelle sporadischer Unruhen in den Republiken Armenien und Aserbeidschan sowie in anderen Teilen des Landes – versuchte Gorbatschow, eine Kompromißposition einzunehmen: Einerseits lobte er das „Wachsen des ethnischen Selbstbewußtseins", andererseits warnte er gleichzeitig, daß „jede Versessenheit auf nationale Isolierung nur zu wirtschaftlicher und kultureller Verarmung führen kann".

Der Generalsekretär forderte die Delegierten auf, die Konferenz zu einer Übung in ungehemmter „Kritik und Selbstkritik" zu machen. Er wurde beim Wort genommen. Ein Sprecher nach dem anderen bestieg das Podium für die ihm zugemessenen fünfzehn Minuten, und die jahrzehntelang gewohnten Einengungen des politischen Lebens schienen – jedenfalls zeitweilig – dahinzuschwinden. Bei den gewöhnlichen Arbeitern, die laut offizieller Statistik ein Drittel der Delegierten ausmachten, hieß die häufigste Klage, daß die *perestroika* im Alltagsleben bisher nur wenig Vorteile gezeitigt habe. Wenjamin Jarin, ein Metallarbeiter aus der westsibirischen Stadt Nischnij Tagil, erklärte: „Die Arbeiter fragen: Wo ist die *perestroika*, wenn das Warenangebot in den Geschäften so kümmerlich wie immer ist, wenn Zucker mit Lebensmittelkarten gekauft werden muß und es kein Fleisch gibt?" Diese Zurschaustellung politischer Emotionen war nicht zuletzt deshalb so bemerkenswert, weil sie durch die abendlichen Fernsehberichte der ganzen Nation zugänglich gemacht wurde.

In seiner Schlußansprache bezeichnete Gorbatschow das viertägige Treffen als einen Erfolg und nannte *glasnost* „einen der Helden unserer Konferenz". Er versprach, „qualitativ neue Bedingungen in unserer Gesellschaft zu schaffen und dem Sozialismus ein menschliches Antlitz zu verleihen". Diese Wendung klang wie ein seltsames Echo der Worte des tschechoslowakischen Reformers Alexander Dubček, dessen „Sozialismus mit menschlichem Antlitz" im Jahre 1968 von sowjetischen Panzern zermalmt worden war. Als Gorbatschow zusammen mit den Delegierten zum Abschluß die Internationale sang, trat ein nachdenklicher, fast erschöpfter Ausdruck in sein Gesicht – es war die Miene eines Mannes, der einen weiteren Sieg errungen hatte, doch noch viele Schlachten bewältigen muß.

New York

Ein Jahr nach seinem Besuch in Washington kehrte Gorbatschow in die Vereinigten Staaten zurück, um vor der UN-Generalversammlung zu sprechen und kurz mit Ronald Reagan und dem designierten Präsidenten George Bush zu konferieren. Der „Minigipfel", der in der zweieinhalbmonatigen Phase zwischen der Wahl und der Amtseinführung des neuen Präsidenten stattfand, wurde lediglich als Höflichkeitsbesuch eingestuft.

Es gab jedoch Mutmaßungen darüber, daß der Parteichef seinen UN-Auftritt zur Ankündigung neuer Initiativen benutzen würde. Er enttäuschte die Erwartungen nicht. Was von Gorbatschows Rede am 7. Dezember 1988 im Gedächtnis bleiben wird, sind nicht nur seine dramatischen Vorschläge – gekrönt von der unilateralen Ankündigung, die sowjetische Truppenstärke um zehn Prozent zu verringern und fünfzigtausend Soldaten aus Osteuropa abzuziehen –, sondern auch die Art und Weise, in der er sie diesem Weltforum unterbreitete und die ideologischen Dogmen durchbrach, von denen die sowjetische Außenpolitik seit siebzig Jahren geprägt worden war.

Gorbatschows metallumrandete Brille glänzte in den Lichtern des grünen Marmorpodiums der Generalversammlung, als er von dem „ungeheuren Auftrieb für den Fortschritt der Menschheit" sprach, der von der Französischen und der Russischen Revolution ausgegangen sei. „Aber", fügte er hinzu, „heute haben wir es mit einer anderen Welt zu tun, für die wir einen anderen Weg in die Zukunft suchen müssen." Er schien sich von der herkömmlichen sowjetischen Ansicht, daß der kalte Krieg eine Folge westlicher Aggression gewesen sei – so wie umgekehrt der Westen den Expansionismus und den Militarismus der UdSSR für den kalten Krieg verantwortlich macht –, zu distanzieren: „Mögen sich die Historiker darüber streiten, wer mehr und wer weniger Verantwortung daran trägt." Dies war eine erstaunliche Kehrtwendung. Mehr noch: Plötzlich rief Gorbatschow nach einer neuen Sowjetunion, die sich radikal von ihrer alten Erscheinungsform unterscheiden solle. Der Generalsekretär distanzierte sich von der überlieferten expansionistischen Politik Moskaus und regte an, jede nach außen gerichtete Gewaltanwendung „auszuschalten".

Wichtiger noch waren die von ihm versprochenen Truppenreduzierungen – nicht nur was ihre Zahl, sondern auch was ihren Charakter betraf. Der Westen beharrt seit langem darauf, daß jedes Abkommen über konventionelle Streitkräfte den Sowjets auferlegen müsse, ihre Truppen in rein defensive Positionen zu verlagern. Gorbatschow gelobte, in diese Richtung zu gehen und Angriffseinheiten, Flußüberquerungsgerät und Panzer zurückzuziehen, die einen Blitzkrieg in Mitteleuropa befürchten ließen. Dieser Schritt beruht wie seine Rüstungskontrollvorschläge auf seiner neuen und recht vage definierten Doktrin der „vernünftigen Angemessenheit". Die Doktrin besagt, daß die sowjetische Rüstung nicht zu einem Präventivschlag fähig zu sein brauche, sondern nur ausreichen müsse, um einen Angriff auf die Sowjetunion und ihre Verbündeten zu beantworten.

Bemüht, den Eindruck zu beseitigen, die UdSSR sei ein totalitärer Staat, unterstrich Gorbatschow das sowjetische Ziel, eine „Weltgemeinschaft von Staaten" zu schaffen, die „auf der Herrschaft des Gesetzes basiert". Er erinnerte eher an Thomas Jefferson als an Lenin, als er davon sprach, „die Rechte des einzelnen zu sichern", „Gewissensfreiheit" zu garantieren und auf „politischer oder religiöser Überzeugung" beruhende Verfolgung zu verbieten. Zur Emigrationsfrage versprach Gorbatschow, das gesamte Problem durch eine Revision der geltenden Gesetzgebung über Staatsgeheimnisse, die vielen Sowjetbürgern die Ausreise verbietet, von der Tagesordnung verschwinden zu lassen.

Amerikanische Regierungsvertreter waren sehr beeindruckt von Gorbatschows Rede, die Außenminister George Shultz als „sehr gut und wichtig" bezeichnete. Ob sie tatsächlich wichtig war, wird jedoch davon abhängen, ob die sowjetische Realität mit den Gorbatschowschen Vorstellungen in Einklang gebracht wird. In diesem Fall wären die Konsequenzen ganz enorm. Sollte es Gorbatschow gelingen, die Neigung seines Landes zu aggressivem Verhalten auf der Weltbühne zu dämpfen, die Moskauer Vorherrschaft über Osteuropa und die Unterdrückungsmaßnahmen gegen die Sowjetbürger zu lockern, dann würden die Ursachen für das globale Ringen zwischen Ost und West tatsächlich dahinschwinden.

Kurz nach seiner UN-Rede wurde Gorbatschow von einer Autokolonne in den Battery Park in Manhattan gebracht, wo er an Bord einer schwerbewachten Fähre ging, die ihn zur Governor's Island übersetzte. Dort traf er sich im Coast Guard Admiral's Haus zu einem Lunch mit Reagan und Bush. Bei Kalbfleisch und geräucherter Wachtel plauderten die Staatsmänner und vierzehn weitere Gäste über vielfältige Themen – von der Rüstungskontrolle bis hin zu den Besichtigungsplänen des Generalsekretärs in New York. Gorbatschow erhielt die Zusicherung, daß – bei aller Skepsis amerikanischer Konservativer der *perestroika* gegenüber – weder Reagan noch Bush daran interessiert seien, seine innenpolitischen Pläne scheitern zu sehen. Doch insgesamt handelte es sich eher um eine Gelegenheit für Trinksprüche und Fotos vor dem Hintergrund der Freiheitsstatue als um eine Möglichkeit zu ernsthaften Gesprächen.

Wie ein Jahr zuvor in Washington löste der Besuch des sowjetischen Staatsmannes ein regelrechtes „Gorbi-Fieber" aus. Während sich 6600 New Yorker Polizisten um die Ordnung mühten, drängten sich Menschenmengen auf den Bürgersteigen am Times Square, als sei Silvester. Wo immer Gorbatschows Kolonne aus fünfundvierzig Limousinen vorbeiraste, wurde der Verkehr auf den Seitenstraßen für wenigstens fünfzehn Minuten gestoppt. Zweimal – vor dem Kaufhaus Bloomingdale's und auf dem Times Square – sprang der sowjetische Staats- und Parteichef aus seinem Wagen, um mit verblüfften Zuschauern zu plaudern und ihnen die Hand zu schütteln. Gorbatschow und seine Frau Raissa hatten zwar noch Gelegenheit zu einem Rundblick über die Stadt von der Aussichtsetage im 106. Stock des World Trade Center, doch dann mußten sie die für diesen Tag geplanten Besichtigungen abbrechen und wegen des Erdbebens in Armenien in aller Eile nach Moskau zurückkehren.

Es war das jähe Ende eines triumphalen Besuchs. Aber Gorbatschows Entschlossenheit, angesichts der Schwere der Katastrophe die Rettungsaktionen persönlich zu leiten, erhöhten nur noch das Ansehen, das er bei seinen amerikanischen Gastgebern genoß. Während in den folgenden Tagen und Wochen Bilder entsetzlicher Zerstörung über die Fernsehschirme der Welt flimmerten und westliche Helfer in das Katastrophengebiet strömten, um ihre Hilfe anzubieten, entwickelte sich ein seltenes Gefühl völker- und blockübergreifender Verbundenheit. Durch die Tragödie hindurch konnte man einen Blick auf die „neue Ordnung" internationaler Zusammenarbeit und gegenseitigen Respekts erhaschen, von der Gorbatschow so häufig sprach. Es bleibt abzuwarten, ob die Bereitschaft zur Zusammenarbeit ein ständiges Merkmal der sowjetischen Beziehungen zur Außenwelt wird.

Die Geschichte wird letztlich über den Erfolg von Gorbatschows Bemühungen entscheiden. Aber nach vier Jahren im Amt des Generalsekretärs kann er bereits auf einige solide Ergebnisse verweisen. Er hat sein Land auf den Weg wirtschaftlicher Reformen gelenkt, Hunderte von politischen Gefangenen freigelassen, ein beispielloses Maß an künstlerischer und intellektueller Freiheit eingeführt und die Grundlage für ein offeneres – wenn auch nicht im westlichen Sinne demokratisches – politisches System geschaffen. Auch auf außenpolitischem Gebiet hat er Bedeutendes geleistet. Er hat die Spannungen zwischen den Supermächten erheblich gelindert, den

Moskauer Griff um Osteuropa gelockert, dem Verbot nuklearer Mittelstreckenraketen zugestimmt und Fortschritte hinsichtlich einer Vereinbarung erzielt, das amerikanische und sowjetische strategische Arsenal drastisch zu verringern.

Zudem hat er die Phantasie eines Westens beflügelt, der seit Jahrzehnten auf einen nicht nur vernünftigen, sondern auch leidlich sympathischen sowjetischen Parteichef gewartet hat. Gewiß, er ist reizbar, hat ein fragwürdiges Bild von der amerikanischen Gesellschaft und besitzt die typische ideologische Halsstarrigkeit eines kommunistischen Funktionärs. Natürlich ist die Sowjetunion immer noch ein wirtschaftliches Katastrophengebiet, ein bürokratischer Alptraum, eine potentielle militärische Bedrohung und ein Ort unannehmbarer Menschenrechtsverletzungen. Am beunruhigendsten ist vielleicht der Gedanke, daß die gerade beginnende Gorbatschow-Ära trügerisch sein und daß die Kräfte, die kurzsichtig nur auf die Wahrung der eigenen Privilegien bedacht sind, letzten Endes triumphieren könnten, wie sie 1964 gegen Nikita Chruschtschow triumphierten.

Doch zu Beginn des Jahres 1989 gibt es Grund genug zum Optimismus. Zumindest scheint man nicht damit rechnen zu müssen, daß der frühere Mähdrescherfahrer aus Stawropol – ein von Hungersnot und Krieg geprägter Mann, der nach Stalins Tod eine Besserung der Verhältnisse erwartet hatte und dann jäh enttäuscht wurde – sein Land freiwillig in die finsteren Tage der Unterdrückung, der wirtschaftlichen Not und der Ächtung durch den Westen zurückstoßen wird. Zwar wird er noch Jahre brauchen, um seine Ziele Realität werden zu lassen, aber schon jetzt hat er der Sowjetunion, ihren Verbündeten und ihren Gegnern ein Geschenk gemacht, das sie in jüngerer Vergangenheit nie von einem sowjetischen Parteichef empfangen haben: ein Quentchen Hoffnung.

Anhang

Worte des M. S. Gorbatschow

Zu Glasnost:

Wir dürfen nicht so tun, als würde sich alles glatt entwikkeln . . . Uns allen liegt der Sozialismus am Herzen, und wir wollen ihn so attraktiv wie möglich machen. Aber wenn wir weiterhin die Lage beschönigen, wird sie sich verschlechtern.

Aus einer Fernsehrede in Rumänien, Mai 1987

Ohne Offenheit, Kritik und Selbstkritik kommen wir nicht aus . . . Und wenn jemand annimmt, wir benötigten diese Dinge nur, um die Fehler der Vergangenheit zu kritisieren, täuscht er sich sehr. Offenheit, Kritik, Selbstkritik und Demokratie sind vor allem deshalb so wichtig, weil sie für uns die Voraussetzung dafür schaffen, voranzuschreiten und enorme Probleme zu lösen. Wir werden diese Probleme nicht ohne die aktive Teilnahme des Volkes lösen. Dafür benötigen wir dies alles.

Aus einer Rede vor dem ZK-Plenum, Januar 1987

Wir wollen uns streng an das Prinzip halten: Alles, was vom Gesetz nicht verboten wird, ist erlaubt.

Aus Gorbatschows Buch Perestroika, *1987*

Man kann sagen, daß die Offenheit einer der Helden der Konferenz war, und zwar vor allem deshalb, weil unsere ganze Diskussion aus der in der Gesellschaft um sich greifenden Atmosphäre der Offenheit, Ehrlichkeit und Aufrichtigkeit erwächst. Aber auch deshalb, weil hier diskutiert wurde, wie es bei uns mit der Offenheit weitergehen soll, welches ihre möglichen und vernünftigen Grenzen sind.

Aus dem Schlußwort zur 19. Unionsparteikonferenz, Juni 1988

Zur Demokratisierung:

Wir brauchen die Demokratie wie die Luft zum Atmen. Wenn wir dies nicht erkennen – und auch wenn wir es zwar erkennen, aber keine realen Schritte unternehmen, um diese Idee auszubauen und voranzutreiben und die Arbeiter des Landes in den Prozeß der Umgestaltung einzubeziehen –, wird unsere Politik ersticken, wird die Umgestaltung ersticken, Genossen.

Vor dem ZK-Plenum, Januar 1987

Wir haben keine Oppositionsparteien. Wie können wir uns also selbst kontrollieren? Nur durch Kritik und Selbstkritik. In erster Linie durch *glasnost*. Demokratie ohne *glasnost* existiert nicht. Aber Demokratie ohne Grenzen ist Anarchie.

Bei einer Sitzung sowjetischer Schriftsteller, Juni 1986

Das arbeitende Volk hat bei allem eine Rolle zu spielen. Dies ist sein Land, dies ist sein System, dies ist seine Gesellschaft, und deshalb ist das Volk die oberste Instanz. Die Parteiorganisation und die Kader stehen im Dienste des Volkes, und die Partei steht ausschließlich im Dienst des Volkes – nicht umgekehrt.

Aus einer Rede in Murmansk, Oktober 1987

Die Konferenz hat gefordert . . ., daß unsere Partei nicht nur hinsichtlich des Inhalts, sondern auch der Methoden der Tätigkeit voll und ganz eine Partei Leninschen Typs ist. Mit anderen Worten, sie muß sich unwiderruflich von den Methoden des Kommandierens und Befehlens trennen, ihre Politik über die organisatorische Arbeit, die Kaderarbeit, die ideologische Arbeit verwirklichen, bei striktester Einhaltung der sowjetischen Gesetze und der demokratischen Prinzipien des gesellschaftlichen Lebens.

Aus dem Schlußwort zur 19. Unionsparteikonferenz, Juni 1988

Der Mensch ist das Hauptziel der *perestroika* und zugleich die wichtigste handelnde Person der revolutionären Umgestaltungen. Daher war es dermaßen lebensnotwendig, bereits in der ersten Zeit über den Prozeß der Demokratisierung und Offenheit in der Gesellschaft eine neue Atmosphäre zu schaffen, die jedem sowjetischen Menschen erlauben sollte, er selbst zu sein, seine Fähigkeiten und Talente zu entfalten, an allen Gesellschaften und staatlichen Vorhaben aktiv mitzuwirken.

Aus einer Rede vor Werktätigen in Kiew, Februar 1989

Zur Intelligenzija:

Die Politik braucht in jedem Land Anregungen und Unterstützung von den Intellektuellen, weil diese eher geneigt sind, die menschliche Natur ins Zentrum ihrer Betrachtung zu stellen. Jede andere Sichtweise ist unmoralisch. Ich habe Lenin immer wieder von neuem gelesen, und im Jahre 1916 schrieb er: „Das allgemeine Interesse der Menschheit muß sogar über jenes des Proletariats gestellt werden."

Zu dem amerikanischen Dramatiker Arthur Miller, 1986

Zur politischen Führung:

Nicht derjenige ist ein Revolutionär, der revolutionäre Formulierungen benutzt, sondern derjenige, der es versteht, vorauszuplanen und das Volk und die Partei zu einem langen, anhaltenden Kampf zu bewegen, wobei er jeden Schritt vorwärts bemerkt und ihn als Ausgangsbasis zu einem weiteren, größeren Schritt benutzt.

Beim ZK-Plenum, 1987

Wir haben uns nicht um Entscheidungen gedrückt. Vielleicht sind nicht alle Entscheidungen korrekt, die wir heute treffen. Vielleicht irren wir in manchem. Aber wir wollen handeln und nicht mit verschränkten Armen dasitzen, während die Ereignisse an uns vorbeiziehen.

Bei der Sitzung sowjetischer Schriftsteller, Juni 1986

Zur Wirtschaftslage und Wirtschaftsreform:

Die Wirtschaft ist in einem schlimmen Zustand. Wir hinken auf jedem Gebiet hinterher. Im Jahre 1969 bestand unser Problem in Stawropol darin, daß wir nicht wußten, was wir mit all dem Fleisch und all der Milch anfangen sollten. Dasselbe mit der Butter – es gab Berge davon. Und nun gibt es nichts. Wir haben vergessen, wie man arbeitet. Und ganz speziell vergessen, wie man unter den Bedingungen der Demokratie arbeitet.

ebd.

Scharfe Gegensätze haben sich in unserem Land herausgebildet . . . Unsere Raketen finden den Halleyschen Kometen mit erstaunlicher Sicherheit und fliegen zum Rendezvous mit der Venus – doch neben diesem Triumph von Forschung und Technik besteht ein offensichtlicher

Nachholbedarf, was die praktische Umsetzung wissenschaftlicher Errungenschaften zur Befriedigung wirtschaftlicher Bedürfnisse und die ärgerlichen Mängel an einfachen Haushaltsgeräten betrifft.

Aus einer Rede in Prag, April 1987

Von allen Problemen der Versorgung der Bevölkerung ist das Lebensmittelproblem besonders unaufschiebbar. ... In der Landwirtschaft sind die alten Methoden wie in keinem anderen Zweig kompromittiert. Hier muß man die Türen, wie es sich gehört, für alles öffnen, was die Situation grundlegend verändern kann. Man muß den Werktätigen auf dem Lande zur Erde und zu den Produktionsmitteln zurückbringen und ihn zum Herrn über die Lage machen.

Aus einer Rede vor Werktätigen in Kiew, Februar 1989

Man muß, Genossen, überhaupt sagen, daß die radikale Wirtschaftsreform heute alle Bereiche unserer Wirtschaft umfaßt. Auf dem Wege ihrer Realisierung gehen wir an die Hauptprobleme heran – es handelt sich um die Umgestaltung der sozialistischen Eigentumsverhältnisse selbst ... Die Selbstverwaltung, die Rechte der Arbeitskollektive, die Genossenschaften, der Pachtvertrag, der Leistungsvertrag, die Aktien – all das sind gerade die Eigentumsverhältnisse. Wir haben fest beschlossen, den Weg ihrer tiefgreifenden Vervollkommnung zu gehen. Erforderlich sind eine konsequente Demokratisierung des Eigentums, seine Annäherung an die Interessen des Menschen, eines Arbeitskollektivs. Es soll nicht nur dem Volk gehören, sondern auch von ihm geleitet werden – darin besteht das Wesen der Umgestaltung der sozialistischen Eigentumsverhältnisse. Ein derartiger Prozeß ist schon im Gange, wobei er von unten begonnen hat.

ebd.

Zur Perestroika:

Manchmal kommt es vor, daß das Leben im großen und ganzen ein gutes Haus mit einem starken Fundament und einem verläßlichen Gefüge ist, daß uns aber vieles an ihm nicht mehr befriedigt, weil es den gestiegenen Bedürfnissen nicht länger gerecht wird. In diesem Falle genügen geringfügige Reparaturen nicht. Da hilft nur eine gründliche Instandsetzung.

Aus einer Rede in Prag, April 1987

Wir sollten lernen, die Manöver der Gegner von *perestroika* zu erkennen, sie zu entlarven und ihnen entgegenzuwirken – jener Menschen, die unser Fortschreiten behindern und uns ein Bein stellen wollen, die sich hämisch über unsere Schwierigkeiten und Rückschläge freuen, die versuchen, uns in die Vergangenheit zurückzuzerren. Aber wir sollten auch dem Druck der allzu Eifrigen und Ungeduldigen nicht nachgeben . . . Es sollte klar sein, daß man entscheidende Stadien nicht überspringen und nicht alles gleich beim ersten Versuch erreichen kann.

Aus einer Rede vor dem XXVII. Parteitag, Februar 1986

Alle müssen härter arbeiten. Ich betone, Genossen, alle . . . Wer sich weiterhin für alte Technologien und alte Methoden einsetzt, muß eines Besseren belehrt werden; wenn dies nicht möglich ist, wenn einige Menschen Hartnäckigkeit oder Sturheit zeigen und sich nicht aus dem Sumpf des überholten Denkens ziehen lassen, dann müssen wir uns von ihnen trennen, sie im Sumpf zurücklassen, während das Land einen Bogen um sie macht und weiter voranschreitet.

Aus einer Rede vor Arbeitern in Chabarowsk, Juli 1986

Eine sehr tiefgreifende und ernst zu nehmende Bewegung hat begonnen, und ein sehr tiefgreifender und ernst zu nehmender Kampf liegt vor uns. Zwischen dem Volk, das diese Änderungen will, das von diesen Änderungen träumt, und der Führung liegt eine Schicht von Bürokraten, die keine Änderungen wünschen und einige Privilegien nicht verlieren wollen . . . Bei uns gibt es viele Menschen, die persönlichen Nutzen aus ihrer Position ziehen. Nichts wird so sehr ausgebeutet wie eine offizielle Position.

Bei der Sitzung sowjetischer Schriftsteller, Juni 1986

Ich glaube an das, was wir begonnen haben. Ich glaube zutiefst daran. Und wenn man mir sagte, daß wir den Prozeß der Umgestaltung stoppen müssen . . ., würde ich niemals zustimmen. Ich will mit keiner anderen Politik in Verbindung gebracht werden. Deshalb gibt es für mich keinen anderen Weg.

Während eines Besuches in Estland, 1987

Die Umgestaltung ist kein Spaziergang auf einem planierten Weg. Es ist die Besteigung eines Berges, häufig auf Pfaden, die noch nie jemand begangen hat.

Beim ZK-Plenum, Januar 1987

Es gibt keine vernünftige Alternative zu einer dynamischen, revolutionären *perestroika*. Die Alternative wäre dauerhafte Stagnation . . . Das Risiko ist zu hoch. Die Zeit diktierte uns den revolutionären Weg, und wir haben ihn eingeschlagen. Es gibt kein Zurück, wir werden die *perestroika* durchführen.

Aus Perestroika, *1987*

Wenn wir Angst bekommen und die eingeleiteten Prozesse stoppen würden, hätte dies die ernstesten Konsequenzen, weil wir einfach nicht in der Lage wären, unser

Volk noch einmal zu einer so gewaltigen Aufgabe zu motivieren... Nun einzuhalten wäre katastrophal. Wir dürfen es unter keinen Umständen zulassen.

Zu einer Gruppe sowjetischer Chefredakteure, Januar 1987

Wir sind darangegangen, die Verantwortlichkeit zwischen der Partei, der Legislative, der Exekutive und den Gerichten strikt und konsequent zu teilen. Alle vier werden sich wandeln müssen, um den neuen Anforderungen der Demokratisierung gerecht zu werden. Wir nennen dies Reform des politischen Systems, obgleich das eigentlich eine Revolution des Rechts ist.

Aus einem Interview mit dem Spiegel, *Oktober 1988*

Die *perestroika* insgesamt und alle Reformen als ihre Komponenten sind schließlich auf das Hauptziel gerichtet: das humane Antlitz des Sozialismus aufzudecken und den Volkswohlstand zu erhöhen. Das zu erreichen, daß der Mensch, seine Probleme, sein Wohlbefinden, sein gesamtes tägliches Leben im Mittelpunkt der Sorgen der Gesellschaft stehen.

Aus einer Rede vor Werktätigen in Kiew, Februar 1989

Eine Garantie dafür, daß der gesamte *perestroika*-Prozeß unentwegt vorankommen und erstarken wird, ist die einschneidende demokratische Reform des gesamten Macht- und Leitungssystems.

Mit den vor kurzem angenommenen Beschlüssen des Obersten Sowjets der UdSSR über die Abänderungen an der Verfassung, mit der Verabschiedung des Gesetzes über die Wahlen schlossen wir die erste Etappe des Prozesses der politischen Reform ab.

Und ohne jegliche Pause traten wir in seine zweite Etappe, in der die Durcharbeitung des Zusammenwirkens zwischen dem Zentrum und den Republiken, die Regulierung der zwischennationalen Beziehungen nach den Prinzipien des Leninschen Internationalismus... und zugleich auch die Reorganisation der Macht der Sowjets an der Basis die wichtigste Aufgabe bilden werden.

Aus der Rede vor der Vollversammlung der UNO, Dezember 1988

Zur Weltpolitik:

Unsere Außenpolitik geht stärker, als dies jemals zuvor der Fall war, direkt aus unserer Innenpolitik hervor. Wir sagen es ganz offen, denn alle sollen es hören können: Wir benötigen einen dauerhaften Frieden, damit wir uns auf die Entwicklung unserer Gesellschaft konzentrieren und das Leben des sowjetischen Volkes verbessern können.

Bei einem Diner in Moskau für die britische Premierministerin Margaret Thatcher, März 1987

Der Westen beobachtet unsere Lage, um Zeichen für eine Schwäche der Sowjetunion zu finden. Er behauptet, die Sowjets seien hoffnungslos zurückgefallen, ihr System funktioniere nicht und ihr Ziel, der Sozialismus, habe sich als äußerst mangelhaft erwiesen. Deshalb könne ihnen nun, wenn der entsprechende Druck ausgeübt wird, jede Konzession abgerungen werden. Das ist ein schwerer Irrtum.

ebd.

Wir sind mit unserem Territorium zufrieden. Wir haben genug, ohne allerdings etwa entbehren zu können.

Zu indischen Journalisten, November 1986

In der heutigen Welt findet ein Kampf zwischen Vernunft und Wahnsinn, Moral und Brutalität, Leben und Tod statt. Wir haben eindeutig und unwiderruflich festgelegt, auf welcher Seite wir in diesem Kampf stehen: auf der Seite von Vernunft, Moral und Leben. Deshalb treten wir für Abrüstung ein, vornehmlich für nukleare Abrüstung, und für die Schaffung eines allgemeinen Sicherheitssystems.

ebd.

Ihr Präsident [Reagan] könnte keinen Frieden schließen, selbst wenn er es wollte. Er ist ein Gefangener des militärisch-industriellen Komplexes.

Zu dem amerikanischen Industriellen Armand Hammer, 1986

Heute sind die Nationen der Welt abhängig voneinander wie Bergsteiger an einem Seil. Sie können entweder gemeinsam bis zum Gipfel klettern oder gemeinsam in den Abgrund stürzen.

Aus einer Rede in Prag, April 1987

Der Westen spricht von Ungleichheit und Ungleichgewicht. In der Tat gibt es eine gewisse Asymmetrie bei den Streitkräften der beiden Seiten in Europa, die auf historische, geographische und andere Faktoren zurückzuführen ist. Wir erklären uns damit einverstanden, daß die in einigen Bereichen bestehenden Ungleichgewichte beseitigt werden – doch dies soll nicht durch eine Stärkung der unterlegenen, sondern durch eine Schwächung der überlegenen Seite geschehen.

ebd.

Sicherheit ist unteilbar . . . Die Sicherheit jeder einzelnen Nation sollte mit der Sicherheit für alle Mitglieder der Weltgemeinschaft verknüpft sein . . . Aus Gegnern müssen deshalb Partner werden, die gemeinsam nach Wegen suchen, die universale Sicherheit gewährleisten.

Aus Perestroika, *1987*

Unbedingte Voraussetzung für allgemeine Sicherheit ist die bedingungslose Respektierung der UNO-Charta und des Rechts der Völker, die Wege und Formen ihrer Entwicklung – ob revolutionär oder evolutionär – souverän zu wählen. Das gilt auch für das Recht auf einen sozialen Status quo. Er ist ebenfalls eine ausschließlich innere Angelegenheit. Jegliche Versuche, seien sie direkt oder indirekt, auf die Entwicklung „fremder" Länder einzuwirken oder sich in diese einzumischen, müssen ausgeschlossen werden. Ebenso unzulässig sind auch die Versuche, bestehende Regierungen von außen her zu destabilisieren.

Aus dem Artikel Realitäten und Garantien für eine sichere Welt, *erschienen am 17. 9. 1987 in der* Prawda *und in der* Iswestija

Beispielsweise Gewalt und Gewaltandrohung können und dürfen augenscheinlich nicht länger ein Instrument der Außenpolitik sein ... Von allen und in erster Linie von den Stärkeren werden Selbstbeschränkung und vollständiger Ausschluß der Gewaltanwendung nach außen verlangt.

Aus der Rede vor der Vollversammlung der UNO, Dezember 1988

Zu einem Gebot der neuen Etappe ist die Entideologisierung der zwischenstaatlichen Beziehungen geworden. Wir kehren von unseren Überzeugungen, von unserer Philosophie und unseren Traditionen nicht ab, und rufen niemanden auf, von den seinen abzukehren.

ebd.

Unsere Außenpolitik, die auf den Prinzipien der freien Wahl, Entideologisierung der zwischenstaatlichen Beziehungen, des Interessenausgleichs und der Internationalisierung vieler Probleme beruht, steht Kontakten und dem Zusammenwirken mit unterschiedlichsten Kräften der heutigen Welt offen. Es stellt sich heraus, daß wir eine gemeinsame Sprache und das erforderliche Mindestmaß an Einvernehmen mit Vertretern solcher Kreise und solcher Staaten finden können, mit denen wir, wie es schien, noch vor kurzem nichts gemein haben konnten.

Aus einer Rede vor Werktätigen in Kiew, Februar 1989

Zum Verhältnis zu den anderen sozialistischen Ländern:

Wir glauben nicht, daß wir die besten Antworten auf alle Fragen kennen, die das Leben selbst stellt. Wir sind weit davon entfernt, andere zu drängen, unterschiedslos unserem Beispiel zu folgen. Jedes sozialistische Land ist einzigartig, und die Bruderparteien gestalten ihre Politik auf der Grundlage nationaler Eigenarten.

Aus einer Rede in Prag, April 1987

Die bedingungslose Eigenständigkeit, vollständige Gleichberechtigung, Nichteinmischung in die inneren Angelegenheiten, Korrigierung von Verformungen und Fehlern aus der früheren Geschichte des Sozialismus, gründlichere und wissenschaftlich fundierte Berücksichtigung der gegenseitigen Interessen, Solidarität und gegenseitige Hilfe – das alles setzt Verantwortung der Parteien und Regierungen jedes sozialistischen Landes gegenüber seinem Volk voraus. Und die Entwicklung all dieser neuen Prozesse im jeweiligen Land bedeutet das

Voranskommen des Weltsozialismus und des gesamten Fortschritts der Menschheit. Das sind die unverbrüchlichen Prinzipien und Regeln der sozialistischen zwischenstaatlichen Beziehungen.

Aus einer Rede vor Werktätigen in Kiew, Februar 1989

Zu den Menschenrechten:

Wir halten es nicht für akzeptabel, von Menschenrechten und Freiheiten zu sprechen, während man beabsichtigt, „Kronleuchter" aus exotischen Waffen im Weltraum aufzuhängen. Das einzige gewöhnliche Element an dieser „Exotik" ist die Möglichkeit, daß es zur Vernichtung der Menschheit kommt. Der Rest ist eine glänzende Verpakkung.

Aus dem Artikel Realitäten und Garantien für eine sichere Welt, *September 1987*

Ich stimme zu: Man kann die Welt nicht als sicher betrachten, solange Menschenrechte verletzt werden. Ich will nur hinzusetzen: Man kann sie nicht als sicher betrachten, wenn ein großer Teil dieser Welt menschenunwürdige Lebensbedingungen aufweist und Millionen nur das „Recht" besitzen, zu hungern, kein Dach über dem Kopf zu haben, auf unbestimmte Zeit arbeitslos und krank zu sein . . . und wenn das grundlegende Menschenrecht, das Recht auf Leben, mißachtet wird.

ebd.

Zur sowjetischen Geschichte:

Es sollte in der sowjetischen Geschichte und Literatur keine vergessenen Namen und keine leeren Seiten geben.

Zu sowjetischen Chefredakteuren, Februar 1987

Heute wird viel über die Rolle Stalins in unserer Geschichte diskutiert. Er war eine extrem widersprüchliche Persönlichkeit. Um der historischen Wahrheit treu zu bleiben, müssen wir sowohl Stalins unbestreitbaren Beitrag zum Kampf für den Sozialismus und die Verteidigung seiner Errungenschaften als auch die groben politischen Irrtümer und Mißbräuche sehen, die er und die Personen an seiner Seite begingen, für die unser Volk einen hohen Preis zahlte und die schwere Konsequenzen für das Leben unserer Gesellschaft mit sich brachten.

In einer Rede zum 70. Jahrestag der bolschewistischen Revolution, November 1987

Die Schuld Stalins und seiner unmittelbaren Umgebung gegenüber der Partei und dem Volk an den pauschalen Unterdrückungsmaßnahmen und ungesetzlichen Akten ist enorm und unverzeihlich. Dies ist eine Lektion für alle Generationen.

ebd.

Über die Breschnew-Ära:

Eine Reihe von Jahren hindurch ... blieb die praktische Tätigkeit der Partei und der Staatsorgane hinter den Forderungen der Zeit und des Lebens selbst zurück. Probleme ... wuchsen schneller, als sie gelöst wurden. Trägheit und Lähmung der Verwaltungsformen und -methoden, ein Mangel an Dynamik in der Arbeit und das Anwachsen des Bürokratismus – all dies fügte unserer Sache großen Schaden zu.

Auf dem XXVII. Parteitag, Februar 1986

Über Sozialismus und Gleichheit:

Über folgendes müssen wir uns klar sein: Sozialismus hat nichts mit Gleichmacherei zu tun. Er kann keine Lebens- und Konsumbedingungen gemäß dem Prinzip garantieren: „Von jedem nach seinen Fähigkeiten, jedem nach seinen Bedürfnissen." Dies wird unter dem Kommunismus der Fall sein. Der Sozialismus hat ein anderes Kriterium für die Verteilung des gesellschaftlichen Gewinns: „Von jedem nach seiner Fähigkeit, jedem nach seiner Arbeit."

Aus Perestroika, *1987*

Darüber hinaus ebnet die Umgestaltung der sozialistischen Eigentumsverhältnisse den Weg zur Überwindung der Tendenzen der Gleichmacherei, der Psychologie des Schmarotzertums, die tiefe Wurzeln in unserer Gesellschaft geschlagen haben.

Wir müssen die ehrliche, gewissenhafte Arbeit des werktätigen Menschen . . . schützen. Wir müssen das Können, die Kompetenz und den Wunsch und die Fähigkeit zu arbeiten schützen. Wir müssen erwirken, daß jene die Oberhand gewinnen, die nach keinem leichten Leben streben, sondern durch angespannte Arbeit sich selbst und ihren Kindern einen Wohlstand sichern wollen. Nur unternehmungslustige und hochqualifizierte Mitarbeiter sind imstande, die Wirtschaft aus dem Sumpf der Stagnation herauszuziehen.

Aus einer Rede vor Werktätigen in Kiew, Februar 1989

Zu Gorbatschows Popularität:

Wenn man von der Popularität Gorbatschows spricht, meint man anscheinend keine konkrete Person, sondern die Politik, die von der sowjetischen Führung betrieben wird ... Wenn wir sie im inneren wie im äußeren Bereich fortsetzen, wird die Autorität erhalten bleiben und wachsen. Wenn nicht, werden uns kein Stil, kein persönlicher Charme retten können.

Interview mit der italienischen kommunistischen Zeitung L'Unità, *Mai 1987*

Zum Umweltschutz:

Genossen! Das wachsende ökologische Bewußtsein des Volkes wird zu einer Erscheinungsform der Demokratisierung der Gesellschaft und zu einem der mächtigen Hebel der Umgestaltung. Der Naturschutz ist tatsächlich eine lebenswichtige Frage ... Wir brauchen eine vernünftige Balance, notwendig ist eine gut durchdachte ökologische Politik. Gegenwärtig wird ein komplexes ökologisches Programm ausgearbeitet. Wir rechnen damit, daß es eingehend durch das ganze Volk erörtert wird. An und für sich kann das Programm nicht alles lösen. Ein Erfolg kommt, wenn sowohl die Zentralorgane als auch die Organe der Volksmacht und der Selbstverwaltung an der Basis sowie breite Schichten der Öffentlichkeit sich um die Erhaltung der Umwelt kümmern.

Aus einer Rede vor Werktätigen in Kiew, Februar 1989

Das Wechselverhältnis von Mensch und Natur hat einen alarmierenden Charakter angenommen. Die Probleme der ökologischen Sicherheit betreffen alle, unabhängig von Armut oder Reichtum. Notwendig ist eine globale

Strategie für den Umweltschutz und die rationelle Nutzung der Ressourcen. Und wir schlagen auch vor, ihre Ausarbeitung im Rahmen eines UNO-Spezialprogramms in Angriff zu nehmen.

Aus der Rede vor der Vollversammlung der UNO, Dezember 1988

Zum Nationalitätenproblem:

In einem solchen multinationalen Staat wie dem unseren hatte der Zustand der Beziehungen zwischen den Völkern, die der sowjetischen Familie angehören, schon immer eine erstrangige Bedeutung. Der Prozeß der *perestroika,* Demokratisierung und *glasnost* erfordert von uns, das ganze Bild dieser Beziehungen umzudenken, mit der Lösung der hier angehäuften Probleme zu beginnen. Man muß ehrlich eingestehen, daß wir den akuten Charakter einiger davon unverkennbar unterschätzt haben. Im vorigen Jahr mußten wir uns mit Eruptionen der Widersprüche aus nationalen Gründen auseinandersetzen, die auch heute noch zu spüren sind . . . Alle von uns gesammelten Erfahrungen und die zuvor durchgeführte Analyse überzeugen davon, daß nationale und zwischennationale Probleme nur im Fahrwasser der *perestroika* als organischem Bestandteil dieses revolutionären Prozesses gelöst werden können. Jegliche Versuche, dieses Ziel ohne und – schlimmer noch – entgegen der *perestroika* zu erreichen, sind von vornherein zum Mißerfolg verurteilt.

Aus einer Rede vor Werktätigen in Kiew, Februar 1989

Über Europa:

Ich bin ein Optimist. Kraft seiner politischen Erfahrung und seines geistigen und wirtschaftlichen Potentials kann Europa in dieser Zeit des Umbruchs in der Geschichte der Menschheit eine nicht unbedeutende Rolle spielen. Meiner Meinung nach kann heute kein anderer Erdteil dieser Rolle besser gerecht werden als Europa. Mir scheint, die Europäer haben erkannt, daß sie fest miteinander verbunden sind und überlegen müssen, wie sie morgen auf diesem Kontinent zusammenleben, zusammenarbeiten und einander respektieren wollen, wobei sie die von jedem Volk getroffene Wahl des politischen Systems akzeptieren. Und die Werte, auf denen das jeweilige Volk seine Gesellschaft gründet, seine gegenwärtigen und zukünftigen Pläne. Ich glaube, all das verspricht eigentlich gute Aussichten für die Zukunft. Es ist wichtig, daß jetzt niemand diesen Prozeß stört, und es ist wichtig, daß jede Seite den Beitrag leistet, zu dem sie fähig ist. Auch von unserem Staat und von unserer Regierung hängt dabei vieles ab.

Aus einem Interview mit dem Spiegel, *Oktober 1988*

Chronologie

1917. Bolschewistische Truppen stürmen das Winterpalais in Petrograd (später Leningrad) am 7. November und verhaften Mitglieder der Provisorischen Regierung. Wenige Tage später gibt der bolschewistische Führer Wladimir Iljitsch Lenin Verfügungen heraus, mit denen er bei ausländischen Regierungen um Frieden nachsucht, privates Landeigentum abschafft und Arbeiterkomitees die Kontrolle über die Industrie anvertraut.

1918–20. Bürgerkrieg und ausländische Intervention. Lenin ruft den „Kriegskommunismus" aus, welcher der Regierung ermöglicht, Getreide zu beschlagnahmen, privaten Handel zu verbieten und große Wirtschaftsbereiche zu verstaatlichen. Bis Februar 1920 haben bolschewistische Streitkräfte wieder die Kontrolle über das nordkaukasische Gebiet um Stawropol, wo Gorbatschows Familie lebt, gewonnen.

1921. Lenin führt auf dem X. Parteitag seine Neue Ökonomische Politik ein, welche die Verstaatlichung einiger Wirtschaftszweige rückgängig macht, die Landwirtschaft weitgehend den Kräften des Marktes überläßt und in geringem Umfang Privathandel gestattet.

1922. Offizielle Gründung der Union der Sozialistischen Sowjetrepubliken.

1924. Lenin stirbt im Alter von vierundfünfzig Jahren, und die Parteiführung geht an ein Triumvirat über, dem Josef Stalin angehört. Die erste Verfassung der UdSSR wird verabschiedet. Großbritannien, Frankreich, Österreich, China und Italien erkennen die Sowjetregierung an.

1927. Auf dem XV. Parteitag manövriert Stalin seine Rivalen in der Führung aus; die Delegierten entscheiden sich für eine rasche Industrialisierung, indem sie den ersten Fünfjahresplan billigen, der für die Zeit zwischen 1928 und 1933 eine Produktionserhöhung von 150 Prozent vorsieht. Leo Trotzki geht ins Exil.

1929. Der XVI. Parteitag verabschiedet eine Resolution, in der zu einer allgemeinen Säuberung der Partei aufgerufen wird. Stalin gibt den Beginn der Kollektivierung offiziell bekannt und erklärt, es gehöre nun zur Parteipolitik, „die Kulaken [reiche Bauern] als Klasse zu liquidieren".

1931. Am 2. März wird Michail Sergejewitsch Gorbatschow in Priwolnoje geboren. Im September hat die Kollektivierung rund sechzig Prozent der bäuerlichen Haushalte erfaßt.

1934. Der Leningrader Parteichef und Stalin-Gegner Sergej Kirow wird ermordet. Dieses Ereignis löst die großen Säuberungen aus, die 1936 ihren Höhepunkt erreichen.

1939. Der deutsch-sowjetische Nichtangriffspakt wird unterzeichnet, und die Partei stellt den Massenterror offiziell ein.

1941. Am 22. Juni fallen nationalsozialistische Truppen in die Sowjetunion ein.

1942. Deutsche Streitkräfte besetzen große Teile des sowjetischen Territoriums, darunter die Stadt Stawropol. Die Belagerung Leningrads und der Kampf um Stalingrad beginnen.

1945. Der Zweite Weltkrieg endet. Gorbatschows Vater Sergej kehrt auf die Kolchose „Chleborob" in Priwolnoje zurück, wo sein Sohn inzwischen als Mähdrescherfahrer arbeitet.

1949. Die chinesischen Kommunisten tragen den Sieg im Bürgerkrieg davon; die *North Atlantic Treaty Organization* (NATO) wird gegründet. In Stawropol erhält Michail Gorbatschow für seinen Einsatz auf der Kolchose den Orden der Roten Fahne der Arbeit.

1950. Der neunzehnjährige Gorbatschow reist durch das vom Krieg verwüstete Land, um sich im September an der Juristischen Fakultät der Moskauer Staatsuniversität einzuschreiben.

1952. Stalin, mittlerweile dreiundsiebzig Jahre alt, beruft den ersten Parteitag seit dreizehn Jahren ein; das Politbüro wird in Präsidium umbenannt. An der Moskauer Staatsuniversität ist Gorbatschow im kommunistischen Jugendverband (Komsomol) aktiv und wird Vollmitglied der Partei.

1953. Stalin stirbt am 6. März, und Chruschtschow wird im September zum Ersten Sekretär gewählt. Geheimpolizeichef Lawrenti Berija wird während des Sommers verhaftet und hingerichtet.

1954. Die Sowjetunion ist eines der Gründungsmitglieder des Warschauer Paktes. Gorbatschow und seine Frau Raissa beenden ihr Studium im Juni und kehren aus

Moskau nach Stawropol zurück, wo man ihm einen Posten in der regionalen Komsomolorganisation zugewiesen hat.

1956. Chruschtschows Geheimrede auf dem XX. Parteitag im Februar leitet eine Periode der Entstalinisierung ein. Gorbatschow wird zum Ersten Sekretär des städtischen Komsomol von Stawropol befördert. Im Herbst werfen sowjetische Truppen den Aufstand in Ungarn nieder.

1957. Chruschtschow hat zu Hause wie im Ausland Erfolge zu verzeichnen. Im Juli schaltet er seine Gegner in der „antiparteilichen Gruppe" aus, und am 4. Oktober startet die Sowjetunion den ersten Erdsatelliten, den „Sputnik".

1958. Der sowjetische Schriftsteller Boris Pasternak erhält für seinen Roman *Doktor Schiwago* den Literaturnobelpreis zuerkannt und wird später gezwungen, den Preis abzulehnen. Gorbatschow rückt im regionalen Komsomol auf, bis er 1960 den Posten des Ersten Sekretärs erreicht.

1961. China vollzieht den offiziellen Bruch mit der Sowjetunion. Die DDR errichtet eine Mauer zwischen den beiden Hälften des geteilten Berlin. In Moskau verstärkt Chruschtschow die Entstalinisierungskampagne durch seine Rede auf dem XXII. Parteitag – dem ersten, an welchem Gorbatschow teilnimmt. Der Parteitag billigt die Entfernung von Stalins Leichnam aus dem Lenin-Mausoleum.

1962. Die kubanische Raketenkrise erschüttert Chruschtschows Ansehen in Moskau. Gute politische Beziehungen helfen Gorbatschow, sich in der Parteiorganisation der Region Stawropol emporzuarbeiten.

1964. Chruschtschow wird im Oktober gestürzt, und Leonid Breschnew tritt seine Nachfolge als Erster Sekretär an. Gorbatschows Gönner Fjodor Kulakow wird zum ZK-Sekretär für Landwirtschaft gewählt.

1966. Auf dem XXII. Parteitag erhält der Parteichef von neuem den Titel Generalsekretär; das Präsidium wird wieder in Politbüro umbenannt. Gorbatschow übernimmt die Leitung der städtischen Parteiorganisation von Stawropol und besucht im Frühjahr – es ist seine erste Auslandsreise – die Deutsche Demokratische Republik. Im Sommer unternimmt er eine inoffizielle Urlaubsreise durch Frankreich.

1968. Streitkräfte des Warschauer Paktes marschieren in die Tschechoslowakei ein und beenden eine kurze Periode der Liberalisierung, bekannt als „Prager Frühling". Ein Jahr nach seiner Abschlußprüfung am Landwirtschaftlichen Institut von Stawropol wird Gorbatschow Zweiter Sekretär des Parteikomitees der Region Stawropol.

1970. Die UdSSR und die Bundesrepublik Deutschland unterzeichnen ein Gewaltverzichtsabkommen („Moskauer Vertrag"), das zum Fundament für die Entspannungspolitik der folgenden Jahre wird. Gorbatschow wird zum Ersten Parteisekretär der Region Stawropol gewählt und auf dem XXIV. Parteitag zum Vollmitglied des Zentralkomitees befördert. Ein Jahr später zieht er als Abgeordneter in den Obersten Sowjet, das Parlament der UdSSR, ein.

1972. Präsident Richard Nixon reist nach Moskau, um gemeinsam mit Generalsekretär Leonid Breschnew den SALT-Vertrag (*Strategic Arms Limitation Talks:* Gespräche über die Begrenzung strategischer Waffen) zu unterzeichnen.

1975. Im August wird die KSZE-Schlußakte in Helsinki unterzeichnet. Im Dezember erhält der Physiker und Dissident Andrej Sacharow den Friedensnobelpreis.

1977. Breschnew erhält zusätzlich den Titel des Präsidenten (Staatsoberhaupt), und eine neue Verfassung wird verabschiedet. Der Erfolg der Ipatowski-Erntemethode lenkt die nationale Aufmerksamkeit auf Gorbatschow; ein Interview mit dem Parteichef der Region Stawropol erscheint auf der Titelseite der *Prawda*.

1978. Politbüromitglied Kulakow stirbt, und Gorbatschow wird zu seinem Nachfolger als ZK-Sekretär für Landwirtschaft ernannt. Gorbatschow und seine Frau Raissa kehren im Herbst, nach dreiundzwanzigjährigem Aufenthalt in Stawropol, in die Hauptstadt zurück.

1979. Sowjetische Truppen marschieren in Afghanistan ein und setzen eine von Moskau gestützte Regierung ein. Gorbatschows schneller Aufstieg geht weiter: Im November wird er zum Kandidaten des Politbüros ernannt.

1980. Im Januar wird Sacharow in die geschlossene Stadt Gorki verbannt. Im Oktober wird Gorbatschow zum Vollmitglied des Politbüros ernannt.

1982. Leonid Breschnews achtzehnjährige Herrschaft endet im November mit seinem Tod; KGB-Chef Juri Andropow, ein Förderer Gorbatschows, wird zum Generalsekretär gewählt.

1983. Sowjetische Düsenjäger schießen die Passagiermaschine 007 der Koreanischen Fluggesellschaft ab, die sich in den sowjetischen Luftraum verirrt hat. Gorbatschow leitet Berichten zufolge einen Krisenstab, der die Reaktionen auf internationale Proteste koordiniert. In seiner

Funktion als ZK-Sekretär für Landwirtschaft besucht er Kanada.

1984. Andropow stirbt im Februar und wird von Konstantin Tschernenko, einem langjährigen Gefolgsmann Breschnews, ersetzt. Gorbatschow wird inoffiziell zum zweiten Mann der Parteiführung; er ist zuständig für Ideologie und Kultur und leitet zahlreiche Politbürositzungen. In Begleitung Raissas stattet er Großbritannien im Dezember einen offiziellen Besuch ab.

1985. Tschernenko stirbt im März; Gorbatschow wird innerhalb weniger Stunden zum neuen Generalsekretär gewählt. Er leitet Kampagnen gegen Korruption und Alkoholismus ein, macht vom Fernsehen übertragene Besuche an Arbeitsstätten und veranlaßt umfassende personelle Veränderungen in der Parteiführung. Im November trifft Gorbatschow beim Genfer Gipfel mit US-Präsident Ronald Reagan zusammen.

1986. Die Delegierten des XXVII. Parteitags heißen Gorbatschows ehrgeizige Wirtschaftsprogramme gut und wählen Verbündete des Generalsekretärs in Schlüsselämter. Im April ereignet sich der bis dahin schlimmste zivile Kernkraftunfall der Welt in Tschernobyl; die Sowjetregierung reagiert nur schleppend auf die internationalen Forderungen nach Information. Im Laufe des Jahres werden Gorbatschows politische Ziele der *glasnost* und *perestroika* zu Schlagworten für Liberalisierung innerhalb der sowjetischen Gesellschaft, Wirtschaft und Kultur. Gorbatschow und Reagan treffen sich von neuem, diesmal im isländischen Reykjavik. Im Dezember wird Sacharow aus der Verbannung entlassen.

1987. Gorbatschow wiederholt seinen Aufruf zu politischer und wirtschaftlicher Reform bei der ZK-Sitzung im

Februar. Rund 140 politische Häftlinge, darunter der Dissident Iossif Begun und der Psychiater Anatoli Korjagin, werden aus der Verbannung oder dem Gefängnis entlassen. Ein junger Bürger der Bundesrepublik Deutschland namens Matthias Rust fliegt mit seiner einmotorigen Maschine ungehindert durch Hunderte von Kilometern sowjetischen Luftraums und landet direkt neben dem Roten Platz; Gorbatschow nimmt den Vorfall zum Anlaß, die militärische Führung auszutauschen. Reagan und Gorbatschow unterzeichnen das INF-Abkommen beim Washingtoner Gipfeltreffen im Dezember und erklären ihre Absicht, in absehbarer Zeit möglicherweise einen Vertrag zur Begrenzung strategischer Waffen zu paraphieren.

1988. Im Februar brechen in der Republik Armenien, die die Angliederung von Berg-Karabach (einer zu Aserbeidschan gehörenden, jedoch hauptsächlich von Armeniern bewohnten Region) fordert, erstmals Unruhen aus. Im Laufe der folgenden Monate kommt es immer wieder zu gewalttätigen Ausschreitungen in Armenien und Aserbeidschan gegen die jeweils andere Volksgruppe. Die Moskauer Regierung entsendet Truppen in die Krisenregion, ohne den Konflikt jedoch entschärfen zu können. Auch im Baltikum und in Georgien machen nationalistische Bewegungen auf sich aufmerksam. Im Mai beginnt die Sowjetunion, ihre Truppen aus Afghanistan abzuziehen. Gorbatschow und Reagan kommen in Moskau zu ihrem vierten Gipfeltreffen zusammen. Auf der 19. Allunionskonferenz der KPdSU (der ersten außerordentlichen Parteikonferenz seit 1941) wird im Juni Gorbatschows innenpolitischer Reformkurs trotz scharfer Attacken von ultrakonservativer Seite, namentlich des für Ideologiefragen zuständigen ZK-Sekretärs Jegor Ligatschow, im wesentlichen bestätigt. Die Konferenz beschließt unter anderem die Begrenzung der maximalen

Amtszeit für Partei- und Regierungsfunktionäre auf zehn Jahre, die Präsentation mehrerer Bewerber bei Wahlen für Parteiämter und Maßnahmen zur Übertragung eines Teils der Macht von der Partei auf gewählte Körperschaften (Sowjets); neu installiert werden soll ein Kongreß der Volksdeputierten, dem unter anderem die Wahl des Obersten Sowjets obliegt. Weitere Weichen für eine beschleunigte Fortsetzung seiner Reformpolitik stellt Gorbatschow im Oktober: Der Oberste Sowjet wählt ihn zum Staatspräsidenten, zugleich tritt der bisherige Staatschef Gromyko, der als Repräsentant der Breschnew-Ära zunehmender Kritik ausgesetzt war, zurück; Ligatschow, bisher zweiter Mann in der Parteiführung, wird zum ZK-Sekretär für Landwirtschaftsfragen degradiert; Alexander Jakowlew, einer der wichtigsten Berater Gorbatschows, übernimmt die Leitung des ZK-Ausschusses für außenpolitische Angelegenheiten. Bei seinen Treffen mit dem deutschen Bundeskanzler Kohl (Moskau, Oktober) und dem französischen Staatspräsidenten Mitterrand (Paris, November), vor allem aber bei seiner Rede vor der Vollversammlung der Vereinten Nationen (New York, Dezember), in der er einseitige Abrüstungsbeschlüsse im konventionellen Bereich verkündet, unterstreicht Gorbatschow seinen Willen zur Verbesserung der Ost-West-Beziehungen. Am Rande der UN-Vollversammlung trifft er mit Reagan sowie seinem designierten Nachfolger George Bush zusammen. Armenien wird im Dezember von einer Erdbebenkatastrophe heimgesucht, die 25 000 Menschenleben fordert und die sowjetische Wirtschaft erheblich schwächt.

1989. Der Abzug der letzten sowjetischen Soldaten aus Afghanistan beendet im Februar die neunjährige Besetzung des Nachbarlandes. Außenminister Schewardnadse bereitet in Peking ein für Mai geplantes Treffen zwischen Gorbatschow und Deng Xiaoping vor – die erste Begegnung zwischen führenden Politikern der UdSSR und der Volksrepublik China seit 1959. Im März finden erstmals Wahlen zum Kongreß der Volksdeputierten statt; Aufsehen erregt der hohe Wahlerfolg eines parteilosen Kandidaten: des für eine forcierte Reformpolitik eintretenden früheren Moskauer Parteiführers Boris Jelzin, der 1987 von Gorbatschow aus seinem Amt entfernt worden ist, jedoch hohes Ansehen bei der Bevölkerung genießt. Im April führt der Nationalitätenkonflikt in Georgien zu blutigen Zusammenstößen zwischen Demonstranten und Militäreinheiten. Für Juni ist der erste Staatsbesuch Gorbatschows in der Bundesrepublik Deutschland angekündigt.

Ausgewählte Literatur

(Diese Zusammenstellung enthält eine Auswahl der in den letzten Jahren in der Bundesrepublik erschienenen Bücher über Michail Gorbatschow und die sowjetische Politik der letzten Jahre sowie Ausgaben verschiedener Reden Gorbatschows.)

Bahr, Egon: Eine Antwort auf Gorbatschow. Wandel durch Annäherung. Berlin 1988.

Doder, Dusko: Machtkampf im Kreml. Hintergründe des Wechsels von Breschnew zu Gorbatschow. 1988.

Engelbrecht, Uwe: Glasnost – Neue Offenheit. Artikel und Leserbriefe aus der sowjetischen Presse. Köln 1988.

Ferenczi, Caspar/Löhr, Brigitte: Aufbruch mit Gorbatschow? Entwicklungsprobleme der Sowjetgesellschaft. Frankfurt 1988.

Gorbatschow, Michail: Perestroika. Die zweite russische Revolution. Eine neue Politik für Europa und die Welt. München 1987.

Gorbatschow, Michail: Aufbruch ins Jahr 2000. Der sowjetische Abrüstungsplan, die innere Reform der Sowjetunion und Westeuropa. Köln 1986.

Gorbatschow, Michail: Neue Dimensionen sowjetischer Politik. Drei Reden. Köln 1986.

Gorbatschow, Michail: Die Rede „Wir brauchen die Demokratie wie die Luft zum Atmen". Referat vor dem ZK der KPdSU am 27. Januar 1987. Reinbek 1987.

Gorbatschow, Michail: Revolution des Denkens und Handelns. Ausgewählte Reden. Köln 1987.

Gorbatschow, Michail: Ein Dialog mit der Welt. Oktoberrevolution, Umgestaltungsprozeß und der Frieden. Rede zum 70. Jahrestag der Oktoberrevolution. Köln 1987.

Gorbatschow, Michail: Die wichtigsten Reden. Köln 1987.

Gorbatschow, Michail: Perestroika: Der revolutionäre Weg der Umgestaltung. Die Rede zum 70. Jahrestag der Oktoberrevolution. München 1987.

Gorbatschow, Michail: Die Rede zum 70. Jahrestag der Oktoberrevolution. Vorwort von Lutz Lehmann. Bergisch Gladbach 1988.

Gorbatschow, Michail: Was ich wirklich will. Antworten auf die Fragen der Welt. Berlin 1988.

Gorbatschow, Michail: Perestroika. Die zweite Etappe. Köln 1988.

Gorbatschow, Michail: Die Wahrheit – Garantie für eine bessere Zukunft. Rede Michail Gorbatschows auf der 19. Parteikonferenz der KPdSU Juni 1988. Neuss 1988.

Gorbatschow, Michail: Die UNO-Rede vom 7. Dez. 1988 sowie ein Beitrag aus der Prawda vom 27. September 87. Mit einer Einleitung von Gernot Erler. Freiburg i. Br. 1989.

Jung, Lothar: „Wir haben begonnen umzudenken ..." Michail Gorbatschows Reformkonzept für die UdSSR. Geschichte – Ideologie – Praxis – Perspektiven. 1987.

Lehmann, Lutz: Wie die Luft zum Atmen. Ein Journalist erlebt die Perestroika. Hamburg 1988.

Lewin, Moshe: Gorbatschows neue Politik. Die reformierte Realität und die Wirklichkeit der Reformen. Frankfurt a. M. 1988.

Medwedew, Zhores: Der Generalsekretär Michail Gorbatschow. Eine politische Biographie. 1987.

Mommsen, Margareta/Schröder, Hans (Hrsg.): Gorbatschows Revolution von oben. Dynamik und Widerstände im Reformprozeß der UdSSR. Berlin 1987.

Murarka, Dev: Michail Gorbatschow. Die Grenze der Macht. Bergisch Gladbach 1987.

Oplatka, Andreas: Hat Gorbatschow eine Chance? Land im Widerspruch. Zürich 1987.

Poljanski, Nicolai/Rahr, Alexander: Gorbatschow – Der neue Mann. Berlin 1987.

Rise, Hans-Peter: Gorbatschows neue Offenheit „Glasnost". München 1988.

Schmidt-Häuer, Christian: Michail Gorbatschow. München 1987.

Schmidt-Häuer, Christian/Huber, Maria: Rußlands zweite Revolution. Chancen und Risiken der Reformpolitik Gorbatschows. München 1987.

Schewtschenko, Arkadij: Mein Bruch mit Moskau. Bergisch Gladbach 1985.

Seiffert, Wolfgang: Die Deutschen und Gorbatschow. Chancen für einen Interessenausgleich. Erlangen–Bonn–Wien 1989.

Temmen, Horst/Segbers, Klaus (Hrsg.): Zurück dürfen wir nicht! Programmatische Äußerungen von Michail Gorbatschow zum Umbau der sowjetischen Gesellschaft. Eine kommentierte Auswahl seiner Reden von 1984–1987. Bremen 1987.

Voslensky, Michael S.: Nomenklatura. Die herrschende Klasse der Sowjetunion in Geschichte und Gegenwart. München 1980. Dritte aktualisierte und erweiterte Ausgabe München 1987.

Namenregister

Abuladse, Tengis 179
Achromejew, Sergej 270, 272, 279
Afanasjew, Viktor 225
Aganbegjan, Abel 146, 193
Alijew, Geidar 199
Andropow, Juri 13 ff., 28, 99, 122 ff., 136 ff., 140 f., 145 f., 158, 219, 221, 322 f.
Andropowa, Tatjana 141, 238

Begun, Jossif 324
Berija, Lawrenti 92 f., 102, 179, 319
Berlinguer, Enrico 154
Birjukowa, Alexandra 237
Breschnew, Leonid 11, 13, 15 f., 22, 110, 114, 121, 129, 132 f.,136 f., 139, 143, 158, 161, 166, 197, 206 ff., 210, 213, 216, 219, 223, 257 f., 277, 321
Breschnewa, Galina 136
Breschnewa, Viktoria 237
Brodski, Iossif 182
Brokaw, Tom 234, 254
Brubeck, Dave 264
Bucharin, Nikolai 40, 202
Bunin, Iwan 181
Bush, George 163, 269, 278, 292

Cardin, Pierre 246
Carlucci, Frank 270
Carter, Jimmy 228
Chomeini, Ajatollah 75
Chruschtschow, Nikita 11, 14, 22, 28, 51, 53, 102, 106 ff., 114, 133, 149, 170, 206, 210, 221, 281, 296, 320
Chruschtschowa, Nina 237
Chrystal, John 149
Cliburn, van 265
Colbert, Claudette 264
Cox, Lynne 265
Crowe, William 265

Daniloff, Nicholas 187
De Niro, Robert 263
Deng Xiaoping 280, 325
Denver, John 263
DiMaggio, Joe 264
Dietrich, Marlene 78
Dobrynin, Anatoli 23, 199, 215
Doumeng, Jean-Baptiste 112
Dubček, Alexander 67, 291
Dudinzew, Wladimir 104
Dürrenmatt, Friedrich 247
Dukakis, Michael 25

Ehrenburg, Ilja 104
Eisenstein, Sergej 286
Emerson, Ralph Waldo 9 ff.
Evert, Chris 264

Fitzwater, Marlin 265

Flynn, Errol 78
Forrestal, James 151
Freidin, Gregory 252
Frinowski, General 44
Furzewa, Jekaterina 237

Galbraith, John Kenneth 263
Gandhi, Rajiv 207
Gandhi, Sonja 207, 251
Gerassimow, Gennadi 283
Gogol, Nikolai 158
Gorbatschow, Andrej 37, 47, 52
Gorbatschow, Sergej Andrejewitsch 37, 47, 52 ff., 319
Gorbatschowa, Irina 228
Gorbatschowa, Maria Pantelejewna 34, 48, 53
Gorbatschowa, Raissa Maximowna, 10, 17, 96 f., 101, 113 f., 135, 155, 157, 207, 230 ff., 265, 319, 322 s. auch Titorenko, R. M.
Gorki, Maxim 43
Graham, Billy 263 f.
Grigorjanz, Sergej 178
Grischin, Viktor 160 f., 163, 181
Gromow, Boris 280
Gromyko, Andrej 17 f., 260, 277, 325
Gorschko, Sergej 168
Gubenko, Nikolai 286
Gumiljow, Nikolai 253

Hammer, Armand 252, 264
Hegel, Georg Wilhelm Friedrich 71, 72
Heller, Michail 47
Hitler, Adolf 39, 50, 103
Hobbes, Thomas 71

Jackson, Michael 262
Jagoda, Genrich 44
Jakowlew, Alexander 151 f., 199, 201, 215, 277, 325
Jarin, Wenjamin 291
Jasow, Dmitri 200
Jefferson, Thomas 173, 293
Jelzin, Boris 26, 179, 196, 198 f., 253, 257, 326,
Jepischew, Alexej 168
Jewtuschenko, Jewgeni 104, 108, 182 f., 286,
Judowitsch, Lew 73, 89

Kaganowitsch, Lasar 44, 107
Katharina die Große 34
Kennedy, John F. 221
Ketschekian, Stepan Fjodorowitsch 72
Kirilenko, Andrej 132
Kirow, Sergej 318
Kissinger, Henry 14, 263
Kohl, Helmut 164, 325
Kollontai, Alexandra 237
Kondratenko 96
Korjagin, Anatoli 324
Korotitsch, Witali 166, 174
Kossygin, Alexej 110, 122 f., 126, 132, 133
Kostakow, Wladimir 193
Kosterin, A. B. 45
Krupskaja, Nadeschda 237
Kulakow, Fjodor 99, 106, 111, 123, 125, 132, 142, 321
Kunajew, Dinmuchamed 159, 179

Lenin, Wladimir Iljitsch 15, 18, 38, 40, 63, 65, 71, 74, 87, 108, 190, 202, 213, 221, 225, 251, 293, 317
Lermontow, Michail 57, 101
Lessing, Traudl 147

Lewin, Moshe 190, 216
Lieberman, Wladimir 79, 81 f., 88
Ligatschow, Jegor 26, 199, 215, 277, 324 f.
Lincoln, Abraham 223, 261
List, Siegmund Wilhelm 49
Lucas, George 13

Machiavelli, Niccolo 71
Mailer, Norman 263
Majatski, Alexander 117
Malenkow, Georgi 15, 107
Mao Tse-tung 281
Martow, Juli 70
Marx, Karl 18, 28, 147, 155 f.
Masurel, Laurence 246
Maximow, Wladimir 101, 104, 106, 119
Medunow, Sergej 121, 127
Medwedjew, Roy 94, 102, 110, 286
Medwedjew, Zhores 44, 45, 239 f.
Mehta, Zubin 264
Menschagin, W. D. 71
Michalewa, Nadeschda 80
Mikojan, Anastas 44
Mikulski, Barbara 249
Mitterrand, Danielle 246
Mitterand, François 164, 325
Mlynář, Zdeněk 67 ff., 76 ff., 82 ff., 93, 95, 113 f., 122, 148
Molotow, Wjatscheslaw 107
Mulroney, Brian 164

Nekritsch, Alexander 47
Nesnanski, Friedrich 69 ff., 76, 83, 87 ff., 94 f., 107
Newman, Paul 263
Newski, Alexander 54
Nikonow, Viktor 215
Nitze, Paul 270, 272
Nixon, Richard 14, 22, 321
Nurejew, Rudolf 186

Oates, Joyce Carol 248, 263
Ogarkow, Nikolai 139
Okudschawa, Bulat 104
Ono, Yoko 263

Parkinson, C. Northcote 155
Pasternak, Boris 182, 320
Pechota, Vratislav 64, 75 f.
Piontowski, A. A. 71
Plissezkaja, Maja 186
Podgorny, Nikolai 110
Podniek, Juris 179
Potjomkin, Grigori 34
Powell, Colin 270 f.
Puschkin, Alexander 57, 101

Reagan, Nancy 231 f., 247, 264
Reagan, Ronald 9 f., 13, 17, 19 ff., 27, 29, 171, 187 f., 211 f., 232, 247, 256 ff., 264, 266 ff., 275 f., 278, 281, 292, 294, 323 ff.
Retton, Mary Lou 264
Riefenstahl, Leni 85
Rockefeller, David 264
Romanow, Grigori 17, 135, 139, 161, 163, 167, 199
Rostropowitsch, Mstislav 264,
Rousseau, Jean Jacques 71
Rubbi, Antonio 154
Rust, Matthias 200, 324
Rybakow, Anatoli 180, 183 f.
Ryschkow, Nikolai 193, 215

Sacharow, Andrej 23, 177, 184, 214, 322
Sagan, Carl 263
Saikow, Lew 190
Saizew, Slawa 251
Salgus, Irina 232

Saslawskaja, Tatjana 146 f.
Schatrow, Michail 162
Schdanow, Andrej 91
Scheboldajew, Boris 44 f.
Scheer, Robert 80
Schewardnadse, Eduard 120, 128, 144, 168, 179, 187, 215, 280,
Schewtschenko, Arkadi 75, 122
Schipachin 239
Schmidt-Häuer, Christian 122, 241
Schtscherbizki, Wladimir 159
Shultz, George 27, 258, 260, 271, 293
Simes, Dmitri 92
Smith, Hedrick 206, 208
Snow, C. P. 155
Sokolow, Sergej 199 f.
Solschenizyn, Alexander 182
Stalin, Josef 11, 15, 28, 37 ff., 51, 53 f., 56 f., 63, 65 f., 74, 84, 90, 102, 107, 133, 179, 184, 190, 201, 206 f., 210, 221, 237 ff., 318 ff.
Stolypin, Pjotr Arkadjewitsch 36, 42
Stromas, Alexander 73, 83, 88, 93
Suslow, Michail 44, 49, 51, 99, 126, 132, 137, 151

Tatu, Michel 93, 112
Thatcher, Denis 230
Thatcher, Margaret 154, 156 f., 164, 172
Thomas von Aquin 71
Tichonow, Nikolai 127
Tito, Josip 91
Titorenko, Maxim 239
Titorenko, Raissa Maximowna 79 ff., 243, s. auch Gorbatschowa, R. M.
Tolstoi, Leo 101
Trotzki, Leo 40, 202, 318
Trudeau, Pierre 150
Truman, Harry 112
Tschebrikow, Viktor 160, 163
Tschernenko, Anna 237
Tschernenko, Konstantin 16, 126 f., 132, 140 ff., 146, 154 f., 157 f., 160 f., 167, 221 f., 323

Ustinow, Dmitri 157 f.

Vance, Cyrus 263
Vonnegut, Kurt 137
Voslensky, Michael 134

Walker, Martin 236
Weissmueller, Johnny 79
Whelan, Eugene 150 f., 153
Will, George 265
Woroschilow, Kliment 54
Worotnikow, Witali 159
Wosnessenski, Andrej 104
Wright, Jim 152
Wyschinski, Andrej 63,71, 108

Zia ul-Haq, Mohammed 164

Die Autoren

David Aikman (Kapitel *Kindheit und Jugend* sowie *Universitätsjahre*). Seit 17 Jahren *Time*-Korrespondent. Experte für Kommunismus, Sowjetunion und China.

George Church (Kapitel *Raissa*), *Time*-Mitarbeiter seit 1969 mit bisher mehr als 80 Titelstories, einschließlich des *Man of the Year*-Artikels über Gorbatschow.

Sally B. Donnelly (allgemeine Recherchen). Seit Beginn ihrer Mitarbeit bei *Time* im Jahr 1985 spezialisiert auf die Sowjetunion.

James O. Jackson (Recherchen in Moskau, Kapitel *Ruf nach Moskau* und *Der Reformer*). Seit 1985 Chefkorrespondent von *Time* in Moskau.

John Kohan (Kapitel *In Stawropol*). Bis vor kurzem Redakteur im *Time*-Ressort Weltpolitik, heute Korrespondent in Bonn.

Donald Morrison (Herausgeber sowie Kapitel *Ein Tag im Leben des Michail Sergejewitsch*). Leiter des Ressorts Weltpolitik bei *Time*.

Thomas A. Sancton (Kapitel *Gipfel in Washington* und *Stabilisierung des Reformkurses*). Redakteur im weltpolitischen Ressort. Autor zahlreicher Artikel und Titelstories über Ostblockthemen.

Strobe Talbott (Einführung). Seit 1984 Chefkorrespondent von *Time* in Washington. Übersetzer und Herausgeber einer zweibändigen Ausgabe der Chruschtschow-Memoiren.